QUI M'A INTERPELLÉ ?

Frigyes Karinthy

FRIGYES KARINTHY

QUI M'A INTERPELLÉ ?

Traduit du hongrois par Judith et Pierre Karinthy

66 rue Anatole France 78350 Jouy en Josas
traducteurs@orange.fr
dépôt légal : novembre 2017
ISBN : 979-10-92293-08-1

Frigyes Karinthy

La première partie de ce volume, sous le titre *Qui m'a interpellé ?*, publiée en 1924, réunit des textes destinés à devenir les articles d'une *Nouvelle Encyclopédie* que Karinthy appelait de ses vœux, comme il aspirait à un nouveau siècle des lumières. Nous y avons adjoint dix textes écrits entre 1930 et 1937 qui se présentent aussi comme des entrées pour une encyclopédie.

Les essais de la troisième partie, regroupés sous le titre *Mon Journal*, ont été publiés par Frigyes Karinthy dans la presse hongroise en 1927, 1928 et 1929. Ils expriment l'essentiel de la pensée de l'auteur. Ils abordent les ressorts de la société, le psychisme, la morale, la force créatrice de l'esprit, la liberté individuelle, le progrès technique.

Karinthy se révèle ici être un étonnant visionnaire : citons les fameux six degrés de séparation entre deux personnes quelconques sur la planète, l'ordinateur personnel, les e-books, la vidéo à domicile, mais aussi les fichiers informatiques et la protection de la vie privée.

Frigyes Karinthy

QUI M'A INTERPELLÉ ?

Entrées pour une Grande Encyclopédie

Ce qui suit se compose de petits essais au sens contemporain du terme. Peut-être est-il de nouveau possible de prononcer, doucement et prudemment, le mot "essais" sans que le lecteur pense obligatoirement à des dissertations traitant d'œuvres poétiques ou de créations artistiques. Peut-être me croirez-vous enfin lorsque j'affirme que là dehors dans le monde de la réalité, un mot, une notion, un objet peuvent inspirer le penseur non seulement indirectement, à travers des œuvres, mais aussi directement, à l'instar du poète ; que ces termes "amour" et "mort" et "faim" et "travail" et "argent" peuvent à la fois pincer les cordes du cœur et frapper les touches du nerf de la raison, et pas seulement l'un à la suite de l'autre ; que je peux décider selon mon bon plaisir ou mon état d'âme si je souhaite y consacrer un poème ou une dissertation ; que parfois c'est le poème et parfois c'est une dissertation qui est à même d'approcher le mieux le même Inapprochable.

Ces essais-ci sont des dissertations – disons-le encore plus sèchement : des définitions de notions. Ou disons avec plus de modestie : des entrées. Des entrées pour la Grande Encyclopédie que j'évoque depuis une dizaine d'années et dont (ceux qui me connaissent ou ceux qui se souviennent de moi, savent où j'en suis, ce que je poursuis, où j'en étais resté la fois d'avant, quand je me mets à parler) je rêve quelquefois, obstiné et entêté, dans une nouvelle, une "humoresque" ou une poésie, à l'aube de ce siècle, comme Rousseau et Diderot en rêvaient au milieu du dix-huitième siècle. Cette Grande Encyclopédie pour laquelle le temps est mûr, dans cet enfer babélien des notions de base détruites et gisant en ruine, dans ce siècle épouvantable dont la science et la politique et l'art ont tout mis en pièces et n'ont rien reconstruit, cette Grande Encyclopédie qu'il faudrait écrire collectivement, non pas en faisant appel aux savants et spécialistes et philologues et rédacteurs de dictionnaires, mais aux esprits éminents de l'humanité forgés ensemble par la révolution victorieuse des transports, les poètes, les penseurs du monde entier. Sa rédaction nécessiterait la construction d'une ville indépendante, à part, ayant ses propres lois ; c'est là qu'il faudrait les réunir (pour y travailler à l'instar de ces maçons libres qui seulement de cette façon ont pu bâtir leurs cathédrales pour tenir pendant des millénaires...) pour la Grande Encyclopédie, pour cette œuvre non encore existante à laquelle vont toutes mes pensées, dont le ton et la méthode régissent ma façon de chercher à éclaircir des notions, de rechercher des vérités, de parvenir à des connaissances... pour la Grande Encyclopédie qui ne sera jamais achevée.

QUI M'A INTERPELLÉ ?

- Qui m'a interpellé ?

Quelqu'un m'a interrompu en plaisantant alors que je m'étais mis à parler – en arrivant j'ai vu quelque chose dans la rue et je me suis rappelé que cela s'était déjà si souvent passé et toujours en vain… Pourtant la chose est si simple ! J'ai toujours eu l'impression qu'il suffirait de…

- Qui m'a interpellé ?

C'est de cette façon, en plaisantant, que quelqu'un m'a interrompu ; mais moi j'étais interloqué et je me suis tu sérieusement, je n'ai pas pu poursuivre. Que m'était-il arrivé ? Après ils ont insisté : allons, qu'est-ce que tu voulais dire – mais non… Tout devenait brusquement ridicule, stupide et sans signification.

Nous sommes souvent ainsi avec ce que nous disons. Nous répétons durant des décennies "bonjour !" et "au revoir" et "à votre santé" et "j'ai l'honneur" – et un jour, des décennies plus tard nous prêtons attention à la signification de ces mots – et tout à coup, comme maintenant, un fossé s'ouvre sous le poids des expressions – et de l'autre côté du fossé, c'est le brouillard et le chaos – le terrifiant non-sens de la vie se révèle un instant.

- Qui m'a interpellé ?

C'est juste – qui m'a interpellé ? Comment est-il possible que je ne me sois jamais posé la question ? Jamais personne ne m'a rien demandé. J'ai écrit et j'ai parlé et j'ai protesté et je me suis battu – j'avais des opinions sur ceci et sur cela et encore sur cela – j'ai parlé de la vie, de la mort, de l'amour, de la poésie, de moi-même, de l'enfant et de la femme et du hanneton… J'ai veillé sur le groupe sujet et le groupe verbe, sur l'épithète éthérée et sur le substantif sérieux, sur le numéral implacable, sur le préfixe et la postposition – sur le rythme et sur la rime – pour que ce que je dis soit compréhensible et clair, soit l'unique forme correcte de la pensée pour que celui à qui je l'offre en cadeau le saisisse aisément et ne le reperde plus. J'ai résolu des devinettes, j'ai coupé des nœuds en deux, je me suis efforcé d'approcher le début et la fin, les deux pôles où aucun explorateur polaire n'a jamais mis les pieds...

- Mais, qui m'a interpellé ?

Je ne nie pas qu'on soit venu me voir avec des circulaires, des enquêtes, pour me demander mon avis sur la mode et la table où j'ai le mieux déjeuné. Mais je les ai écartés, j'ai donné des réponses évasives, je n'avais rien à leur dire.

Mes réponses les plus frappantes – je m'en aperçois – ont retenti à propos des questions qui ne m'ont pas été posées : pourquoi m'étonner alors dans le sourd silence que personne ne les emporte à la hâte – mes meilleurs conseils, je les ai adressés à celui qui avait déjà péri par sa propre faute – pourquoi m'étonné-je alors que personne ne les ait suivis ?

- Qui m'a interpellé ?

J'ai tout prédit – j'ai vu le danger qui menace, j'ai vu le sombre nuage et j'étais au courant de la foudre qui allait frapper. Je les ai vus naître et courir vers leur mort – j'ai vu la faute et je leur ai prédit : pas comme ça, pas ça, cela deviendra honte et malédiction. J'ai désigné l'âpre poire sauvage et le fruit savoureux par leur nom – j'ai dit ce qu'il y a à l'intérieur ; pourquoi n'ont-ils pas trié comme je l'indiquais ? Je me suis trempé à leur place jusqu'au cou dans la boue des égouts – et mon hélice a ronflé à leur place parmi les purs nuages, et j'ai rendu compte de ce que j'avais vu là-bas, de mes souffrances ici, de l'odeur de la puante abjection et de celle du rayon parfumé du soleil – mais alors pourquoi les âmes des malheureux fourmillent-elles toujours dans le bourbier et pourquoi les cimes enneigées sont-elles désertes ? J'ai demandé qu'ils veuillent bien ne pas passer par là – j'ai prévenu que le chemin passait par ici – alors pourquoi les fosses sont-elles pleines ? Moi, j'ai planté un panneau entre les nageurs et les enfants qui barbotent – pourquoi des cadavres enflent-ils alors au fond de l'eau ?

- J'ai répondu à tout – mais, qui m'a interpellé ?

Qui m'a interpellé

Personne ne m'a rien demandé, tu as raison, intervenant. Vous n'avez pas le temps de poser des questions. Car on a demandé au premier ministre quel sera le destin du pays, et on a demandé au commerçant le prix de sa marchandise, et on a demandé à la calorie où elle irait, on a demandé au requin si le végétarisme est convenable, on a demandé à la maladie comment elle allait, on a demandé à la punaise s'il était possible d'éviter toute effusion de sang, au feu si la douche froide est bonne pour la santé, à l'eau ce qui l'enflamme d'habitude, à l'oiseau vers quoi il vole, au soleil par où il tourne.

Mais qui a demandé à l'homme ? Qui t'a interpellé, Homère ? Qui t'a interpellé, Socrate ? Qui t'a interpellé Gautama Bouddha ? Qui t'a interpellé Nazaréen ?

Shakespeare, Goethe, Madách, Dante, Beethoven, Kant... Qui vous a interpellé ?

Toi, homme qui sait – homme qui a vu cela, toi, homme qui l'a regardé, observé, vécu, qui l'as su avant qu'il n'existe, qui l'as su avant qu'il ne devienne, toi qui as crié quand il s'approchait, qui t'a interpellé ?

Dieu rédempteur qui sait comment on pourrait éviter, qui sait ce qu'on devrait faire, à qui il faudrait s'adresser, comment il faudrait procéder, qui t'a interpellé ?

Qui t'a interpellé ? Ne le demande pas, hurle à tue-tête, sans quoi régnerait le silence autour de toi, hurle toi-même la question, et crois à l'écho que c'était lui, et réponds à l'écho pour entendre au moins tes propres paroles.

Frigyes Karinthy

INTÉRESSANT…

Je vais tenter de régler ses comptes à ce terme – je l'ai si souvent rencontré, chaque fois il m'a inquiété : j'aimerais savoir pourquoi ? Qu'entendons-nous par ce terme, pourquoi l'utilisons-nous ? Que trouvons-nous intéressant ?

Je ne l'ai jamais spécialement apprécié. Dans un discours construit, lorsque je me concentrais sur ce que je disais, j'essayais de l'éviter. Vainement. Il s'est tellement propagé, s'est tellement ancré dans l'usage courant qu'on ne peut plus vivre sans lui. Maintenant que je suis en train de chercher une épithète caractéristique par laquelle justifier pourquoi je lui consacre un chapitre à part, je n'en trouve pas d'autre que lui-même ; j'ai le sentiment que je ne pourrais pas capter autrement l'attention du lecteur, qu'en l'assurant que le terme "intéressant" est un terme *intéressant*, et il est intéressant de l'analyser. Naturellement cela implique de ma part une attention accrue pour ne pas tomber dans le piège le plus manifeste de la déduction logique : *je* ne dois pas mêler par hasard la notion à définir aux notions déterminantes.

Au demeurant je peux rapidement régler ses comptes à mon antipathie, simplement parce que je n'aime pas ce terme, je le trouve foncièrement vulgaire. Nous le prononçons à tout bout de champ, par courtoisie, par curiosité – quelqu'un qui aime le langage châtié, aura obligatoirement ses oreilles blessées, offensées par l'irresponsable légèreté avec laquelle il est administré.

Mais pourquoi ? Il existe bien d'autres adjectifs ou adverbes, depuis que nous nous signalons les uns aux autres ce qui est commun en nous : les vécus et les impressions tant extérieures qu'intérieures partagés par tous, nous les utilisons peut-être plus fréquemment que celui-ci, sans que je les sente rabâchés.

Depuis que…

Voici la première caractéristique tangible.

Pendant des millénaires le mot "intéressant" a été utilisé beaucoup moins souvent, et quand il l'était, il ne l'était pas au sens qu'on lui donne de nos jours. Le mot "intéressant", censé décrire et caractériser des phénomènes dans la littérature et dans l'usage commun, est devenu indispensable depuis une centaine d'années. Lisez des livres anciens, reconstituez d'anciens dialogues ou discussions dans le style de ces livres et des traditions – vous n'en trouverez aucune trace. Il serait difficile d'écrire un livre historique dans lequel, mettons, Savonarole ou Ferenc Rákóczi[1] auraient exprimé l'avis que certains événements sont "très intéressants". Pourtant les gens émettaient de tout temps des avis, et même il y eut des temps où l'avis émis était plus important que les choses elles-mêmes. Comment les gens pouvaient-ils exister sans le critère *intéressant* ou inintéressant (ennuyeux) qui compte tant aujourd'hui ?

Quelqu'un qui a bien compris la question posée, ne peut attendre après cela une analyse idéologique ou étymologique de *l'intérêt*. Ce que nous souhaitons apprendre dans le cadre du présent exposé, ce n'est pas ce qui intéresse les gens en général, *sub specie æternitatis* – mais seulement savoir, et ceci pour en tirer une moralité, pourquoi et depuis quand nous utilisons cette distinction qualificative ? Du fait qu'il s'agit d'un usage récent de ce terme, on peut conclure qu'il est venu et s'est répandu *dans le cadre d'un changement*, et nous ne suivrons peut-être pas une fausse piste si nous le mettons en rapport avec l'essor des transports au dix-neuvième siècle et celui du journalisme aussi.

La piste paraît bonne. Le journalisme est ce moyen de communication dont non seulement le maintien, mais la condition et la base de la création est l'hypothèse que les gens ne sont pas intéressés seulement par ce qui est en rapport direct avec ce qui *les intéresse personnellement*, mais il existe une sorte de curiosité, pas encore une attirance et plus une indifférence, un intérêt pour des histoires arrivées à d'autres qui nous ressemblent, ce qui pourrait être exprimé par le terme "commérage" : autrement dit des faits divers – alimentation et condition de la naissance du journalisme en tant que moyen véhiculaire ; des nouvelles légères à l'égard desquelles il ne vaut pas la peine de prendre position par acquiescement ou désapprobation, avec joie ou indignation, avec compassion ou colère, avec foi ou dénégation, autrement dit *avec un jugement moral*, n'ayant rien à voir avec les catégories évoquées. Elles méritent tout au plus une courte méditation, une attention éphémère, comme autant d'épisodes qui interrompent ou colorient la tragédie de l'existence ou la vie humaine. Le mot "nouvelle" au sens premier du

---

1 Ferenc Rákóczi (1645-1676). Prince de Transylvanie.

terme désigne un événement, un petit événement tellement insignifiant qu'elle paraît "neuve" même quand elle se répète pour la centième fois car chaque fois elle se laisse oublier, contrairement aux affaires importantes de la vie dont nous savons par des expériences pénibles, voire fatales qu'elles ne sont pas nouvelles : il y en a eu et il y en aura, par la volonté de lois à poigne d'airain. Les premiers recueils de nouvelles, ou journaux, sont apparus au milieu du dix-huitième siècle, ils ne sont autres que des libelles amusants rapportant des rumeurs et des commérages, des événements qui ne possèdent pas de terme spécifique pour les décrire, ils empruntent donc une désignation vague : ainsi naît la notion "d'intérêt".

La nouvelle prend forme et elle prétend vivre dans ses propres limites étroitement taillées. Mais, au cours des cent cinquante années suivantes, son géniteur et son enfant, le Journal, s'étend, dans des proportions effrayantes mais de façon naturelle, il remplit chaque espace, devient l'un des facteurs décisifs et déterminants de la vie civilisée : un véritable pouvoir vital dirigeant et orientant des destinées. Et l'étroite notion "d'intérêt" avec son mince et plat contenu est contrainte de s'étendre avec lui, *de façon pas du tout naturelle* – parce que sa nature ne supporte pas ces proportions : il enfle maladivement, il revêt une forme anormale et il écarte les saines normes morales.

Le lecteur me comprendra peut-être si je mets en regard deux "faits divers" des journaux. L'un est publié, mettons, à Paris au dix-huitième siècle : la chienne de Madame Lavallière a mis bas six petits chiots. L'autre à New-York, la semaine dernière : des insurgés chinois ont massacré trois cent mille personnes. Nul ne contredira que la première information est tout au plus *intéressante*, alors que – et c'est là que ça cloche ! – aucun lecteur ni journaliste d'aujourd'hui n'oserait nier que la deuxième information était *plus* ou *autre* qu'intéressante. Personne ne l'oserait, oui, c'est le mot juste ! Car nous sentions bien obscurément et avec angoisse qu'il faudrait penser, sentir, dire, *faire* autre chose à la lecture de cette nouvelle. Pourtant, que présente le journal, serviteur et maître de l'opinion publique ? Des centaines de milliers de personnes ont été massacrées – cent mille personnes ont péri dans un tremblement de terre – il a tiré une balle dans la tête du séducteur – une jeune fille s'est suicidée. Cent mille personnes… C'est effroyable… Effroyable ?!... Ça ne peut pas être effroyable puisque c'est *intéressant* ! Oui, c'est intéressant – puisque si ça ne l'était pas, on ne fabriquerait pas de journal, on ne l'imprimerait pas en énormément gros caractères, pour attirer tous les regards et pour vendre le journal. Cent mille personnes – à quel point c'est *intéressant*, rien ne le prouve aussi bien que deux cent mille, *ce serait encore plus intéressant* ; si non pas cent mille, mais deux cent mille personnes avaient péri dans le tremblement de terre, le journal *serait imprimé en encore plus gros caractères et sortirait vingt à trente mille exemplaires supplémentaires, pour la plus grande satisfaction de l'éditeur.* Il a tiré une balle dans la tête du séducteur *serait encore plus intéressant s'il avait tiré des balles dans la tête de deux séducteurs.* Le suicide d'une jeune fille, c'est *intéressant*. C'est encore plus intéressant si la jeune fille était *merveilleusement belle et fabuleusement riche.*

C'est ainsi que le journalisme génère l'antonymie entre "intéressant" et "pas intéressant". L'homme européen, éduqué dans l'atmosphère créée par le siècle du journalisme commence à oublier que cette opposition *n'est pas une sentence véritable, naturelle, du sens et des sentiments*, c'est une fausse formulation, un substitut, un succédané, le remplacement des notions naturellement opposées que jadis nous appelions *bon* et *mauvais*, *correct* et *incorrect*, *à suivre* ou *à réfuter*. Nous distinguions ces notions entre les événements, conscients de l'aspiration au bonheur : "devons-nous lutter contre la possibilité de leur réitération ou devons-nous les favoriser ; devons-nous détruire ou construire, vouloir ou ne pas vouloir ?" En un mot : tirons-en un enseignement.

"C'est intéressant !", préférons-nous dire aujourd'hui en hochant à peine la tête – et ce hochement, geste de la *dénégation*, de *l'évacuation*, est très caractéristique de cet état d'âme avec lequel nous voulons nous débarrasser du sentiment de *responsabilité* qui, apparemment, jaillit tout de même, et avec lequel nous devrions accueillir la nouvelle de tout ce qui arrive à *notre prochain* : la responsabilité que nous devrions assumer, au minimum dans l'acquiescement ou la désapprobation si déjà nous ne voulons pas l'assumer dans l'action, l'aide à porter ou la punition. "C'est intéressant !", disons-nous, pour n'avoir à décréter ni bien ni mal, ce qui trahirait et avouerait notre conviction, religion, caractère, personnalité, en l'assumant, une fois entrés en relation avec l'événement.

C'est intéressant, disons-nous, et sur nos visages apparaît la caricature de l'Européen d'aujourd'hui, cette incertitude ni chaude ni froide, ni gaie ni triste, dans laquelle on ne peut plus lire la *tragédie individuelle* – ce visage dans lequel l'œil n'est plus le miroir de l'âme, il n'a plus rien à refléter, puisque l'âme ne se dessine plus dans les contours de la désapprobation ou de l'acquiescement. Il a perdu désormais sa relation naturelle avec l'événement extérieur, lorsqu'il a dégradé à un niveau accessoire la fatalité, l'avertissement du Destin qui couve en lui et qui nous concerne tous.

En effet, après un peu de réflexion sincère il apparaît évident que le journal, produit et géniteur de l'intérêt, cet amas d'or qu'un *optimisme fallacieux prend pour l'écriture de l'histoire contemporaine*, souligne non pas la substance des événements du monde, pas même son contenu, il ne *souligne* pratiquement que leur *chronologie*, je dirais presque la *partie statistique* de ce qui, du point de vue du contenu interne de l'événement, n'aurait de valeur parmi les vivants que pour quelques mathématiciens originaux, des entomologistes qui s'ennuient, si nous n'avions pas pris l'habitude de trouver "intéressant" tout ce que nous servent les journaux. Il y a sept ans, pendant la grippe espagnole, les journaux communiquaient jour après jour le nombre des morts, puis au fur et à mesure de la décroissance de l'épidémie ce chiffre se mit enfin à diminuer. Naturellement parallèlement à la diminution du nombre des morts l'importance et la longueur des articles traitant le sujet diminuaient également (la chose devenant de moins en moins "intéressante") ; mais mon propos est autre, je veux parler du communiqué qu'un typographe a composé un beau jour vers la fin et que les journaux ont publié le lendemain. Le communiqué se disait fier de faire savoir que grâce à Dieu l'épidémie vivait ses derniers jours et que probablement le lecteur serait rassuré d'apprendre que selon le rapport des autorités ce jour-là *une seule personne seulement serait décédée de la grippe espagnole*. La nouvelle réjouissante était rédigée de façon si suggestive qu'on voyait presque le visage réjouit et satisfait de la *victime*, chantonnant et sifflotant : « youkaïdi, youkaïda, l'épidémie s'en va, plus qu'un mec va crever ce soir, chouette c'est moi ! ». En effet, le sujet n'étant plus assez "intéressant" mais *différent*, le journal ne s'est pas rendu compte que l'événement marquant de ce jour était *cette unique mort* et non pas le fait qu'il n'y en aurait pas d'autres.

Plus grave, la prolifération maladive de "l'intérêt" a contaminé le système d'encadrement de la culture, sa critique esthétique et éthique méthodique, en relâchant le frein censé donner une forme à la culture. Les arts, le monde des fictions, supportent plus facilement ce déchaînement et s'en sortent mieux ; naissent quelques "tendances" folles, quelques "genres" farfelus tels le simultanéisme[2], le dadaïsme, le surréalisme, outrés de l'impotence de la critique d'art qui s'efforce de substituer la perversité sénile de "l'intérêt" à la notion du beau et du laid. Je le répète donc, l'art s'en sortira, et tout finira par revenir dans son train-train habituel. Mais le même processus produit dans le domaine de l'éthique, contrôle des *actions humaines*, des phénomènes autrement plus dangereux. La guerre mondiale nous a montré ce qui se passe si nous essayons de poser des exigences différentes, autres que bonnes ou mauvaises, pour juger les actions humaines. Des conceptions pour le moins "intéressantes" ont vu le jour, telles par exemple : assassiner des hommes consciemment et méthodiquement serait une des conditions du progrès, le suicide est un sacrifice utile, la voie la plus sûre vers notre succès est que les citoyens défendent l'armée et non l'inverse et enfin, last but not least, la "théorie raciale" elle-même, remède le plus radical sous forme de décapitation.

Dans ce dernier excès c'est dans l'application pratique de la "théorie raciale" que cet esprit qui a commencé par la recherche enthousiaste des secrets de la nature a atteint son point culminant et a parachevé son œuvre avec la glorieuse victoire du journalisme. Et nous pouvons peut-être nous arrêter sur ce point. Recherche de la nature, théorie de l'évolution – autrefois autant de contraintes intérieures, d'impératifs, au service du Grand But. Au siècle du journalisme elles sont devenues des fins en soi, avec leurs résultats prodigieusement "intéressants" : qui donc s'en préoccupe, à quoi sert, à quoi est bonne ou à quoi est mauvaise la science ? "Les secrets de la nature ont été dévoilés !" – pour le journaliste

---

2 Le Simultanéisme est un mouvement artistique développé conjointement par Sonia Delaunay et son mari Robert Delaunay . Il consiste à introduire le principe du contraste simultané de couleurs dans la peinture.

ce n'est pas plus que ça – sur une page les secrets d'une actrice, sur l'autre ceux de la nature, du créateur – le journaliste se sent à l'aise dans tous les boudoirs ; et le monde lui-même est une gigantesque grille de mots croisés dont nous révélerons les réponses au prochain numéro. Le secret du monde, le secret de l'âme – autant de secrets, autant de devinettes ; et la psychologie analytique est un des acquis "des plus intéressants" de l'époque, elle nous révèle la *genèse de l'âme* qui capte tout cela. Qui s'intéresse à *ce qu'elle est devenue*, après avoir été générée ? Qui s'intéresse à la Règle sous le signe de laquelle nous avons commencé à la rechercher, qui se demande *pourquoi* nous devons savoir tout cela ? Les secrets de la main et du pied et de l'œil et de l'oreille ont été révélés. Nous connaissons l'utilité de chacun – qui s'intéresse à l'utilité du tout ?

Et maintenant que je pense à la Grande Encyclopédie, je pose ma plume, désespéré. Jamais à la présente époque je n'apprendrai si l'œuvre poétique que j'ai écrite a été *belle*, si l'action que j'ai menée a été *bonne*, et une angoisse me prend, il ne vaut pas la peine de poursuivre cette analyse. L'éditeur auquel je la transmets, le lecteur qui s'y plonge et va jusqu'au bout si elle lui plaît, et qui veut exprimer ses louanges, dira : c'est "très intéressant" ce que vous dites de "l'intéressant".

Mais s'il vous plaît, pour l'amour du ciel, je ne voulais pas dire ce qui est "intéressant", je voulais dire ce qui est vrai.

Vrai ?!... De quoi s'agit-il ?!...

TROUBLE MOMENTANÉ D'ESPRIT

Une jolie petite étude de Fabre, le génial entomologiste, rend compte de résultats négatifs concernant le *suicide du scorpion* : ses expériences ont catégoriquement réfuté la superstition selon laquelle il existe sur la terre un autre être vivant à part l'homme qui, en cas de danger fatal raccourcit la souffrance de la mort en mettant fin rapidement à sa vie. Par là même est tombée la dernière justification de l'hypothèse sur le suicide des animaux : le suicide reste définitivement le triste privilège de l'espèce humaine.

Dans cette dissertation miniature ce n'est pas le problème du suicide que je souhaite traiter. Cette question surgit ici uniquement parce que l'étrange méthode psychologique qui généralise tout de nos jours, se retrouvant en contradiction avec elle-même, d'une part désigne comme âme *seulement* l'activité intellectuelle et sentimentale de l'individu humain et, d'autre part, sur la base de la science de l'évolution, elle déduit quand même cette activité de notre essence animale, tout en identifiant l'âme à la raison. De cette façon elle ne peut logiquement chercher la cause psychique du suicide ailleurs que dans le négatif du grand instinct commun de la survie : la crainte de la mort. Effectivement, selon cette logique un suicidaire "fuit la mort vers la mort", ou plus exactement il "échange une mort pénible et difficile contre une mort rapide et facile" – et si les animaux ne se tuent pas, cela provient de ce qu'à défaut de logique et de discernement ils n'ont pas le moyen de choisir. De cette façon le suicide deviendrait un privilège humain justement parce qu'il est une conséquence de ce qui distingue l'homme de l'animal : c'est-à-dire que le premier est un être vivant logique et discernant. En effet, après une petite réflexion il apparaît alors évident qu'en fin de compte tout suicide proviendrait de la peur devant les peines et les souffrances de la mort. Quelqu'un qui, condamné à mourir de faim se tire par exemple une balle dans la tête, fuit tout autant une mort pénible et également certaine que l'amoureux sans espoir qui met fin à sa vie dans l'hypothèse (lui paraissant absolument certaine à ce moment) que sans l'accomplissement de ses désirs, de toute façon il n'aura qu'à faner, dépérir, s'étioler psychiquement et physiquement et mourir d'une mort longue et pénible parce que privé des conditions de la vie. Seul un homme *se sachant* mortel peut se suicider, un suicide sans la *conscience* de la mort n'existerait pas – le suicide serait donc le résultat d'un processus de discernement, un acte humain logique.

Tout cela serait parfait si le bon sens général n'était pas en contradiction flagrante avec cette savante explication. En effet selon l'opinion générale un suicidaire – et particulièrement le suicidaire des chagrins compliqués et des souffrances psychiques – non seulement n'agit pas logiquement et de façon digne des êtres humains, il agit en dépit de tout bon sens et de façon incompréhensible, et il n'existe pas d'autre explication à son acte que celle selon laquelle il l'aurait commis dans un "trouble momentané d'esprit". Je me hâte d'observer d'ores et déjà que l'explication scientifique esquissée plus haut est tout aussi fausse que "ce bon sens général" tant admiré.

Je peux en finir plus facilement avec l'explication scientifique, quelque surprenant que paraisse le point de vue d'où je l'attaque, la conception d'où elle part n'étant vulnérable qu'en un seul point.

Ce point est la question de la peur de la mort, dont découle toute l'explication. Nous avons en principe pris finalement l'habitude de chercher la base de toutes les peurs dans la crainte physique de la mort. Aussi, si nous avons peur de la douleur physique, c'est parce que l'état anormal du corps qui se signale par la douleur peut mettre la vie en danger. La douleur psychique, résultant d'atteintes à nos intérêts vitaux, à nos conditions vitales, serait également une angoisse devant la mort – la peur de la mort engloberait toutes les autres peurs, d'où nous pouvons conclure que rien ne serait aussi redoutable en soi que l'ensemble de toutes les choses redoutables, la mort.

Cette conclusion est incorrecte, donc elle ne peut être justifiée par aucune expérience. J'affirme qu'il existe *quelque chose que nous craignons davantage que la mort physique* – et là je ne fais allusion à aucune discipline morale ou transcendante, ni à "l'honneur", ni à des "impératifs catégoriques" ou autre notion synthétique similaire ; car ces dernières, si je veux, je peux à leur tour les démonter en éléments menaçant ou soutenant mon existence, les mêmes causes produisent les mêmes effets. La réalité est beaucoup plus simple.

Il n'est nécessaire d'être ni trop lâche ni trop nerveux pour éprouver la scène imaginaire suivante. Il fait nuit. Je suis réveillé par des craquements de la porte et je crois entendre un bruit de pas monotones depuis la chambre voisine. Je m'assois dans mon lit, mon regard fixe la porte. Celle-ci s'ouvre lentement, prudemment.

Mon cœur palpite : qu'est-ce que ça peut être ? Supposons que ce soit un cambrioleur, avec un couteau à la main, il vient pour me poignarder dans mon sommeil. J'ai de bonnes raisons d'avoir peur, c'est ma vie qui est en danger – et pourtant, cette peur a une autre coloration, cette peur contient aussi quelque chose *d'autre*, quelque chose *de plus* que si la même scène se produisait de jour, même étant totalement sans défense, asservi à la mort, entre les mains d'assassins, au champ de bataille ou dans une cage aux lions. Supposons qu'avant de me réveiller j'aie fait des rêves embrouillés, insensés – les images habituelles de la logique du sommeil ; mettons que je me sois rencontré moi-même ou bien un cher visage familier se serait transformé devant mes yeux en un visage inconnu, ou encore un objet lourd se serait hissé en l'air ou passé à travers le mur. Et maintenant voici le fait : la porte s'ouvre, quelqu'un entre.

Chacun séparément doit se poser la question et y répondre : se sentirait-il rassuré, sa crainte cesserait-elle si dans l'ouverture de la porte apparaissait non pas un cambrioleur en chair et en os avec un couteau à la main pour le poignarder, mais, mettons, une effroyable silhouette transparente avec deux têtes et les bras levés ; ou bien la poignée s'abaisserait et la porte s'ouvrirait – *et personne n'entrerait* ? Ou bien encore, s'il se voyait lui-même entrer et s'approcher, ou si tout à coup son lit se mettait à se soulever, ou si à cette heure de minuit le soleil se mettait un instant à briller, ou tout objet qu'il toucherait disparaissait au même instant ?

Tous ces phénomènes ne menaceraient nullement sa vie, néanmoins sa crainte, non seulement ne cesserait pas mais très probablement augmenterait, à un tel degré qu'il échangerait volontiers cette crainte accrue contre celle qu'un vulgaire danger de la mort fait naître dans un organisme vigoureux.

Cette distinction n'est pas la divagation d'une imagination atteinte de neurasthénie, mais une conclusion tirée de l'expérience ordinaire et les réflexions qui en découlent. Chacun sait qu'il y a eu et probablement il y aura des hommes plus ou moins courageux ou carrément lâches face à la mort. Moi-même j'ai vu mourir des gens bien portants ou malades et je peux en témoigner. Mais on n'a jamais vu ou entendu parler d'un homme se comportant bravement face à un fantôme, s'il l'a effectivement reconnu en tant que tel. Des légendes et des traditions relatent même des cas où des héros méprisant la mort, des tyrans redoutables finissent par être brisés et deviennent lâches et humbles devant une Vision – ou encore des criminels endurcis se sont dénoncés spontanément, craignant moins la peine de mort méritée que d'être poursuivis par l'Ombre de leur victime.

Mais que sont ces Fantômes et ces Visions ? Le lecteur lève sur moi un regard étonné et me soupçonne de vouloir sournoisement introduire des éléments occultes dans sa pensée. Je me hâte de dissiper ses inquiétudes. Le Fantôme et la Vision sont des instants de frayeur de notre conscience éveillée, lorsque nous sommes contraints de croire que notre vie psychique, fondement de notre ego, notre image du Monde et de Nous-même étaient erronées, que la relation qui liait notre Moi et le Monde a été rompue, par conséquent soit le monde cesse d'exister pour nous, soit c'est notre Moi qui doit cesser d'exister sous la forme sous laquelle jusqu'alors nous l'avions identifié à nous-même. Si le monde n'est pas celui que je croyais qu'il était, un espace dans lequel les objets lourds tombent vers le bas, où les morts sont morts, où les vivants vivent et ce n'est pas l'inverse – alors dans ce monde-ci moi, c'est-à-dire mon Moi précédent que j'avais créé de ce monde-ci n'a rien à y chercher – mon moi cesse d'exister. À la rigueur il sera remplacé par un autre, mieux adapté à cet autre monde dans lequel les morts vivent et les vivants sont morts. Mais qu'est-ce que j'ai à voir avec la vie de cet autre Moi ? Et voici l'instant du déchirement intérieur, le moment de la tentation – le Fantôme est pire que la mort car il nous induit à renier notre moi, à renier le Moi dans lequel est toujours englobée notre vie, alors que notre vie n'englobe pas forcément notre Moi (par exemple quand nous dormons), dont la perte représente donc davantage que de perdre la vie. Voici l'instant difficile – non un trouble de l'esprit mais plutôt un dernier instant de raison avant le trouble de l'esprit, l'instant où menace un trouble de l'esprit. Car le Fantôme n'est autre que la Démence, et si on a déjà entendu parler de quelqu'un faisant face courageusement à sa propre mort, il n'y a jamais eu aucun homme faisant face courageusement à son propre égarement. Demandez au peintre ou au comédien qui doivent représenter la peur de la mort ou la folie : quel visage plus horrible vont-ils peindre ou former, pour exprimer une plus grande frayeur et une plus grande horreur ? La vision de la démence, la démence elle-même est la chose dont j'ai prétendu à l'instant que nous la craignons davantage que la mort.

C'est ainsi que devient compréhensible et dans quelle mesure la raison pour laquelle le suicide est humain – dans la mesure où les animaux, n'ayant pas de moi autonome, n'ont rien à perdre, ne peuvent pas tomber en démence, ou pour mieux dire, les animaux sont en réalité tous fous, ils naissent fous chacun individuellement, et jusqu'à la fin de leur existence ils sont tirés par la ficelle de l'idée fixe de leur Instinct. Celui à qui l'activité obstinée, monotone, des animaux et en particulier des insectes, l'effort fiévreux reniant tout plaisir individuel n'a pas encore donné l'impression d'une manie typique – celle de l'obstination – n'a jamais bien compris la substance de la démence. L'insecte poussant une boulette, la chenille dévorant tout, m'ont toujours irrésistiblement rappelé les gens que j'ai vus enfermés dans les asiles de fous, figés dans la constante répétition d'un geste. Les animaux ont reçu leur idée fixe avant leur naissance – ils ne peuvent pas rencontrer le problème qui pousse le suicidaire, fuyant davantage ce problème que la mort.

Après tout cela, pour qu'on prenne en compte aussi le "bon sens général", il me resterait à compléter ma démonstration contre l'hypothèse de la *peur souveraine de la mort*, sous forme de contre-épreuve. Celui qui m'a attentivement suivi dans cette réflexion improvisée, peut soulever une question : est-ce que la peur de la démence, démontée en ses éléments, n'est pas identique à la peur de la mort ? Puisque la démence est une maladie, une des maladies les plus graves ; en tant que telle nous avons tout autant le droit de la considérer comme le commencement d'un long et pénible processus conduisant à la mort, que tout le reste qui nous rend impossible l'idée d'une poursuite de la vie. De cette façon à l'asile aussi on craindrait la mort – et ainsi toute la démonstration serait caduque.

Donc faisons abstraction de l'interprétation purement spéculative précédente selon laquelle pour la conscience le Moi est une catégorie supérieure à la vie. L'expérience prouve que la démence (nous parlons toujours de la démence *véritable* au sens ordinaire, la paranoïa, et non d'une atteinte syphilitique, d'une paralysie du cerveau) du point de vue strictement physiologique de l'instinct de survie, du seul point de vue qui peut entrer en considération, est davantage un processus *de sauvetage de la vie*, de survie, qu'une maladie. La maladie avec laquelle nous la confondons n'est pas la démence elle-même mais un cataclysme psychique pouvant – dans des cas qu'au sens physiologique on peut considérer comme chanceux – entraîner une démence. Le bon sens général imagine "le trouble de l'esprit" de façon approximative et superficielle – d'où le malentendu.

En effet, la démence n'est jamais un processus autonome, elle est la conséquence d'un traumatisme psychique, tout comme un chagrin a pour conséquence les pleurs, ou quand à la place d'une brûlure se forme une cloque, ou une croûte sur une plaie. À l'instar de l'organisme qui produit une formule dermique de fortune de façon provisoire ou d'usage permanent afin de prévenir le saignement, une âme frappée d'une conscience insupportable produit une psychose dont elle peut exclure ou dans laquelle elle peut occlure l'imaginaire mortellement dangereux. Un exemple schématique : de façon inattendue, une mère perd son enfant unique – elle est tellement choquée qu'elle devrait immanquablement en mourir ; elle ne saurait plus manger ni boire, son organisme dépérirait, sous l'effet de sa mélancolie elle ne serait plus à même de veiller aux petits dangers constants qui menacent notre vie et dont une personne bien portante est protégée par une veille inconsciente. Elle tituberait aveuglément dans la vision de sa pensée insupportable, elle se cognerait aux murs, elle raterait les marches de l'escalier, ne sauterait pas de côté à l'arrivée du tram. C'est au sens physique du mot qu'elle périrait de sa blessure psychique – ici le corps ne peut être sauvé que par l'âme, mais comment ? Le moi antérieur (le moi subjectif et objectif, la relation de l'intellect au monde, l'image logique du monde) est devenu inapte à la vie, puisque l'enfant, dehors, dans le monde de la réalité, n'est plus et ne peut être ressuscité. Il ne reste plus qu'à sacrifier ce moi et, faute de mieux, en construire un autre – une nouvelle relation dans laquelle l'autre composante, le monde extérieur, change naturellement aussi. Et la logique de la vie, cette force étrange, telle un mathématicien qui passe de la géométrie euclidienne à une autre base, fabrique une nouvelle base pour son usage personnel, selon laquelle l'enfant vit et est présent ; en revanche, étant donné que la logique, contrainte de la loi de causalité, s'applique toujours, elle recalcule toutes les valeurs dans cette hypothèse. Ainsi une nouvelle image du monde, une nouvelle base de calcul est née, une nouvelle relation entre les deux composantes. C'est la *démence*, ce monde étroit et pitoyable mais sans doute rond, bricolé pour un usage personnel, qui est en tout cas apte à restituer sa vigilance et sa viabilité au système nerveux qui meut et protège le corps – pour le garder en vie au sens animal du terme. L'expérience clinique remarque que le paranoïaque dément exécute tolérablement ses besoins physiologiques, en tout cas mieux qu'au moment de son traumatisme, le plus souvent il grossit et il vit presque aussi longtemps qu'une personne normale.

Mais le Moi authentique, le moi *semblable en nous tous* dans notre relation avec le monde, le moi *qui se reconnaît réciproquement, c'est-à-dire dans l'autre personne*, est définitivement perdu. Le sentiment irremplaçable *de notre appartenance à la communauté humaine* est perdu – nous sommes exclus, non pas du monde et de la vie, mais *de la communauté humaine, et la perspective de cette exclusion est une perspective pire que la mort, la peur de cette exclusion est une peur plus horrible que la peur de la mort, l'instinct, le sentiment et la volonté de cette appartenance commune sont une force plus puissante que la force vitale individuelle, car nous voulons avant tout être des humains et ensuite seulement des personnes individuelles.*

Voilà pourquoi nous avons plus peur de la démence que de la mort. Le dément, l'Individu Particulier, qu'il soit Jésus Christ, ou qu'il soit Dieu lui-même, n'est plus en aucun cas un homme dans sa propre existence ; et lors de notre conception, quand nous avons été conçus en tant qu'homme, et à notre naissance quand nous sommes nés en tant qu'homme, par ce choix exclusif nous ne donnons pas seulement expression à notre volonté et notre désir de vivre – puisque cela, nous aurions pu le faire aussi bien sous forme de papillon, de vautour ou que sais-je encore, sous forme de dragon lance-flammes ou de Lucifer lance éclairs – mais nous donnons expression à notre désir et volonté exclusifs d'être homme.

En deçà, dans le monde de la possibilité d'une Vie naissante, le germe somnole et attend tranquillement, il ne bronche pas à l'appel de la Trompette qui appelle à la Vie – il lève en revanche la tête dès que c'est l'Homme qui l'appelle, d'une voix douce, là-haut, depuis le monde ensoleillé de l'amour. Nous ne voulons pas à tout prix "vivre, vivre, vivre" comme le claironnent le brave savant, le rimailleur ou la femme enthousiaste et incomprise – nous voulons être homme, homme, homme aussi longtemps que possible – homme, l'accomplissement, la complétude, la forme supérieure de la vie – rien de plus pour le moment mais nous ne nous contentons pas de moins, nous préférons ne pas vivre.

En ce qui concerne donc le suicidaire, pour terminer par l'exemple avec lequel nous avons commencé – l'état dans lequel il commet son acte n'est pas une crainte de la mort, et encore moins "Un trouble momentané d'esprit". On peut tout au plus qualifier de trouble momentané d'esprit le cas où nous ne nous suicidons pas, quand il ne reste de nous que notre survie. Il existe des morts qui ont renié la survie, et dont la clairvoyance n'est mise en doute par personne – mais il existe malheureusement aussi des vivants dont nous devrions dire : « *Dans son trouble momentané d'esprit il est resté en vie sans l'espoir d'une vie digne de l'homme.* »

MIRACLE

Par sa nature c’est une des notions les plus difficiles à définir.

Nous appelons ainsi le plus souvent une action vécue ou imaginée à laquelle "nous ne pouvons pas fournir d’explication", que nous n’arrivons pas à faire entrer dans les formes de la perception prises en général comme base. Ces formes actuelles de la perception, prennent comme base pour l’homme européen d’aujourd’hui les relations de cause à effet et ceci depuis environ six mille ans. Elles qualifieraient donc de miracle, si elles le considéraient comme possible, un événement qui serait indépendant de cette loi de causalité. Mais l’hypothèse de plausibilité d’un tel événement renverserait justement ces formes de perception dont la dialectique devrait servir à définir la notion de "miracle" (celui qui analyse une notion ne dispose pas d’une autre dialectique, puisque la notion de "notion" elle-même provient de "notre croyance en la causalité"). Par une réserve contrainte, branlante, la philosophie arrange la chose en la considérant comme une notion, mais sans la délimiter – sauf dans la psychologie où l’on pourrait scruter seulement les conditions et la nature d’une "croyance au miracle" et non pas le miracle lui-même en tant qu’objet. De cette façon le "miracle" n’a jamais fait encore l’objet de la philosophie scientifique – seulement celui de la philosophie occulte. La philosophie occulte (gnostique) n’a pas pour condition méthodique de base une définition des notions, par ailleurs un cerveau "non occulte" (dit agnostique) n’a jamais été à même de donner une image digeste et éclairante, de prendre une position décisive et définitive sur le miracle.

Il convient donc de renoncer à appeler à l’aide la dialectique de l’une ou l’autre des deux possibles perceptions du monde, quand nous voulons apporter une réponse à la question : qu’est-ce que le miracle en fait ? Il convient de chercher quelque chose entre les deux – et celui qui cherche honnêtement trouvera ; il trouvera la dialectique dont la place se situe forcément entre les deux : la dialectique simple du sujet vivant (moi), celle d’une association d’idées artificiellement libérée de toute forme de perception à l’instant où la question est posée.

Essayons donc d’observer l’association libre d’idées, après que le mot "miracle" a été prononcé.

Que perçoit comme miracle chacun de nos contemporains séparément, s'il ne peut plus se raccrocher à la troublante perception secondaire de la trop rigide et trop sèche définition du miracle, apprise au catéchisme ?

On aura pour toute réponse un geste hésitant, une quête précipitée pour trouver un nom, des paumes de mains retournées dans l'incertitude, des lèvres entrouvertes, une profonde respiration comme quand s'annonce un brusque changement – le plus souvent un regard lancé spontanément vers le haut, vers l'Espace Libre et Inconnu. Ce geste rappelle passablement la panique de l'ancêtre lorsque la foudre frappait tout près ou un volcan entrait en éruption ; il n'était pas encore suffisamment homme pour ne pas avoir peur mais n'était plus suffisamment animal pour s'enfuir, sans aller voir, *sans attendre ce que cela signifiait pour lui.* (Observez la même chose dans l'expression du visage d'un nourrisson, dans son geste à demi défensif, à demi tendant les mains, si vous faites flamber une allumette devant lui.)

C'est au moins un geste double, composé : celui de la peur, mais encore plus celui de *l'attente*.

La première certitude générale est que le miracle est quelque chose que nous *attendons*. Nous l'attendons, donc nous avons évidemment le sentiment *qu'il n'a pas encore eu lieu.* Le groupe verbal attribué au mot "miracle" en tant que sujet s'impose à nous au conditionnel. "Si un miracle se produisait !" "Un miracle devrait se produire pour…" "Ce serait un miracle !" "Si le miracle avait lieu…" ainsi de suite, les expressions habituelles.

Il ne s'est pas produit, mais *il devrait se produire* : un second pressentiment obscur. Il doit se produire pour…

Pour ?

Pour qu'un autre événement dont nous sommes au courant et dont l'accomplissement est attendu *ne se produise pas*.

Car une chose dont nous sommes au courant *veut se produire… D'où en sommes-nous au courant ?* De ce qu'*elle s'est déjà produite*. Elle s'est produite et maintenant elle veut se produire de nouveau - *elle veut se réitérer*.

Et le miracle est qu'elle ne se réitère pas. Qu'une autre chose se produit à sa place, qui n'a encore jamais eu lieu.

Mais pourquoi attendons-nous autre chose que ce que nous connaissions déjà ?

Parce que nous aimons le bien et nous craignons le mal. Et nous attendons ce que nous aimons – donc si nous attendons autre chose que ce qui a déjà eu lieu, il est évident *que ce qui a déjà eu lieu n'était pas bon.* D'un miracle nous attendons du bien, c'est clair désormais – le critère de *l'inattendu* n'épuise pas la notion du miracle : un *mal tombant sur nous brusquement*, nous ne l'appelons jamais un miracle. "Un miracle s'est produit", cette affirmation auto suggérée nécessite d'être accompagnée d'un visage rayonnant, d'un sourire heureux, d'yeux brillants.

À ce point nous devons suspendre le processus de libre association d'idées à cause d'un mot contenant une contradiction apparente. On est allé jusqu'à affirmer que miracle est *ce que nous attendons*, contrairement à *ce dont nous craignons la survenue répétée* – en même temps nous avons été contraints d'admettre la *soudaineté* pour *un des* critères même non exhaustif de la notion de miracle. En effet ne peut être miracle ce qui n'est pas inattendu : la contradiction réside dans la nature de la chose.

Peut-être est-ce l'image éclair du nourrisson et celle de l'homme préhistorique qui font encore une fois ressentir les deux en même temps, montrant l'impossible comme possible. Car il y a eu *deux* gestes et non un – d'abord la *peur*, ensuite l'*attente*. Nous attendons parce qu'il y a quelque chose qui nous a *fait peur* – et maintenant nous tenons pour possible que *quelque chose* se produise que nous ne connaissons pas.

En effet, nous n'attendrions pas de miracle, *quelque chose qui ne s'est jamais produit*, s'il n'y avait pas en nous la réminiscence d'un souvenir oublié, pourtant existant – *un signe que nous avons capté un jour.*

Le miracle est une chose qui ne s'est *pas encore produite* – mais apparemment elle avait été promise. Ce signe n'est pas une survenue, il est l'ombre projetée d'une survenue. Il n'y a donc pas de contradiction si nous attendons de la même façon l'impossible et le possible – la différence entre les deux est que dans le possible nous attendons une répétition des choses déjà survenues, alors que dans l'impossible nous attendons un événement nouveau. Mais la chose déjà survenue *est dans notre conscience* – c'est pourquoi, pour notre conscience le *miracle* est ce qui est inattendu ; mais dans notre inconscient, à la place de souvenirs de choses déjà produites, *il doit y avoir* quelque chose d'autres, une chose inconnue, une peur, qui depuis le début observe attentivement et attend une chose qui ne s'est pas encore produite.

Qu'était cette peur ? Nous ne le savons pas, même en rêve – nous n'avons aucune idée à laquelle l'associer ; retournons donc parmi les idées associables !

L'affirmation selon laquelle un miracle est ce qui n'a pas encore eu lieu paraît à première vue mécréante, areligieuse, mais à tout le moins non chrétienne. Puisque les miracles du Christ sont dans des articles de l'écriture ; pour un croyant l'impossibilité des cinq pains et des cinq mille personnes est une réalité qui s'est produite. Mais, pour permettre une libre association, soyons pour un instant aussi peu religieux qu'areligieux en entendant par areligieuse une conviction tout aussi positive, la foi en la *matière* ; et nous éprouverons aussitôt ce mauvais sentiment caractéristique de l'inquiétude et de l'insatisfaction que les *définitions imparfaites* suscitent dans la raison lorsque l'article qualifie de miracle les actes du Christ. Pour ressentir cette inquiétude, cette incertitude, il n'est absolument pas nécessaire que je *nie* la possibilité des miracles du Christ, même pas que j'en *doute*. Mais alors comment dois-je circonscrire, comment nommer la raison de mon inquiétude ?

J'hésite, je me donne du mal. La situation est effectivement que je ne nie, ni ne doute – et pourtant voilà, je ne suis pas satisfait, moi, un homme vivant aujourd'hui, ici sur cette terre, qui cherche les critères du miracle. Alors que j'écrivais le paragraphe précédent, observant mon état d'âme pendant que je regardais, inquiet et impatient, par la fenêtre, tout à coup un avion a filé au-dessus de ma tête. Et comme un éclair j'ai eu une idée : elle m'a brusquement rassuré – je sais désormais pourquoi l'acte du Christ n'a pas épuisé pour moi la notion du "miracle", même si je n'en avais pas douté.

L'impossibilité des cinq pains et des cinq mille personnes a eu lieu – *mais pourquoi ne s'est-elle produite qu'une seule fois* ? Ensuite tout a retrouvé son train-train entre les garde-fous des possibilités répétables. Du miracle j'attends qu'à partir de l'instant où une fois il a eu lieu d'impossibilité il devienne possibilité – élément constructif du monde, pièce composante de tous les possibles. Je n'arrive pas à me faire à ce que, après l'acte du Christ on ne puisse pas depuis, même aujourd'hui, avec cinq pains nourrir à satiété cinq mille personnes. Le Christ n'a fait que *commettre* l'impossible, mais sans le rendre *possible* – pourtant l'essentiel du miracle consiste à *changer*, *transformer* l'impossible en possible ; l'essentiel du miracle consiste à rendre quelque chose plus riche et plus parfait par la suite. Pour faire le miracle il ne suffit pas de faire manger à satiété cinq mille personnes avec cinq pains – il faut en plus *que par-là cesse et ne se répète plus jamais l'état insupportable se répétant chaque fois de nouveau que cinq mille personnes doivent rester affamées car on ne dispose que de cinq pains.*

La profession de foi de Thomas l'incrédule c'est : le miracle n'est miracle que s'il est *réalité*. Le fait que le Christ n'a pas excommunié Thomas, mais l'a fait asseoir près de lui, lui a montré ses plaies, bien réelles, primant et non pénalisant une foi forte et obstinée car il voulait croire *plus que tout autre*, est un signe de la sagesse du Christ : il voulait compter le fait du miracle parmi les faits réels – Thomas doute car il veut croire ! Mais les faits réels se caractérisent par leur répétition : le miracle ne peut donc être fait et réalité que s'il devient impérissable au moment où il se produit.

Regarde : c'est un avion. On disait jadis que l'homme ne peut pas voler, sinon dans la légende, dans le miracle. Un jour pourtant il a pris son vol – il a pris son vol et *il ne s'est plus posé*. L'homme qui vole est devenu une réalité – la substance d'un miracle consiste à cesser d'être un miracle lorsqu'il se produit et se transformer en une réalité définitive. Pour moi l'invention du vol est un miracle car depuis lors nous volons ; et si plus haut j'ai prétendu que le miracle ne s'est pas encore produit et maintenant j'affirme qu'un miracle s'est produit, c'est parce que je ne sais pas de façon sûre *si oui ou non l'homme saura toujours voler*. On a ressuscité un mort devant moi – je n'affirme pas encore qu'un miracle a eu lieu, je dois attendre pour savoir si le ressuscité *ne meurt pas peu après*. Parce que s'il meurt, à quoi le miracle a-t-il servi ? Le miracle était nécessaire *car il n'est pas bon de mourir*, pourtant jusqu'ici tout le monde mourait – donc ce *n'est pas deux fois mourir* qui est un miracle, mais c'est *ne pas mourir du tout*.

Pourquoi le fils sain de notre temps n'est-il pas enclin à s'occuper sérieusement des phénomènes que l'on résume sous le terme collectif de *spiritisme* ? La raison ne réside pas dans une impotence intellectuelle, une paresse ossifiée dans l'image "réaliste" du monde comme le prétend le fanatisme des occultistes. Je connais beaucoup de gens, y compris moi-même dont l'imagination et la perception attendent et prétendent le miracle possible ; ils sont beaucoup plus fanatiques, ont parcouru des chemins exigeants, ont fait un plus gros effort au royaume des choses *non existantes mais imaginables, non connues mais possibles*, que ce qui est nécessaire pour la croyance aux fantômes, et que le corps astral lévitant dans une pièce obscure a pourtant laissé froid. Le problème du spiritisme n'est pas de prétendre des faits invraisemblables – le problème du spiritisme est de ne pas pouvoir démontrer, *dans son effet sur des faits* connus, les faits pourtant très vraisemblables qu'il prétend. Le spiritiste comprendra peut-être que je rapproche le miracle de l'avion du miracle du corps astral. Le fait que l'homme vole n'est peut-être pas un grand changement par rapport à son état de ne pas voler ; mais dans le monde des faits jusqu'alors connus, des milliers de changements réels correspondent à ce petit changement ; l'image du monde connu change, de nouveaux transports ont commencé, progressent, croissent – de nouveaux points de vue, de nouvelles connaissances, une nouvelle vision élargie et étendue prennent naissance et ne périssent plus – autant de preuves évidentes et tangibles que le miracle du vol n'était pas le fruit d'une imagination et n'était pas un rêve *mais une vérité qui s'est produite*. Mais à quoi le spiritisme peut-il se référer ? Le spiritisme prétend qu'il y a environ quatre-vingts ans (les phénomènes chez la famille Fox en Amérique, en 1842[3], en tant que point de départ du spiritisme *actuel* dit *scientifique*) il a été avéré que les fantômes existent et qu'on peut entrer en contact avec eux. Cette dernière possibilité, si elle était vraie, représenterait un plus grand changement dans la vie de l'homme jusqu'alors que l'invention de l'avion. Mais où sont les phénomènes qui sont à l'aune de cet événement merveilleux ? Puisque si cela était vrai, depuis lors le monde aurait dû radicalement changer – plus radicalement que si nous étions entrés en contact avec les Martiens pour

3 Le spiritisme se développe à partir d'événements survenus aux Etats-Unis, lorsque les sœurs Fox prétendent entrer en contact avec un esprit qui, des murs de leur chambre, fait entendre des craquements auxquels elles répondent par un nombre déterminé de coups. L'une d'elles, Margaret avoua en 1888 qu'il s'agissait d'un canular.

apprendre d'eux ce que nous ignorons. Les fantômes dont on dit qu'ils ont cherché le contact avec nous, nous ont trouvés il y a quatre-vingts ans – ciel, *pourquoi* nous cherchaient-ils ? On ne peut toujours pas le déceler. Depuis tout ce temps il devrait exister des appareils, construits pour leurs besoins, à l'aide desquels n'importe lequel de nous pourrait les contacter n'importe quand – cette grande découverte aurait eu pour seule importance d'avoir simplement eu lieu, pour nous inspirer tant ? À la place de cela nous voyons une "atmosphère d'harmonium" sirupeuse, ennuyeuse, désuète, ramassée dans le dépotoir d'idéologies religieuses mystiques et primitives et quelques vieilles demoiselles larmoyantes dans une pièce "obscurcie". Voilà tout le "changement" qu'a produit le prétendu miracle – ça ne vaut vraiment pas qu'on y passe du temps.

Le véritable miracle, ce que nous attendons, ne peut pas ressembler à cela – alors plutôt à l'avion, aux rayons X et à la radio. Car le véritable miracle, ce que nous attendons, c'est ce qui *n'est pas encore arrivé*, n'a pas pu arriver, sinon *nous le saurions* tous ; le véritable miracle n'est autre que la *rédemption* que promettent les systèmes religieux – un accomplissement du doute voulant le bien à la place du mal, doute qui jadis avait reçu un signe : un signe, peut-être justement dans les actes du Christ qui, eux, n'étaient pas des miracles, mais *l'annonce* d'un miracle à venir. Le monde connu, la cause et l'effet, les tenants et aboutissants et la survenance des choses, ce monde pend au-dessus de nous, les hommes, comme un jugement porté par des forces inconnues. La *science* a reconnu ce jugement et l'a trouvé identique à ce que les anciennes chronologies et religions appelaient *destinée, destin, disposition divine*. Ce jugement *engage* l'homme – la science parvient à la même conclusion que la sagesse religieuse : nous sommes faits de poussière et redeviendrons poussière car nous portons le stigmate de notre provenance animale, et les animaux sont faits de poussière et redeviendront poussière selon la Loi. Et si nous attendons quand même le miracle, alors la chose que nous attendons, nous ne pouvons pas l'interpréter autrement : l'Homme ayant reçu un signe et une instruction de quelque part, il *a fait appel* de cette sentence, et il veut la modifier.

L'homme n'accepte pas son destin, il attend encore qu'il soit autre. On pourrait résumer brièvement le miracle de l'Europe cinq fois millénaire éduquée à la méthode d'Aristote par la dialectique qui englobe le christianisme *sans l'incorporer*, miracle dont la science qui *expérimente* la matière, qui suit les indications de la science descriptive, tout en la défiant, en a déjà donné un avant-goût. Laissons l'Asie et l'occultisme continuer de faire des expériences avec l'âme qui n'a jusqu'à présent pas racheté le corps – nous ici en Europe essayons encore un temps de racheter l'âme aménagée dans le corps par des miracles tangibles, des ailes, des yeux qui voient loin et des oreilles qui entendent loin – aussi longtemps que la veilleuse ne s'éteindra pas ou qu'elle n'incendiera pas le monde.

Car l'essentiel du miracle réside justement dans cet "ou bien, ou bien" – l'essentiel du miracle est que nous avons deux possibilités, qu'à tout moment les routes bifurquent et que les mêmes composants ne peuvent pas avoir *qu'une seule* résultante – l'essentiel du miracle est que *l'avenir* n'est pas le reflet inversé du passé mais il est une réalité vivante au-dessus de l'événement mort et figé – l'essentiel du miracle est notre croyance inextirpable en le libre arbitre et le choix entre le bien et le mal.

Qui m'a interpellé

L'ORACLE DE MACBETH

I

Si cela a échappé à quelqu'un, on appelle oracle de Macbeth (d'après la prophétie de cette nature que l'on trouve dans *Macbeth* de Shakespeare) les prédictions qui, volontairement ou inconsciemment (de bonne ou de mauvaise foi) *provoquent* ce qu'elles prédisent : ce ne sont donc pas des prédictions à proprement parler, mais des *suggestions* (plus rarement) conscientes ou (le plus souvent) inconscientes, qui s'immiscent auprès de notre volonté sous le déguisement du stimulus le plus efficace chatouillant notre désir le plus avide, la *prescience*, afin d'agir sur l'avenir, d'y implanter subrepticement des éléments de volonté étrangers, de le mettre au service d'une volonté étrangère.

Le déroulement de cette sorte de suggestion est schématiquement le suivant :

C'est l'intérêt de A, que B commette certaines actions, ou qu'il change sa volonté de la façon qui convient à A. Mais un transfert de volonté direct (persuasion, incitation), en plus du fait qu'il rencontrerait une résistance vigoureuse, même s'il arrivait à la vaincre, laisserait en A une forte inquiétude car l'évidence du transfert direct de volonté renverrait sur lui en tant qu'instigateur la responsabilité pour toutes les conséquences de l'acte suggéré avec tous les risques de cet acte. Mais si la parole, l'avis de A, a poids et autorité devant B, il est à même de faire endosser préventivement la responsabilité par B en lui communiquant sa volonté sous forme de *prédiction* : en prétendant que B est un homme tel et tel (et ici il caractérisera B arbitrairement, conformément à son objectif) et qu'il ne tardera pas à exécuter la chose. B, qui est enclin à croire que A est un bon "psychologue" et en tant que tel sait "tirer des conclusions" des caractères, donc il sait aussi prédire l'avenir, se trouvera à partir de ce moment-là sous une double influence. Tout d'abord sous l'effet de la description de son caractère, B comparera involontairement chacune des manifestations de sa nature, il les comparera à cette description – il enregistrera les données paraissant convenables et oubliera les autres ; de cette façon il parviendra rapidement à la conviction que la description était judicieuse ; par la formation de cette conviction sa foi en la psychologie de A est renforcée. Dans ce premier stade de son état sous influence il ne commet pas encore l'action prédite, mais il court déjà aveuglément vers un deuxième stade dans lequel il la commettra. En effet, parallèlement à la découverte que A l'avait parfaitement décrit, l'idée *générale* qu'il est *possible* de décrire parfaitement la nature humaine, le caractère de l'homme, entre dans la catégorie des connaissances positives et l'on peut aussi bien le décrire, le définir que tout autre phénomène positif ; or s'il est descriptible et définissable dans ses manifestations, on peut aussi le calculer dans ses activités et ses tendances comme les autres connaissances positives – en d'autres termes, de l'activité présente il est possible de tirer des conclusions sur l'activité future. Ainsi se forme le diagnostic classique, clinique, de la *psychose fataliste* – l'idée selon laquelle nos actes doivent avoir une relation mécanique de causalité avec une formule psychique déterminée, ce qu'on appelle "le caractère", par lequel le malheureux sujet remplace son vrai moi vivant perdu. À partir de là il ne s'intéresse plus guère à autre chose qu'à l'événement suivant. Sourd et aveugle, il passe à côté de mille possibilités d'accomplissement de ses propres volontés et désirs – il se perçoit non plus à la première mais à la troisième personne qui a une "tâche" ou dans les cas plus graves une "vocation" ; et il ne trouve pas le repos avant d'avoir accompli sa tâche, l'oracle de Macbeth. Ensuite viennent habituellement la rupture et l'anéantissement complets de la personnalité.

II

Ce serait, je le répète, la description *schématique* de l'accomplissement de l'oracle de Macbeth. Dans la vie réelle, naturellement, parmi les nombreuses forces et influences formant notre destin, notre bonheur ou notre malheur, cette suggestion joue et a toujours joué seulement comme une composante, depuis qu'un homme peut communiquer son idée et son sentiment à un autre homme dans le but d'influencer son idée et son sentiment. Mais la pensée, l'éducation, la culture philosophique de l'homme européen moderne – et j'en arrive justement à ce que je veux démontrer – transforme son esprit en une terre de plus en plus réceptive à ce type de suggestion : c'est la raison pour laquelle il devient urgent d'attirer l'attention sur l'exceptionnel danger de l'oracle de Macbeth.

L'esprit rationaliste du siècle passé considérait les faits psychiques comme des phénomènes *descriptibles, nécessaires* au sens fataliste, de même que sa science naturelle considérait le monde des sens ou comme l'art considérait la vie dans son mouvement. Ce mode de perception comme tout le reste était une survivance de l'éducation rationnelle encyclopédique et scientifique antérieure. Si je désigne la tendance appelée brièvement le *naturalisme*, mettons, en science naturelle par le nom et l'esprit de Darwin, en littérature par le nom de Zola et en art par l'école correspondante, alors en psychologie l'exemple classique qui conviendra sera l'enseignement de *Janet*[4] et de *Freud.* Mais le décadent sens des formes des dernières décennies a appliqué le *naturalisme de la psychologie* de façon erronée, considérant comme identité intérieure ce qui n'était qu'une *métaphore* : des interactions troubles, prématurées et néfastes se sont manifestées. Le psychisme à demi compris, immature, nourri de cognitions, s'est perdu dans le désordre de plus en plus grand des notions – il a confondu sujet et objet, sensation et spéculation : *il a perdu le contrôle, la mesure de la critique qui compare tout jugement d'abord à la réalité et seulement ensuite à la personne du juge*, comme le faisaient autrefois les scolastiques. Lévitant en liberté dans le vide de l'autoanalyse, il est arrivé jusqu'à chercher la cause de toute joie et de tout chagrin en lui-même comme le chien cherchant sa queue, jusqu'à considérer sa vie et son bonheur comme conséquence exclusive du même fait qui jadis avait créé la vie. (Comme si la poursuite de la vie ne nécessitait pas à chaque instant autant de force qu'il fallait jadis pour la créer !). Il y a eu ensuite de zélés psychanalystes qui, s'il le fallait, analysaient la cause psychique, le *trauma*, à partir duquel le professeur Freud a mis sur pied sa théorie de la psychanalyse – et la cause psychique, le trauma, à partir duquel la personne qui avait analysé cela, était encline à en déduire pourquoi telle ou telle théorie devait découler de cette façon *de la pensée* du professeur Freud.

Et ce simple point de vue : si la théorie *est bonne, correcte, si elle correspond à la réalité, et si oui, comment on peut l'appliquer à son but,*

---

4 Pierre Janet, philosophe devenu médecin et psychologue (1859-1947)

reconnaître l'harmonie, le bonheur de l'âme – ce point de vue jugé indigne, antiscientifique, ne figurait plus désormais parmi les critères. Et pendant que dehors le soleil brillait l'océan ronronnait, l'enfant heureux du vingtième siècle sautait au dos d'un dragon et allait chevaucher les nuages, en mille neuf cent quatorze l'idée fixe de la "*mentalité*" a fait germer ses petits fruits savoureux : le choléra et le dégoût. Les autres ont suivi – révolution et contre-révolution ; et pour couronner le tout, pour *refaire* le chemin trouble de l'évolution de l'Enfant Homme à travers les fumiers et souillures (n'oublions pas : *inter feces et urinam nascimur !*[5]) vint la carte maîtresse : *l'élévation sur un piédestal de l'idée des différences raciales*. La haine institutionnelle et la profanation de la mort, de la vie, de l'âme naissante dans l'utérus maternel : l'enseignement, à la satisfaction générale, que, sur le papier tel les chevaux de courses, tous leurs traits de caractère sont donnés grâce à la magistrale découverte qu'on ne fait pas d'un âne un cheval de course. Et ne croyez pas, vous, malheureux égarés, que cette impuissance psychique exhalant la faillite de tout ce qui est beauté, joie, rire espérance n'a pas sa propre dialectique passionnelle, flamboyante : la *psyché raciale*, la *mentalité raciale* et autres inepties ont à l'étranger comme chez nous leurs apôtres qui prétendent fermement d'eux-mêmes ne pas être des hommes mais les incarnations d'une sorte de volonté, et que c'est la vie de l'espèce qui "s'accomplit" à travers eux. Et voici le nouvel Européen de souche qui, s'il commet une vilenie, la refile à son père – l'homme fier qui se décharge sur Darwin de la responsabilité de ses actes – les gaillards du genre "ben oui, je suis comme ça !", les "je suis né comme ça", les pantins qui se manipulent eux-mêmes avec des fils imaginaires, les femmes hystériques "on ne peut pas me faire n'importe quoi car je suis comme ci et comme ça", et les autres gâcheurs d'appétit de l'âme sainement avide de la vie toujours renouvelée. Tout comme les autres produits secondaires : les *pan-ceci* les *antipan-cela* l'antisémitisme, et ainsi de suite. Et enfin vient la conception morale enchâssée dans cette magnifique vision du monde (que pourrait-elle être d'autre ?) : "les Juifs trichent et volent, assommons les Juifs", plutôt que de dire "assommons les tricheurs et les voleurs ; s'il y a beaucoup de Juifs parmi eux, c'est

---

5 Saint Augustin : « Nous sommes nés parmi les fèces et l'urine »

tant pis pour les Juifs" – *poursuivre non pas des mauvais caractères humains mais plutôt des hommes*, ce nouveau type d'exorcisme qui n'exorcise pas le diable dans l'homme mais qui exorcise l'homme dans le diable.

Elle est à peu près ainsi, l'âme pour laquelle l'oracle de Macbeth peut devenir dangereux. Une application erronée de résultats mécaniques et scientifiques sur les manifestations de la vie nuit d'une part à la pureté du raisonnement scientifique, et handicape d'autre part la vie là où elle n'est pas assez forte pour s'en débarrasser. Nous oublions que (citant la définition classique de Ostwald[6]) seule la science peut *prédire* et seulement dans son domaine de compétence, dans la sphère des manifestations mécaniques ; la vie de la vie ne peut rien prédire, pas plus que la volonté de la volonté ; la vie ne peut qu'inspirer la vie, la volonté ne peut qu'influencer, créer et anéantir la volonté : la prophétie d'un être vivant concernant le destin d'un autre ou d'autres êtres vivants est forcément *toujours* un oracle de Macbeth, une suggestion de Macbeth. Je ressens chaque fois une colère assortie d'une nausée quand le vif désir, la volonté, la protestation désespérée contre le mal, l'avidité du *poète* pour le bien, être vivant le plus vivant, travaillant la matière la plus vivante, sont qualifiés par la postérité enthousiaste de *puissance divinatoire* ou *de vision de l'avenir*, dans la croyance naïve de lui offrir le laurier de la plus grande reconnaissance.

III

La science expérimentale, sous le signe de l'ultime but, le bonheur de l'homme, examine sans partialité les phénomènes élémentaires, aussi bien respectueux que destructeurs de la vie – les premiers afin de guetter le secret de la création, tandis que les seconds afin d'en changer l'orientation : de même qu'en reconnaissant la nature destructrice de l'éclair elle découvre la force électrique et lui fait tourner des machines, elle peut aussi exploiter les forces destructrices de la vie et les tourner en bien. Ces derniers temps la psychologie expérimentale a appliqué avec un

6 Wilhelm Ostwald (1853-1932). Chimiste allemand d'origine lettone, prix Nobel 1909.

succès l'oracle de Macbeth "existera pour exister", cette dangereuse force destructrice (en la maniant sciemment et prudemment), sous la forme d'expériences d'hypnose thérapeutique strictement scientifiques. Ici, le processus se déroule à vide, court-circuitant les phénomènes secondaires, sous l'assistance d'une bienveillance contrôlée par le discernement, dans une parfaite intégrité. On écarte totalement ici la volonté malade, je pourrais dire en la stérilisant de façon antiseptique ; et dans l'appareil de communication entre conscience et subconscient on fait subrepticement entrer une prophétie calculée, sans danger pour le psychisme, strictement compatible avec ses intérêts vitaux (en général visant justement à vaincre une certaine déficience, une faiblesse de la volonté), donc une prophétie également stérile. On indique au patient endormi qu'il fera ceci ou cela, qu'il se sentira comme ceci ou comme cela, qu'il concentrera son activité psychique dans telle ou telle direction. Il entend l'oracle, sa volonté, sa force vitale ne s'y oppose pas, au réveil il ignorera même que l'oracle n'était qu'un faux oracle, un oracle artificiel, un oracle de Macbeth, il le confondra avec sa propre volonté et, avec la vitesse du déroulement des phénomènes physiques bien préparés dans un laboratoire, sans danger pour l'homme, ou encore à la façon d'un vaccin antivariolique qui provoque la maladie en réduction, contournant ainsi le risque de la maladie, l'âme artificiellement infectée par l'oracle de Macbeth exécutera le contenu de l'oracle et s'immunisera contre d'autres influences néfastes. C'est l'unique domaine où l'oracle de Macbeth joue un rôle utile, et où nous pourrions presque dire que l'oracle de Macbeth a un avenir. Bien sûr il arrive aussi ici et là que l'oracle de Macbeth entraîne un résultat utile, productif ; notamment dans des cas où à la suite d'une inclination le devin est favorablement partial envers la personne concernée, il est enclin à la surestimer et par conséquent, sans le savoir, c'est lui qui se trouve sous influence (c'est pourquoi ce ne sont pas de *purs* oracles de Macbeth, mais plutôt de faux oracles.). Un tel oracle peut produire un résultat dans les amours naissantes : c'est ainsi que la femme ou l'homme aimé *embellit* l'autre ; l'amour même rendra l'autre plus *digne* et plus *apte* à l'amour – c'est l'explication de tous les *miracles* générés par la foi de quelqu'un en ces miracles. Ce genre d'oracle, nous le nommons simplement *confiance*. Un bon pédagogue connaît bien l'importance de celle-ci et, tel un hypnotiseur, l'utilise parfois plus ou moins consciemment. L'expérience pédagogique remarquable selon laquelle une louange bien placée a un effet mille fois plus incitateur et stimulant sur les capacités en développement que mille sévères rabrouements ou réprimandes, j'ai entendu dire cela pour la première fois de la bouche d'un officier. Mais mis à part la pédagogie qui est tout de même plutôt une science, l'oracle de Macbeth partial, sous influence, donc non égoïste peut effectivement provoquer un miracle dans un sens bénéfique. J'ai observé un tel miracle dans la vie artistique et littéraire hongroise en effervescence au début du siècle. L'objet du miracle était un artiste à l'âme sensible, par ailleurs médiocre qui, à l'âge où les génies produisent déjà des chefs-d'œuvre dans leur genre, ne créait que des œuvres passablement quelconques, sans rien qui laisserait présager sa future griffe. Cet homme a été jeté par un heureux hasard au beau milieu d'une société bouillonnante, sensible, militante culturelle qui, à la tête de cette époque si avide de culture, enthousiasmée du spectacle de l'embellie occidentale, non seulement espérait et attendait, mais sans le savoir exigeait presque, "prédisait" les progrès de l'art national, en quête avide d'un objet pour son enthousiasme. Différents signes extérieurs tout à fait bruts ont attiré l'attention sur l'artiste en question. Tout à coup s'est répandue la nouvelle superstitieuse qu'un grand artiste était né. Une situation bizarre, inversée, s'est produite au sens où le nom d'un artiste dont tout le monde ignorait les œuvres était brusquement devenu couru et célèbre. Cette bizarrerie a une explication simple. C'était un temps où une tendance progressiste préparait encore fiévreusement les cadres pour une armée culturelle inexistante : elle organisait un corps d'officiers et la hiérarchie de ce corps d'officiers parcourait l'horizon à la recherche d'un chef. "Ignorez-vous qui est X.Y. ?", demandait avec étonnement quelqu'un qui ignorait tout de X.Y. – "X.Y. est, disons, le plus grand peintre !" – et X.Y. est devenu le plus grand peintre sans même le savoir, il a acquis la célébrité avant de créer une œuvre digne de renom, on lui a fait confiance avant qu'il ne mérite cette confiance. Et le miracle s'est produit : l'artiste déjà célèbre s'est mis à créer des œuvres bien meilleures qu'auparavant, et il a fini presque par atteindre la hauteur où on l'avait hissé ; il devint presque aussi grand que l'idole qu'on avait faite de lui. Confer le bon vieil adage hongrois : quelqu'un qui a reçu de Dieu une charge, recevra aussi l'intelligence pour la porter. Il est certain qu'un oracle de Macbeth de *bonne foi* peut avoir un effet bénéfique pour développer des capacités.

IV

Mais l'oracle "existera pour exister" est instillé en général, le plus souvent, avec un instinct perfide : son accent est administré depuis la profondeur de l'inconscient par une musique sardonique menaçante. Dans l'oracle se manifeste le désir du devin, le "existera" signifie "doit exister", même s'il promet Canaan, et encore plus s'il promet un écroulement apocalyptique. Vanité, égoïsme outrancier, intérêt particulier, passions incontrôlables – tels étaient les ingrédients de la tambouille diabolique qui bouillonnait dans le chaudron des trois sorcières de la lande quand Macbeth apparut parmi elles pour voir son avenir. C'est de ce creuset que sont sorties les grandes *prophéties historiques* de la perception matérialiste du siècle dernier (guerre mondiale, écroulement, diverses dictatures) qui ont réussi partout où l'âme opprimée acceptait d'être née pour l'esclavage ; et elle mourrait dans l'esclavage – et le tyran croyait que par ses ignominies il accomplissait une vocation. C'est de ces "devins" que la malveillance vampirique a appris qu'elle peut venir assassiner et rapiner – la victime a déjà été préparée à ne pas s'opposer mais à se résigner ; tels étaient les "devins" qui ont éclairé la peste : la Providence lui avait réservé un grand rôle dans le destin de l'Europe et elle doit se hâter de prendre sa place, se préparer à l'avenir. N'oublions pas que la force de résistance des âmes est inversement proportionnelle à la masse des âmes – que l'âme en masse est plus faible et plus instable et plus influençable que chacune de ses composantes ; le démagogue sait cela fort bien, et le grand prêtre guérisseur coiffé de son bonnet à grelots, *le devin politique*, le sent aussi. Mais il en va de même dans l'histoire de chaque vie individuelle. Celui qui repense sa vie et guette les frémissements de son âme, remarquera les fils rouges qui ont couru dans sa vie, dans les moments décisifs, les fils auxquels nous pensons ainsi : *si j'avais eu le courage à ce moment-là !* Ce sont ces fils qui se sont noués en des boules nuisibles, destructrices, paralysantes, et l'ont empêché d'agir, dont il s'avéra par la suite qu'ils auraient pu lui être bénéfiques. Si tu examines de près un de ces fils, tu te rendras compte que sa racine, sa graine, avait été plantée dans la terre de l'ancien enfant non développé par quelque prophète indésirable, devin malveillant, l'assassin des âmes enfantines.

C'est tout. Celui qui reconnaît le danger de l'oracle de Macbeth doit essayer de s'en prémunir – et doit étouffer en lui l'inclination à prophétiser. S'en prémunir est facile : tu reconnais aisément le vrai et le faux parmi les prophètes. Le faux prophète ne veut participer ni à Canaan, ni à l'écroulement, il ne prophétise jamais pour lui-même, seulement pour les autres. Le vrai applique tout au plus à lui-même la prophétie d'anciens prophètes (le Christ), il ne te tend jamais le miroir du futur, il ne secoue jamais à ton oreille la boîte de Pandore, mais il te prend par la main si tu acceptes sa main, et il essaye de te mener, te guider sur le chemin cahoteux qui bifurque encore et toujours, à chaque tournant : ou vers la vie ou vers la mort, et à chaque tournant il te confirme ton libre arbitre : tu n'as pas d'ordre de marche établi – ce n'est pas au dehors mais au-dedans, dans ton cœur que t'attend l'avenir.

Ne te fie pas celui qui prédit et "qualifie" – crois celui qui aime et conseille.

Frigyes Karinthy

L'ÂME DU POÈME

Ce jeu de société digne d'attention (au regard de mon sujet) a pris racine dans la sympathique société allègre où subsistent encore certaines traditions plus humaines.

Quelqu'un demande :

- *Que fait qui sur son quoi, ses quoi font le quoi ?*

La compagnie réfléchit, puis l'un d'entre eux lance :

- *Trotte le berger sur son âne, ses pieds touchent le sol.*[7]

Le questionneur approuve avec satisfaction :

- C'est juste.

Avec le temps, ce jeu, "*qui fait quoi*", a produit ses champions dans ce cercle d'amis. J'avoue avec fierté que je fais aussi partie de ceux qui en un clin d'œil arrivent à retourner même les vers les plus difficiles et les plus rares aux questions posées : ils reconnaissent des citations d'œuvres théâtrales, mais même des proverbes, et toute la poésie hongroise en tous sens, de A à Z. L'essentiel du jeu consiste à transformer un vers en remplaçant chaque mot par le groupe interrogatif grammaticalement correspondant, et sur cette base retrouver la poésie cachée.

Au fur et à mesure qu'en m'exerçant, mes oreilles commençaient à s'affiner, j'ai fait des observations sur moi quant à la psychologie des conditions pour deviner. Quelle que soit la rapidité avec laquelle, en le dégustant avec ma langue et mes oreilles, je repérais le vers dissimulé, son approche comportait toujours trois phases, avançant à partir de catégories plus larges vers des catégories plus restreintes.

En premier je ressentais le genre, s'il s'agissait plutôt d'un drame, d'un poème épique ou d'une sorte de chant populaire. Ensuite le contenu du vers sous une certaine approche, compris dans sa globalité. Enfin le ton personnel, le style du poète. Ce n'est qu'ensuite que le vers jaillissait en moi.

Quelquefois ces trois phases étaient conscientes, il arrivait même que je les signale, à peu près ainsi :

---

7 Vers très connu d'un poème de Sándor Petőfi.

- C'est une sorte de ballade… oui, oui… il relate un événement plutôt naïf… probablement de la poésie populaire… un long souffle… heu… c'est de János Arany… ça y est !... « Ô, père de miséricorde, ne me quitte pas… » de *Madame Agnès*[8].

Il est même arrivé une fois qu'ayant circonscrit le contenu d'un vers presque avec précision, il s'avéra que je ne pouvais pas le deviner car je ne le connaissais pas. J'ai dit qu'il contenait la description d'un paysage, avec coucher de soleil et autres choses comme ça. Une autre fois, du dernier vers de *Sasfiók*, traduction hongroise de *L'Aiglon* (« Vous lui remettrez son uniforme blanc »), j'avais précisé avant de le deviner que le vers était extrait d'un drame, et en l'occurrence pas dans sa langue d'origine.

Cette production, s'agissant de poésie, ennuie la plupart des gens dans notre époque de "cœurs déchantés"[9] (l'Europe n'a jamais autant manqué de poésie que de nos jours) – les auditeurs non-initiés, dans le meilleur cas n'en reviennent pas, sont stupéfaits, parlent de magie, disent qu'il s'agit de télépathie ou de conspiration, comment pourrait-on autrement reconnaître un vers parmi des milliers à partir de quelques "qui et quoi" ?

Si je considère la chose dans sa logique, *au sens prosaïque* (n'oublions pas : le vers et la prose – ne sont pas simplement deux genres, mais aussi deux attitudes, deux possibilités de la vie psychique, deux mondes si vous préférez – celui de la réalité et celui du mystère, celui de la raison et celui du doute) je dois donner raison aux stupéfaits. Car enfin, qu'il s'agisse de vers ou de prose, philologiquement et philosophiquement le discours écrit et oral consiste en des *phrases*, des *sentences*, et la phrase, de quelque façon qu'on la tourne, est une construction logique, comporte des pièces détachées permanentes : groupe sujet et prédicat, complément d'objet et adverbe. Ce petit nombre de pièces – surtout en langue hongroise où *l'emplacement* même des pièces est passablement fixé – ne permet que relativement peu de permutations – après la substitution par des pronoms interrogatifs toutes les phrases imaginées et imaginables devraient se diviser en quelques

---

8 Ballade de János Arany.

9 Expression d'un vers de Endre Ady

groupes, et *la question fondamentale* de chaque groupe devrait correspondre à une infinité de phrases. Comment est-il alors possible qu'à cette question « sur quoi qui, que fait le quoi ? » je ressens infailliblement que ce vers ne peut représenter exclusivement que « sur pieds, Hongrois, t'appelle la Patrie ![10] » et rien d'autre, or des phrases ainsi construites sont légion dans le discours humain ?

Pour comprendre *l'âme du poème*, d'ores et déjà il apparaît dans ce jeu que *le seul emplacement des mots dans la phrase peut permettre de reconnaître le caractère du vers, voire le vers lui-même* – l'ordonnancement de la phrase dans un poème est un caractère aussi substantiel que son contenu. Plus que substantiel – c'est une propriété définitivement déterminante, d'où tout de suite découle la première constatation importante : si la poésie diffère de la prose, c'est parce que son contenu ne peut pas être exprimé en prose – autrement dit le poème commence là où la prose se termine ; le contenu d'un poème *n'est pas traduisible* en prose, non parce qu'il est plus compliqué, plus complexe que la prose, mais parce que c'est une création de l'imagination d'une source non commune, complètement différente, car la poésie ne prend pas sa source du sens mais, apparemment en le contournant, *directement*, de l'âme – par conséquent un poème n'a et ne peut pas avoir "un contenu" "dicible". Je me souviens très bien, lorsque j'étais étudiant (alors j'étais poète), de l'effet comique qu'exerçait sur moi la naïveté, l'incompétence de mon professeur d'esthétique qui exigeait que je relate "le contenu" du poème dont il venait de donner lecture. En effet, je sentais bien, seulement je n'étais pas encore en mesure de l'exprimer, qu'un poème ne peut pas avoir de "contenu" – ou plus exactement un poème ne peut avoir un "contenu" qui, séparé de sa forme, signifierait quelque chose, dont on pourrait extraire un noyau ; car le poème n'est pas une expression *différente* d'un contenu exprimable aussi en prose, il n'est ni plus court ni plus long, ni plus rigide ni plus souple, ni plus strict ni plus libre qu'une prose. Le poème est une manifestation différente en sa substance, et apparemment plus globale et plus totale, d'une personnalité vivant dans un style, il n'est peut-être pas moins que *la plus grande opportunité, le plus haut degré de la manifestation de la personnalité*

10 Vers de Petőfi.

dans son style propre : là où expression et message, forme et contenu, aspect extérieur et valeur intrinsèque composent inséparablement une et même entité : le sens qui s'explique, *la signification directe.*

Et c'est ici que s'écroule toute la question très débattue de la forme. La façon erronée de poser cette question provient de l'embrouillage des notions ; cela a rendu possible la soi-disant révolution de la poésie, la fausse formule qu'un siècle "au cœur déchanté" a engendrée telle une découverte technique sous la dénomination de "poésie libre". Bien sûr pour quelqu'un qui distingue dans la poésie forme et contenu, message et "technique", pensée et expression "artistique", pour cette personne il va de soi qu'il est possible de faire évoluer la technique indépendamment du contenu, la "ligoter" ou la "libérer", en tout cas la renouveler. Poème, sans rythme ni rime – (avec une dynamique soi-disant *intérieure* – on va voir quelle fausse notion cache ce terme prétentieux !) – cette fière dénomination de genre ne ressemble-t-elle pas dangereusement aux expressions artificielles *téléphone sans fil* et *poudre à canon sans fumée* ? C'est ainsi que révolution et conservatisme se font face dans la poésie comme deux erreurs monstrueuses des "cœurs déchantés" – le conservatisme dans l'esthétique, en tant que *chercheur de formes*, est ennemi de la poésie, alors que la révolution, dans la création, comme casseuse de formes, jette le bébé avec l'eau du bain. La vérité réside simplement en ce que pour un cœur déchanté, qu'il soit celui d'un esthète ou celui d'un poète, au fond de son âme, inconsciemment, se sentir obligé d'exprimer certaines pensées et observations dans un poème est une chose tout aussi incompréhensible que si un homme sensé s'exprimait en interrompant sa pensée pour laisser place à un mot paronymique afin que la fin du vers suivant sonne similairement à la fin du vers précédent. Celui qui en poésie pose la question de la "forme", de la "technique artistique", indépendamment du poème, doit trouver passablement ridicule, après la découverte du "poème libre", je le reconnais, que des esprits excellents, porteurs de pensées et de sentiments profonds, du fardeau d'idéaux rédempteurs, perdent leur temps depuis des siècles, tout en exprimant leurs idéaux qui changeront le monde, à capturer des mots paronymiques, comme "amour" et "toujours", qui n'ont rien à voir l'un avec l'autre dans leur sens : ce spectacle pourrait être comparé à celui du prophète tenant son discours sur la Montagne dont dépend le sort de l'humanité, qui attraperait des mouches en même temps. N'est-ce pas bizarre ? Petőfi s'assoit le quinze mars pour rédiger la proclamation de la libération des Hongrois, l'oracle de Macbeth d'une ère nouvelle, censée *déclarer* et *provoquer* la guerre d'indépendance, effusion volontaire du sang de millions d'hommes, une nouvelle constitution, une nouvelle page d'histoire – tout en se cassant la tête pour *qu'étendard* se termine comme *bâtard*, et *esclaves* sonne à peu près comme *entraves*[11] !

Il est difficile de se défendre contre le sain rire du cœur obtus. Et le poète en qui vit l'âme de son poème depuis le début bredouille des mots brisés – en effet, que peut-il répondre ? Il s'est fait rattraper par de ridicules jeux de rimes, il sent bien qu'il a raison mais n'ose pas le dire ; qui le croira s'il prétend que dans le cadre du royaume infini de la poésie ce jeu n'est autre que la plus sanglante vérité – que la rédemption du monde dépend bel et bien *de mots* ; qu'au commencement était le Verbe, et du Verbe a germé la Raison – pas inversement comme le claironne la logique quand elle prend pour base des *notions*, que la raison aurait habillées de mots. Oui, les deux mots qui riment ne se sont rencontrés que *dans mon oreille* : mais, s'il *s'agit de poèmes véritables*, vous pouvez mettre votre main à couper que dans la raison aussi ils sont liés l'un à l'autre. N'est-il pas étrange que de la profondeur, de la vérité et de *l'unique* manifestation compréhensible, juste et saisissable de cette vérité a été créée *l'unique* expression la plus courte et la plus économique de la pensée telle *l'unique ligne droite* entre deux points, bref la *définition parfaite* : simplement au moyen de deux mots dans l'océan des mots qui par hasard sonnaient semblablement ? C'est étrange mais c'est ainsi.

Und was ich *stelle*
Auf dieser *Welt*,
Ist, wie auf einer *Welle*
Gestellt.[12]

Voici une vérité : celui qui veut l'exprimer de façon plus dense, plus juste, plus vraie et plus logique, obtient immanquablement *de la prose*

---

11 "Chant national" de Petőfi que le poète récite au matin de la révolution de 1848.

12 « Ce que je place/ dans l'espace/ est au monde / sur l'onde » (Goethe).

moins dense, moins forte, plus fausse et plus éloignée de la pensée. Et pourtant, une fois que tu as saisi *la sentence* la plus simple et la plus juste incluse dans cette phrase, tu réaliseras dans un grand étonnement que la phrase rime, résonne et tinte en tous sens de haut en bas et de droite à gauche. Comme tant de fois déjà, une fois de plus je dois appliquer la phrase de l'immortel Leonardo da Vinci : *ce poème est bon* (juste et vrai !), *car il est beau.* Que d'autre peut donc signifier cette reconnaissance que quelque part, dans la profondeur de la naissance des notions et des mots, mots et notions sont liés, ils ont des racines doubles – que "Gall, amant" rime avec "galamment" car si Gal est l'amant, il se comporte galamment[13]. Et un authentique poème dans son rythme et ses rimes découvre ce secret, celui de la commune provenance des notions et des mots, du mot et de la pensée et de l'expression, de l'expression et de la communication. Ce que cherchent les dilettantes du "poème libre", *la dynamique intérieure*, existe depuis longtemps : elle a toujours existé, elle s'appelle *rythme et rime.*

J'aborderai une autre fois la question que j'ai soulevée au début, celle de la personnalité et du style, du fait que le style permet autant de deviner *la présence d'une unique personnalité vivante*, que l'inverse (par exemple la question de l'existence du Christ, pour que je ne l'oublie pas !) – maintenant encore un mot pour les personnes qui penchent à esthétiser et à analyser la poésie – gare à vous ! *L'authentique poème* qui a une âme est inanalysable et indémontable comme l'âme vivante – *on ne peut expliquer et analyser que l'effet d'un poème vrai, pas le poème lui-même.*

13 Jeu de mots francisé pour la circonstance.

Frigyes Karinthy

DÉCOUVERTE DE DIEU

Si Dieu n'existait pas
il faudrait l'inventer !

L'astronome, échauffé par son sujet, poursuivit son explication :

- Cette phrase française spirituelle, Dieu, s'il n'existait pas, il faudrait *l'inventer*, pour ceux qui voient clairement dans la psychologie des inventions et des découvertes, signifie presque la même chose que si je disais que Dieu, s'il existe, *on peut le découvrir* – le découvrir, au sens réel, autrement dit scientifique du terme ; non pas parvenir *par le biais de la foi en Lui*, à la connaissance de son existence comme tentent de le faire les méthodes religieuses – mais le découvrir, le chercher, le trouver face à face, *par le biais du doute en Lui*, comme le font d'habitude les méthodes scientifiques. Le découvrir, comme nous avons découvert la Terre, notre planète, comme nous avons découvert l'Amérique et le pôle Nord, comme nous avons découvert – découvert et non pas inventé – l'avion, et aussi cette lumière qui rend visible l'invisible.

- D'un point de vue scientifique, poser la question de cette façon n'est pas du tout ridicule. La science a depuis longtemps dépassé la position rigide, enfantine selon laquelle poésie et connaissance, imagination et réalité, sentiment et savoir, sont deux mondes à part, deux mouvements à part, de sens opposés. Le rapport relatif de la science et de la poésie n'est pas une opposition *coordonnée* – la différence entre elles est seulement dans le contenu, elle est quantitative, nullement qualitative : des deux c'est la science qui a un contenu plus global car elle inclut aussi la poésie, alors que la poésie ne contient pas la science. Les intuitifs délicats, les belles âmes artistiques se berçant d'illusions ont beau le nier : poésie et science suivent des lignes parallèles qui devront se rencontrer quelque part dans l'infini. Seules la superficialité et l'inculture imaginent la science comme une activité aride et rigide – une âme *née* cultivée (car cela existe – voilà le premier paradoxe poétique, or c'est de la science !) sait bien que la science apoétique n'existe pas, tout au plus existe de la poésie antiscientifique !

- L'excellent Chesterton tente quelque part de ridiculiser "la folie scientifique", comme il l'appelle, avec l'accusation spirituelle suivante :

« Depuis que le monde existe, des centaines de milliers de vieilles femmes prétendent avoir vu un fantôme – alors arrivent quatre ou cinq vieillards et ils prétendent que toutes ces vieilles n'ont pas vu de fantôme ». L'accusation est spirituelle et si elle était vraie, elle ferait ombre à la science. Le problème c'est qu'elle est fausse – sans écouter la science elle lui impute des affirmations que *la vraie* science n'a jamais affirmées. La *vraie* science n'a jamais affirmé que les centaines de milliers de vieilles femmes *n'ont pas vu le fantôme* – la vraie science risque simplement de dire que ce que les centaines de milliers de vieilles ont vu *n'était peut-être pas un fantôme.* »

- C'est une différence de nuance, mais une différence fondamentale ! La science *authentique* n'a jamais prétendu que Dieu n'existait pas, elle a tout au plus affirmé que ce que nous croyons être Dieu était *autre chose.* Mais, même ceci, seulement conditionnellement – car la science *authentique*, contrairement à la poésie, n'a jamais prétendu *savoir* quelque chose (voilà le second paradoxe !), elle a seulement toujours affirmé *chercher* quelque chose, ou tout au plus *se douter* de quelque chose – car la science authentique s'occupe toujours *de ce qu'elle ne connaît pas encore* – contrairement à la poésie qui décrit ce qu'elle *croit déjà connaître.*

- Et la science authentique ne nie jamais l'importance considérable de la poésie, je pourrais dire ses prérogatives, son rôle initiateur dans le processus qui conduit vers la connaissance de la vérité et sans lequel elle n'y accéderait jamais. Et même, la science devine de plus en plus clairement une sorte de loi particulière selon laquelle tout ce qui *existe*, tout ce qui est *plausible*, c'est la poésie qui le remarque la première – la science ne fait que cheminer lentement à la traîne de la poésie et souvent elle n'arrive *qu'après des milliers d'années* à légitimer la poésie – donc pour la science authentique le fait que la poésie de la religion *croit* en l'existence de Dieu est une raison de penser *plausible* l'existence de Dieu. Parce que l'existence et la possibilité de tout ce qu'aujourd'hui la science a *légitimé*, autrement dit *découvert et inventé*, la poésie les avait pressentis depuis longtemps – pour reconnaître cette loi nécessaire il ne faut pas plus qu'être de bonne foi et prendre la poésie *à la lettre.*

- À l'instant même où nous l'avons prise à la lettre, les contours d'un merveilleux système se dessinent à nos yeux. Il s'avère que *l'avion devait exister*, sinon comment auraient fait les poètes durant des siècles pour chanter *le vol* des sentiments et des désirs *humains* ? Il s'avère que la lumière des rayons X *était possible* – comment le poète aurait-il deviné autrement que ses yeux pénètrent derrière les objets et *voient dans notre cœur* ? Et le poète du Pays des Fées, où serait-il allé chercher les images des "bottes de sept lieues" et l'illusion que "hop là, que je sois là où je veux", s'il n'y avait pas eu le moyen que des milliers d'années plus tard la science justifie le Pays des Fées avec téléphone, radio et cinématographie ? Le "miracle de la science" n'est toujours qu'une réalisation du "miracle légendaire mythique" – et nous devons croire que *nous saurons ressusciter le mort* car il existe une légende qui dit que quelqu'un l'a ressuscité. Car l'imagination n'a et ne peut pas avoir autant de pouvoir que la réalité n'a de possibilités – parce que l'imagination a des frontières, mais la réalité n'en possède pas.

- La poésie prise à la lettre nous enseigne à prévoir l'avenir par sa capacité de mettre à jour le passé – elle nous enseigne que notre intellect ne doit rien prendre comme impossible de ce que nos sentiments ont montré possible, voire que la raison doit prendre vaillamment la route désignée par le sentiment. Si le poète a jamais senti l'amour comme "doux", on peut mettre sa main à couper que la science finira par démontrer qu'une parenté existe entre notre organe de la dégustation et nos sentiments amoureux dans le système nerveux central. La notion de diable "au pied fourchu" rappelle dangereusement l'homme archaïque de Darwin, en passant par le centaure grec ; et l'ange, si tu veux, tu peux le chercher dans les millénaires à venir. Le *cœur* n'est pas mort par la découverte de la *cervelle* – il s'est seulement transformé en *vagus*, le nerf vague, et il poursuit son travail.

- Si la légende parle de Dieu, il faudra bien que la science le trouve un jour : *qu'est-ce que cela a été*, cette chose existante dont l'existence a été rendue incontournable pour le poète, de voir un dieu ? Et la science est avantagée, elle a plus de chances de le *trouver* – justement parce qu'elle *n'y croit pas* – que la religion de le *démontrer*, justement parce qu'elle y *croit* ; la religion pense *savoir* qu'il est là-haut dans le ciel – la science le *cherche* partout, dehors et dedans, dans le ciel étoilé, en haut et en bas, et aussi à l'horizon de l'âme humaine, à l'intérieur. Et elle le découvrira ou – on a vu que c'était pareil – elle l'inventera, avec le regard candide de son doute, pendant le jeu fouisseur, aléatoire, de sa curiosité – par hasard et de façon inattendue, comme la poudre ou le radium, ou comme l'électron, quelque part, au fond d'un tube à essai, sous forme de précipité – ou entre les gyrus, les circonvolutions de la cervelle ; en sa propre personne, dans une formule ou une équation, mais en tout cas d'une manière *visible à l'œil*, ayant réalisé et déclaré qu'elle doit s'arrêter devant Lui, et qu'elle Lui demande des comptes un jour : à quelles fins a-t-il créé ce monde merveilleux et terrible et avec dedans, lui, sa copie merveilleuse et terrible, l'homme ?

Frigyes Karinthy

VERBA MANENT, SCRIPTA VOLANT

Je sais, Monsieur Kovács, j'ai délibérément inversé – je sais que normalement la phrase sonne ainsi : les mots s'envolent, les écrits restent.

Et pourtant, en méditant sur cette vérité comme sur tant d'autres, sous la croûte des conventions superposées, des faits et des arguments contradictoires font surface. La Vérité, ou comme cela était prêché aux anciens, le Verbe, est un bien compliqué, plus il est ancien, plus il est compliqué – plus facilement il peut arriver qu'il se mette cul par-dessus tête si on y touche pour le contrôler. En général nous préservons ce qu'on appelle axiomes, dictons, proverbes, vérités de base les plus élémentaires, les plus vérifiées, comme ceux que justifie l'expérience primitive, directe, filtrée par les traditions des générations. Pourtant, l'autre jour en feuilletant une énorme collection de proverbes, j'ai noté pour m'amuser deux douzaines de couples de proverbes contenant des vérités, sentences, voire conseils frontalement contradictoires sur les mêmes sujets. Celui qui voudrait agencer sa vie en conformité avec les proverbes deviendrait un peu timbré. En effet, la logique à tête de bois dirait que de deux affirmations contradictoires sur le même sujet une seule peut être vraie. Or la Réalité Inconnue que nous assiégeons sourit sagement et réplique à la logique révoltée ce qu'a répondu un jour le rabbin quand on lui a reproché que, ayant écouté séparément les deux parties en débat, il ait donné raison aux deux, alors que toutes les deux ne pouvaient pas avoir raison : « Toi aussi tu as raison, mon cher fils ! ». Il est un peu difficile de s'y habituer pourtant il faut s'y faire, ce n'est pas la logique qui a créé le monde, mais c'est le monde qui a créé la logique, le monde peut exister sans logique, mais la logique n'existe pas sans le monde. Depuis plusieurs milliers d'années le monde croyant s'aligne autour de trois prophètes, un seul des trois peut être authentique, mais les gens ne sauront jamais lequel : il sera donc beaucoup plus juste de prendre pour critère de la vérité *l'ancienneté* et non *la logique*, et convenir que si une erreur a survécu quelque six milliers d'années, elle compte pour une vérité.

C'est sur cette base que j'ose donc attaquer le principe "les mots s'envolent, les écrits restent" comme un principe n'ayant pas encore atteint l'âge limite. Qu'est-ce que l'écriture après tout ? Une *fixation* du mot en fait ; et si elle ne n’était que, comme on le dirait de nos jours, un procédé technique pour la conservation du langage, je signerais le proverbe ci-dessus sans broncher. Mais là où le bât blesse c’est que par écriture nous entendons beaucoup plus que cela – un art à part, comme autrefois la *rhétorique* se différenciait en un art à part, avec des lois et des règles différentes de celles du langage commun. C’est aux créations de *l’art de l’écriture* que l’homme d’aujourd’hui applique cet axiome – or dans cet emploi il se trompe tout simplement, ce que je vais prouver avec deux exemples décisifs et un raisonnement.

Faisons démarrer le raisonnement par la phrase dignement célèbre de Buffon : « Le style est l’homme même ». Ce "style" chez Buffon qui était un esthète signifie évidemment le *style de l’écriture*, voire *le style de l’art d’écrire*, c’est pourquoi il a choisi pour symbole le nom grec de l’outil de l’écriture (stylos). Or, la proposition n’est simplement *pas vraie* sous cette forme. Je laisse les personnes raisonnables juger si *le style du parler* d’un homme, aussi grand artiste écrivain soit-il, quand il pense, juge, commente les choses quotidiennes de la vie qui se présentent à lui, n’est pas nécessairement *plus caractéristique* de son être, son caractère, son humanité, que *les formalismes du langage* exigés par le respect des règles plus ou moins strictes de l’art d’écrire. Ces formalismes du langage ont beau approcher le langage vivant direct – l’homme vivant apparaîtra en tout cas par la parole, par les manifestations directes de sa pensée, plutôt que par ce que nous appelons aujourd’hui l’écriture.

Pour prouver mon pressentiment que le langage vivant (disons, enregistré) préserve plus longtemps le souvenir d’un homme vivant, justement parce qu’il le représente davantage que s’il avait légué une *œuvre écrite*, je prononce deux noms : ceux de Socrate et de Jésus. La dualité originelle et fondatrice de la pensée européenne et de la foi européenne. Aucune ligne d’écriture de la main de l’un comme de l’autre ne nous est restée ; les paroles de l’un ont été notées par Platon et celles de l’autre par quatre évangélistes : Matthieu, Marc, Luc et Jean. Et voici qu’au-delà des quatre témoignages, des quatre styles d’écriture, c’est *le langage vivant* d’un Homme Vivant qui en ressort de façon plastique et qu’on ne peut confondre avec aucun autre, dans le langage vivant de son âme vivante, le contenu, la couleur et la forme de sa pensée que pour ma part j’assumerais bien volontiers. J’assumerais la démonstration de *l'existence du Christ*, cette question tant débattue, par une simple *analyse de style*, écartant toute recherche historique, me basant simplement sur le fait que les notes nous présentent un style d'expression orale personnel – et le style d'expression présente un homme car où il y a style d'expression, il y a aussi un homme.

Car pour être tout à fait rigoureux, la phrase de Buffon pourrait sonner ainsi : l'homme est parole. Il l'est plus directement qu'une création de l'art de l'écriture, et apparemment c'est la parole qui a la vocation de survivre à l'homme. C'est en lisant le livre de Eckermann que ce doute paradoxal est né en moi – celui qui connaît le journal de ce fidèle chroniqueur, dans lequel il note chacun des mots de Goethe, ne prendra plus comme moi pour impossible que dans deux mille ans, quand toutes les œuvres de Goethe seront recouvertes par la poussière de l'oubli, ce livre écrit non par lui mais *sur* lui sera encore connu et lu de par le monde.

LA MAUVAISE PIÈCE

Mon cher Rédacteur,

Votre collaborateur m'a importuné et m'a mis en colère une fois de plus. Une fois de plus il m'a mal posé la question, sujet de l'interview, une fois de plus je l'ai chassé et une fois de plus il s'est avéré que, à la suite de la question mal posée, j'ai plus à dire sur le sujet que s'il l'avait bien posée – une fois de plus c'est lui qui avait raison.

Il m'a demandé (après que ses espions lui ont appris que j'étais présent à *Erdgeist* de Wedekind[14] au Renaissance, avec Madame Orska[15]) mes impressions sur la pièce et sur la comédienne.

Mes impressions ! Qu'est-ce que je suis ? Un peintre paysagiste ou une plaque de cire sur lesquels le monde extérieur laisse son empreinte, ou une plaque de photographe sensible à la lumière, ou quoi ? Vous voulez peut-être savoir, cher ami, l'effet qu'ont fait sur moi la comédienne et la pièce ? Impression ! Elle a fait sur moi le même effet que sur n'importe quel spectateur – elle m'a plu si elle était belle, j'ai écouté si elle jouait bien, j'ai eu peur si elle criait, j'ai tendu les oreilles si elle chuchotait, je me suis attristé si elle pleurait, elle m'a égayé si elle riait. Mes impressions. J'ai l'impression que lorsque le prologue tire un coup de feu inattendu en l'air, on est secoué – si vous appelez ça effet et si vous appelez l'effet un succès, alors c'est une pièce à grand effet en effet, et à grand succès. Voilà mon impression – mais pour le savoir vous n'aviez pas besoin de moi, vous auriez pu l'apprendre de quiconque dans l'assistance.

Mon cher ami, apprenez de moi ce que vous voulez apprendre de moi. L'effet exercé sur moi par ce pauvre Wedekind (pauvre parce qu'il est mort) et cette pauvre Orska (pauvre parce qu'elle est vivante) est vraiment très secondaire, probablement indifférent à Wedekind comme à Orska – du point de vue de l'effet je ne suis qu'un parmi les centaines de milliers de spectateurs ; et en ce qui concerne ma supposée faculté de

---

14 Frank Wedekind (1864-1918). Dramaturge allemand. Lulu de Alban Berg s'est inspiré de deux pièces de Wedekind dont "Erdgeist" ("L'esprit de la Terre").

15 Maria Orska (1896-1930). Actrice d'origine russe. Elle s'est suicidée sur scène *en 1930* pendant la représentation de "L'esprit de la Terre". (cette nouvelle date de 1926)

savoir mieux m'exprimer que d'autres, je devrais pour cette raison relater l'effet au nom du public – je note modestement que ma modeste faculté en question – *anche io sono…*, c'est-à-dire étant *également musicien* – est enclenchée d'habitude en moi par l'effet exercé sur moi *par la vie et la nature et non par l'art.* Donc ce que vous voulez savoir, mon cher ami, ce n'est pas une impression mais la pensée et l'avis de cette impression. La prochaine fois ne me demandez pas ce que je dis d'Orska et de Wedekind – mais ce que je dis à Orska et à Wedekind.

Bref, à propos d'Orska ça ne va pas être long. Je lui fais savoir à elle qu'elle m'a satisfait, je constate qu'elle se sert soigneusement et consciencieusement de son âme et de son corps pour exprimer cette drôle de chose que l'auteur lui a confiée. Elle ne veut pas fourrer son nez dans le métier de l'écrivain, elle ne prend pas son autonomie pour "caractériser" le personnage, elle ne "s'identifie pas" à son rôle, mais elle le joue. Une brave actrice talentueuse.

Face à Wedekind ma situation est plus délicate. Wedekind n'est plus parmi les vivants ce qui met un point d'interrogation à l'intérêt de toute critique, non du point de vue de la piété, mais de celui de l'utilité. Lui, le pauvre, ne s'amendera pas si je l'avertis de quelques erreurs. Je dois pourtant le faire car le spectateur à jugement incertain et à la pensée lente pourrait aisément être induit en erreur par la pièce – et le trouble et l'empathie avec lesquels il quitte le théâtre, il pourrait facilement les confondre avec le sentiment qui élève l'âme et que laissent les œuvres importantes, voire les chefs-d'œuvre.

Que le spectateur se rassure, cette pièce est mauvaise. Elle n'est pas mauvaise en ce qu'elle "ne me plairait pas", car à la rigueur elle pourrait me plaire, c'est un pur hasard qu'il se trouve qu'elle ne me plaît même pas ; pourtant elle est mauvaise. Elle est mauvaise comme le sont des poumons tuberculeux ou une automobile inutilisable, ou une déduction mathématique qui conduit à un résultat faux ; elle est tout simplement mauvaise, on peut prouver qu'elle est mauvaise, elle est classiquement, superbement mauvaise, elle est spectaculairement mauvaise comme une tumeur cancéreuse idéale que le professeur montre fièrement à ses étudiants, en disant : voici une tumeur qui a splendidement évolué, un spécimen de choix.

Malheureusement je n'ai ni la place ni le temps ici de faire une analyse afin de prouver que cette œuvre est mauvaise. Tout ce que je peux faire ici c'est de vous rendre compte du résultat, résumé en quelques points – mais si quelqu'un souhaite me voir administrer la déduction complète et la preuve que ce que je dis est juste, je suis à sa disposition. Ici je ne ferai que poser les questions et y répondre.

1. De quoi parle cette pièce ? La pièce parle de Lulu, une belle femme désirable aimée de tous… disons : que tout le monde *aimerait* heu… ; elle le sait mais elle n'utilise pas cet état de choses pour distribuer bonheur et détente aux hommes mais pour les désespérer et les tuer, en se sentant sûre de ne pas être pour cela directement punissable.

2. Qu'est-ce qui en sort ? Il en sort qu'elle ne subira pas de punition directe, les hommes désespèrent et meurent tandis que Lulu s'en sort victorieusement.

3. Quels sont les hommes à qui Lulu a affaire ? Lulu a affaire à de *vrais* hommes, parmi eux un artiste que l'auteur, lui-même artiste, avait manifestement imaginé comme un excellent homme, autrement dit il se croit excellent, autrement il n'écrirait pas de pièces.

4. Mais alors qui est Lulu ? D'après l'auteur Lulu est "l'esprit de la terre", cette force satanique nuisible qui détruit l'homme dont la vocation est le beau et le grand.

5. Mais qui est l'être humain ? L'être humain est bisexuel, soit masculin soit féminin. Donc quelqu'un qui détruit un *homme*, détruit l'homme et la femme. Mais cela voudrait dire que Lulu n'est pas une femme parce que si elle l'était, elle détruirait elle-même. Ce qu'affirme la pièce, que la femme détruit l'homme, est donc faux. L'homme est détruit par Satan et pas par la femme. Mais Lulu est présentée dans la pièce comme la femme *la plus réelle*, que tous les hommes désirent quand il s'agit d'amour : elle est belle et désirable, alors que Satan est laid et repoussant. Mais si Satan est beau et attirant, en quoi est-il Satan ? Il en est tiré la conclusion que la vraie femme qui n'est pas satanique est laide et repoussante – mais une laide et repoussante n'est pas une femme.

6. Mais alors que voulait l'auteur avec sa pièce ? Voulait-il présenter une belle femme attirante, dans le but de montrer que cette belle femme attirante est vile est repoussante ? Il voulait montrer cela à qui et dans quel but ? Aux hommes pour qu'ils s'en préservent ? Si les hommes

sont sincères avec eux-mêmes, ils sortent du théâtre avec la pensée qu'ils ont vu une belle femme attirante et qu'il serait bon… heu… si c'était possible, mais malheureusement ce n'est pas possible. Aux femmes ? Si les femmes sont sincères avec elles-mêmes, elles sortent du théâtre avec la pensée qu'il serait bon de ressembler à cette Lulu si elles ne sont pas telles – mais si elles sont telles, elles se voient justifiées et elles s'en veulent de ne pas avoir été plus mauvaises que ce qu'elles étaient. Bref, tout le monde sort du théâtre en colère et de méchante humeur ; pas abattu, pas frappé de remords, pas amendé, pas transcendé, pas riche de découvertes et de nouveaux projets, pas apaisé, pas tourmenté : seulement de mauvaise humeur et seulement en colère. Mais comme nous pouvons supposer que cela ne pouvait pas être le but de l'auteur, quel était donc son but ? Cela, on ne peut pas le savoir puisque le but n'a pas été atteint. On ne peut pas savoir vers où était orientée sa flèche car elle est tombée dans la gadoue.

7. Étant donné que son but reste inconnu, son intrigue est banale et ennuyeuse, son message est obscur et chancelant, ses indications sont erronées, ses moyens brutaux, son effet est désagréable et déprimant – qu'est-ce alors que cette pièce, mis à part son soi-disant succès en Allemagne et son importance révolutionnaire (ce qui n'a pas sa place ici car nous traitons un problème littéraire et non social) ?

Ni l'esthétique ni la philosophie ne peuvent répondre à cette dernière question, elles ne peuvent que retourner la paume des mains et hausser les épaules. Nous sommes contraints de nous adresser à la psychologie pratique, celle que nous connaissons tous, malades et bien portants, par expérience intérieure – la psychologie pratique tranche le nœud gordien. Puisqu'une femme comme cette Lulu ou n'existe pas ou si elle existe, les choses qui lui arrivent ou qui l'entourent ne sont ni tragiques, ni comiques, par conséquent elles ne valent rien ni du point de vue de la philosophie ni de celui du drame, ni de celui de l'esthétique. Étant donné qu'une personne psychiquement saine ne peut se complaire d'un pareil spectacle, ni s'en instruire, étant donné que cette pièce ne rend personne ni plus intelligent, ni meilleur, ni plus beau, ni plus débrouillard, ni plus faillible, ni plus heureux, ni plus malheureux, d'un point de vue littéraire il ne s'agit donc que d'un pur effort vain et stérile, sa valeur est égale à zéro. Après élimination de l'inutile il reste une constatation psychique glaciale, c'est-à-dire que cette pièce est l'auto-infection sans honneur de l'instinct sexuel d'un *homme* frustré en des visions forcées et volontairement excitées – devant le public. La science appelle cette chose *exhibitionnisme* – le langage commun appelle cela impudeur, non par indignation morale – pas pour défendre la morale, pas parce que l'impudeur est immorale – mais dans la défense de la beauté, car l'impudeur est laide.

CRIME ET CONSCIENCE

(Méditation innocente à l'occasion d'une amnistie.)

Méditation, entends-tu, Monsieur l'assassin, méditation et non pas action… Tu n'as rien à craindre, Monsieur l'assassin qui sais très bien au fond de toi que l'adjectif "innocent" du sous-titre est en réalité un pléonasme : dès qu'il s'agit de méditation, cela ne peut pas être nuisible. Contrairement à toute logique qui présente les activités humaines comme le résultat final de la réflexion et de la compréhension, cela suppose entre la pensée et l'action une certaine relation formelle, un *troisième élément, l'observateur* non méditant mais non agissant non plus, qui regarde d'ici cette magnifique époque, voit de plus en plus clairement qu'entre méditation et action, entre tête et main, il existe (s'ils existent) des rapports complètement différents de ce que toute réflexion antérieure avait permis de supposer.

La conclusion était donc fausse, le résultat, la comparaison avec la réalité, ne colle pas. Il y a une erreur – mais où est l'erreur ? Peut-être en ce que l'on avait cherché la relation *entre la méditation et l'action*, or dans la réalité cela n'existe pas : dans la réalité il existe des gens de méditation et des gens d'action ; ces deux groupes de gens ne sont pas cause et effet l'un de l'autre, ils ne se déduisent pas l'un de l'autre, mais ils sont deux systèmes solaires universels indépendants, autonomes, ordinairement ils diffèrent même un peu l'un de l'autre ; malgré tous ses efforts, voyez-vous, notre brave logicien n'arrivera pas à les superposer avec des conjonctions "donc" ou "c'est-à-dire" ou autre, comme deux propositions subordonnées. "Le raisonnement est la mort de l'action", ainsi *raisonne* Lucifer (dont on prétend qu'il savait raisonner et agir à la fois – mais ce n'était pas un homme vivant !), et cette constatation en tant que telle est parfaitement juste. Ce qui cloche c'est que cette constatation engendre deux enseignements. Moi par exemple, pour ma part (tout au moins en ce moment-ci), de ce que "le raisonnement est la mort de l'action" je tire une conclusion : allons-y, raisonnons et à bas l'action. Mais Monsieur l'assassin à qui je dédie affectueusement mes modestes pensées, en déduit tout aussi légitimement : allons-y, agissons et à bas le raisonnement – et aussi celui qui raisonne. C'est pourquoi j'ai l'honneur de signaler que contrairement à monsieur l'assassin je suis innocent puisque moi (pour le moment) je veux bien le laisser agir, si lui, il veut bien me laisser raisonner : je demande donc ma relaxe.

Mais il y a aussi autre chose, en l'occurrence la question de la punition et du châtiment. C'est-à-dire dans la mesure où la chose va au procès entre moi et Monsieur l'assassin et un de nous deux est mis dans son tort, comment le défendeur paiera-t-il le plaignant ? Car moi, pour ma part, dans la mesure où la sentence me serait favorable – mon avocat, Maître Esprit de Modération m'encourage de nouveau beaucoup ces temps-ci – j'aimerais beaucoup soulever la question des frais du procès : en effet, jusqu'ici c'est moi qui ai tout payé, Monsieur l'assassin n'a daigné y contribuer de l'ombre d'un sou.

La pensée par ailleurs sublime de l'amnistie, qu'elle avantage un côté ou l'autre, laisse dans l'âme un arrière-goût acerbe. Quelle en est la raison ? La raison en est apparemment qu'elle mesure à la même aune les deux types de crimes : celui que nous commettons à cause d'un raisonnement erroné et celui que nous commettons par un acte erroné. Ce faisant elle se place du côté des raisonneurs mais en même temps elle leur nuit car elle raisonne mal. Les deux types de crimes ne peuvent pas être mesurés à la même aune. En effet, entre un homme qui raisonne et un homme qui agit, la différence est beaucoup plus grande qu'entre raisonnement et action. On peut résumer à peu près comme suit l'idée de base de l'amnistie : "d'accord, je ne te frappe pas, c'est Dieu qui te frappera !" Jusque-là c'est correct, nous, raisonneurs, savons bien que Dieu a l'habitude de frapper, nous l'expérimentons sur nous-mêmes en tant que châtiment de nos raisonnements erronés – nous l'appelons entre nous : *remord, éveil de conscience, autoaccusation*. Si c'est nous qui sommes dispensés de punition pour notre raisonnement erroné, l'affaire est close car nous, justement par notre caractère raisonneur, nous récolterons la punition divine, la reconnaissance de notre sottise, et le but de la grâce, *l'amendement*, sera ainsi atteint. Mais est-ce que cela se passe également ainsi dans le cas du monsieur agissant, Monsieur l'assassin ?

L'expérience est différente. L'édifiant propos lumineux du génie se fraie en vain un chemin à travers l'embrouillamini des faits et des réalités ; le châtiment intérieur de Raskolnikov pour avoir tué la vieille ne stigmatise pas et n'effraie pas l'assassin mais seulement le penseur, qui est fautif, car lorsqu'il a voulu agir, il s'est égaré sur un terrain qui n'était pas fait pour lui. Le châtiment de Raskolnikov est celui du génie égaré de l'âme duquel il a jailli – ce n'est pas une loi morale de validité générale. Le remords n'est pas la vertu originelle *instinctive* de nous tous – sur ce point la science analytique n'a pas cherché au bon endroit. Cela fait des années que j'observe nos petits Raskolnikov, je n'ai vu en eux aucune trace de rupture d'équilibre intérieur, de dysharmonie interne, sinon parfois quand ils étaient menacés par le même type de châtiment : *la même action* que le crime qu'ils avaient commis. Ces Raskolnikov sont des âmes harmonieuses, chacune de leurs paroles affiche la figure souriante de la confiance en soi et de l'amour-propre : ils ne sentent pas "le vide entre leurs idéaux", puisqu'ils n'ont pas d'idéaux. En même temps ils tapent avec une condescendance bienveillante l'épaule des sophistes imbéciles, qui les magnifient, comme ils méprisent superbement le philosophe hésitant qui hoche la tête avec désapprobation en raison "de leur acte". Ce sont autant de Raskolnikov sains, aux joues rebondies. Il est à craindre que la clémence elle-même change peu leur attitude fondamentale qui leur prescrit au moment décisif "l'action agissante", l'action que les Saintes Écritures appellent *mauvaise action*, la distinguant de la *bonne action* basée sur la non-action. La loi morale du *châtiment intérieur, compréhension et repentir* nous concerne, nous qui, en réalité, n'en avons pas tellement besoin – à *leur* intention, mais pour nous, dont la tâche consiste à édifier une morale *sociale*, une *atmosphère* morale à part, qui le contraindrait à la crainte et à l'angoisse salutaires auxquelles nous parvenons par le biais de la rupture de l'équilibre intérieur.

Je ne parle pas de châtiment digne ou de vengeance, et je ne préconise pas de refuser la grâce aux criminels. Je réclame seulement une petite distinction formelle : que vérité et affection et sentence (qui sont en fin de compte des *enseignements*) soient dosées selon la personnalité, le caractère, la capacité de compréhension de chacun – un bon maître explique la même leçon différemment, s'il veut de bons résultats, au talent mathématique de compréhension rapide et au champion de gymnastique à l'esprit obtus. Bref : clémence au révolté contre la loi, simplement et virilement, sans hésitation (qu'il règle le reste dans sa conscience). Mais l'assassin, si j'étais le dispensateur des clémences, avant de le relâcher, je tremperais son nez nombre de fois dans le sang versé, comme celui du chien dans sa propre déjection, puisqu'on a beau raisonner, assassins et chiens ne comprennent rien de la parole et n'apprennent pas sans cela la fine différence de nuance entre le milieu de la salle et un recoin sombre, entre bonne foi et mauvaise foi, entre raisonnement et action, entre amour et haine.

Frigyes Karinthy

FILASSE HUILEUSE

(Lors une séance de spiritisme le médium a été démasqué : il avait façonné les fantômes incarnés en filasse imprégnée de graisse)

La Société Métapsychique Hongroise a la douleur de vous faire savoir que son fantôme préféré, Monsieur Idéoplasme, attaché de l'au-delà et envoyé intime véritable et secret, s'est assoupi pour un mieux-être au cours de la dernière réunion de la Société, c'est-à-dire a cessé d'exister, c'est-à-dire est venu au monde – ou comment saurais-je ce qu'il faut dire quand un fantôme décède. Les restes terrestres du mort vénéré, une poignée de filasse huileuse que l'on a retrouvée derrière l'oreille de Laci László IV, violoniste, médium de réputation mondiale, seront placés pour son repos éternel dans la poche latérale de l'évêque spiritiste Schrenck-Notzing[16].

Moi qui suis venu enterrer l'esprit de Mademoiselle filasse huileuse, et non le louanger, je peux rassurer l'assemblée en deuil – la jeune fille n'est pas morte, elle s'est seulement assoupie. Elle ressuscitera, de même que ressuscite de ses cendres au printemps l'allègre belle-de-jour, mais aussi la tortueuse moisissure – de même que ressuscite la maladie du grand-père dans son petit-fils, ou l'appendice atrophié dans chaque corps humain renaissant. Il est possible de remémorer l'évolution du monde autrement qu'en ordre chronologique, dans la succession des choses : l'œil curieux peut contempler le monde décomposé en images successives étalées dans l'espace, visible à tout moment, tel un vivant livre illustré. Il est dommage de chercher les ossements de l'homme préhistorique dans des fossiles enfouis – l'homme préhistorique court dans sa réalité vivante dans les forêts de Tasmanie, et même, si on fait bien attention, on le retrouve plus près de soi. La première cellule, le protozoaire, pierre angulaire de toute vie, n'est pas perdu à la suite de sa reproduction – on le retrouve sous le microscope quand chaque fois il s'attaque au grand œuvre pour créer le monde.

Mais bien sûr il faut un certain sens des formes pour découvrir la partie dans le tout, le tout dans la partie, le petit dans le grand et le grand

16 Albert von Schrenk-Notzing (1862-1929). Médecin allemand qui a consacré sa vie à l'étude des phénomènes paranormaux.

dans le petit. Le spiritiste au nez délicat a tort de grimacer à l'odeur de la graisse – si la filasse huileuse convient au fantôme et à l'ectoplasme et à l'idéoplasme et à la lecture à l'Académie de Musique d'une étude scientifique en deux volumes, la filasse huileuse ne mérite certainement pas d'être jetée sans mot dire aux ordures. La graisse est une substance précieuse, et la composition de la filasse est au moins aussi mystérieuse que celle de l'ectoplasme, surtout si nous ne nous la fourrons pas dans l'oreille, mais nous en faisons l'objet d'une observation approfondie. Il s'avérera que ce n'est pas par hasard qu'elle est allée entre les mains de ceux qui ne trouvent possible de chercher la Clarté que dans une pièce assombrie et l'Esprit dans le psychisme électriquement dérangé d'un épileptique. Au chant on connaît l'oiseau, à son évocateur l'esprit – à l'esprit son évocateur.

Ceux dont le goût – je dis bien goût et non envie de savoir – peut se satisfaire des productions de ces fantômes, dont le sens du style n'est pas agressé ni rendu suspect du point de vue de l'authenticité par le goût *intellectuel* manifesté dans les mots du "fantôme chéri", n'ont pas le droit de tourner le dos, avec un orgueil aristocratique, au spectacle de la filasse huileuse. Aussi je ne parle pas à ceux-ci, puisque de toute façon la partie esthétique de la question est pour eux sans objet : pour eux c'est évident, c'est un discours bien ficelé, pure dialectique au regard de "l'instinct" mystérieux dont la lanterne ténébreuse éclaire l'obscurité d'obscurité avec une certitude infaillible.

Je parle en revanche aux hésitants, aux curieux de bonne foi, pour qui la filasse huileuse étant déjà un composant passablement miraculeux du monde merveilleux et insaisissable, ils se laisseraient même convaincre, si c'était possible, que la filasse huileuse est en réalité un ectoplasme. Si c'était possible, mais malheureusement ça ne l'est pas. Cela n'est même pas rendu impossible par une preuve matérielle extérieure, mais par une sorte de loi intérieure qui oriente prudemment toute âme saine et fine face à tout phénomène : dans quelle mesure elle peut y investir sa sympathie, son intérêt, son envie de savoir et son affection – donc toute son attirance que l'on résume en deux mots, l'envie de vivre ? C'est pour ceux-ci que j'aimerais trouver le moyen d'analyser pourquoi, à juste titre, ils ont trouvé la filasse huileuse antipathique déjà autant de sa feue forme d'ectoplasme.

Alors, c'était premièrement "parce qu'on ne pouvait pas y toucher". Car elle était si terriblement sensible que d'après les croyants fervents le médium tomberait raide mort à l'instant même où quelqu'un toucherait l'ectoplasme avec ses doigts profanes. La sensibilité est une qualité belle et noble, mais quelqu'un d'aussi sensible ne doit pas claironner qu'il s'expose à un examen objectif, scientifique, et ne doit pas convoquer ses adeptes pour célébrer soi-même tel une prima donna pour qui monter sur les tréteaux est plus important que le rôle – surtout si ce rôle est déjà assez confus comme ça. Si les fantômes existent, on peut les évoquer aussi bien à midi tapant qu'à minuit – et si le fantôme a envie de faire une déclaration, il peut le faire aussi bien en plein jour, sans accessoires.

Un esprit qui exige qu'on allume autour de lui et en son honneur un feu de Bengale rouge, devient suspect de se transformer à la lumière du soleil en filasse huileuse. Un esprit authentique ne s'occupe probablement pas aussi mesquinement et orgueilleusement de sa "mise en scène" – il s'efforce plutôt de prouver par ses actes et son influence qu'il possède des capacités extraordinaires, et ses efforts ne s'épuisent pas dans la répétition qu'il est un esprit et que les dubitatifs doivent le reconnaître en tant que tel. Franchement, je crois – je n'oserais pas le jurer mais je le sens – qu'un vrai esprit, à certains moments – en l'occurrence justement au moment des déclarations – oublie même d'être un esprit : il s'imagine peut-être un être vivant ordinaire et sifflote allègrement, car pouvoir se déclarer le réjouit. Je n'ai pas apprécié cet esprit d'ectoplasme, il avait une figure trop morne et solennelle. Il m'a paru comique. J'avais envie de rire de lui parce que je ne l'ai jamais vu rire.

Et j'avais envie de rire aussi du recueillement mortellement sérieux des adeptes ; sous le charme ceux-ci n'ont pas remarqué le comique : ce comique instinctif qui résidait *dans le style*, le comique qui pour un œil et une oreille exercés trahit la source dont il provient, de façon plus convaincante que toute preuve matérielle. Je prie les adeptes des forces occultes et mystérieuses de me croire enfin : une éducation de l'œil et de l'oreille nous conduit sûrement, si ce n'est directement, jusqu'au cœur du labyrinthe où nous attend le Secret, ce "septième sens" qui reconnaît le fantôme, mais demeure aveugle et sourd devant le mystère de la filasse huileuse.

PUDEUR

J'ai été entraîné l'autre jour au tribunal dans un procès où dans le cadre d'une affaire de presse on a évoqué le problème juridique de *l'attentat à la pudeur* – où commence-t-il, quels sont les critères, pourquoi faut-il le poursuivre, qu'est-ce qui le rend nuisible ? Ayant été totalement blanchi, je ne commets peut-être pas d'inconvenance si désormais de l'extérieur, *sine ira et studio*[17], j'exprime moi aussi une opinion. Pendant que je rentrais chez moi je jouais au jeu des clarifications (ce jeu est devenu une maladie dans ma tête ces derniers temps). Je me demandais ce qu'est en réalité la pudeur. Parce que, j'espère, personne n'imagine de moi que si je ne suis pas un écrivain impudique, j'ignorerai ce qu'est l'impudeur. Je le sais parfaitement et si je déclare que, mise à sa place, je l'estime tout autant sinon plus que l'auteur "érotique" le plus désespéré : mais il n'est pas question par-là que je retire ma défense, simplement j'emprunte la position de cet excellent savant naturaliste selon qui *nous appelons saleté toute substance qui n'est pas à sa place.*

Voilà pour la science, parce que la question ne m'intéresse pas du point de vue de la science de l'évolution, seulement dans sa signification sociale. Quand et de quoi je me sens choqué par ce que l'on appelle impudeur ? – puisque de toute évidence il s'agit d'une notion relative – il est évident que sans ces choses qui n'arrivent jamais dans les bonnes familles, les bonnes familles n'existeraient pas. L'être humain est soit un homme soit une femme – quelqu'un n'est ni femme ni homme si subjectivement et objectivement il n'est pas intéressé par l'amour, y compris toutes les impudeurs qui l'accompagnent. Le mal, l'inconfort, la gêne *effectivement* pénible et désagréable, ce que nous appelons scandaleux, commence là où dans l'affaire d'un homme et d'une femme se mêle un tiers, *un observateur* dont la présence pollue l'imagination amoureuse.

Cet observateur peut être l'écrivain érotique dès lors *qu'il rend public* le résultat de ses observations. J'entends par public le lecteur *authentique*, le lecteur inconnu qui prend le livre en main de bonne foi

17 Sans colère ni enthousiasme

sans savoir ce qu'il trouvera dedans. Eh bien oui, je peux très bien imaginer un ouvrage d'art dont l'objet soit l'amour sensuel – mais s'il a été écrit ou dessiné par un artiste authentique, il ne lui viendrait pas à l'esprit de le jeter au grand public, au lecteur inconnu – il le montrera seulement à celui ou celle qu'il aime, qu'il connaît, dont sa conscience d'artiste, l'instinct psychologique sait qu'il le prendra pour ce qu'il est : envie de vivre, explosion de l'amour de la vie, et non une nuisance malfaisante.

J'ai déjà eu en main *une œuvre érotique*, ouvrage d'un grand artiste, manuscrit ou dessin original ; par rapport au feu "impudique" de cette œuvre, la création *la plus licencieuse* de l'écrivain et peintre érotique le plus à la mode n'est qu'une flammèche tiède – je peux dire que je ne me suis pas scandalisé ; mais je me suis bel et bien scandalisé, et je me scandalise encore, quand un livre "illustrant en images érotiques, colorées, l'orage de l'amour" me tombe entre les mains, un livre qui a eu ses dix éditions parce qu'il "est si bien illustré", si sensuellement et tellement en couleurs. Je me scandalise, non au nom de la morale mais au nom de l'art, je me scandalise, non parce que "l'illustration" est trop colorée et érotique, mais parce qu'elle n'est *pas assez colorée et érotique*, elle *ne peut pas* l'être et pourtant elle *veut le paraître*. L'écrivain m'a scandalisé en tant qu'artiste qui sait très bien qu'il ne peut pas parler franchement et de cœur et de sang et avec enthousiasme de ce dont on ne parle pas, de ce dont l'on ne peut pas parler, puisque alors il ne pourrait pas faire paraître son livre, non seulement à cause de la loi sur les mœurs, mais aussi à cause de sa propre conscience. Donc, à la place d'une représentation authentique il essaye de contourner sa conscience et la loi par des allusions et des évocations sournoises, des petits clins d'œil écœurants, grimaçant derrière les doigts de la main, avec des points de suspension, des tirets et des omissions significatives, pour ménager la chèvre et le chou. Je me scandalise parce que ce n'est pas de l'impudeur vraie et entière, mais de la demi-impudeur nuisible et malfaisante, c'est elle qui salit et profane l'amour, cadeau de Dieu, c'est elle qui veut faire entrer dans le temple du sang le tiers qui n'y a pas sa place, qui s'y fane et s'y gâte – dans la présence duquel non seulement il *convient*, mais il *faut* que se taise "le mot du sang" – le tiers à cause duquel l'impudeur vit dans le cœur de tout homme sain et de toute femme saine.

Le tiers, l'observateur, que cette fois je peux enfin nommer : l'enfant.

L'enfant, cette fleur observatrice aux grands yeux, qui ne doit pas mûrir en fruit avant terme car un fruit trop précoce est un fruit maigrelet et dégénéré.

Je me suis trompé plus haut : l'être humain n'est pas de deux sexes, mais – la grammaire archaïque germanique a raison – il est de trois sexes : homme, femme et enfant. Si nous venions au monde adulte et mûr, la pudeur n'existerait pas entre nous car elle serait superflue. Elle est née pour la protection de l'enfant, en même temps que lui. Ce que nous appelons impudeur s'est formé, se raffine et s'anoblit sans cesse dans la conscience et le système nerveux de notre espèce. Après ces réflexions, si je ne peux la nommer ou la définir, je peux la circonscrire, la signaler d'images, quand j'appelle ombre tiède bienfaisante, ce qui entoure, couvre et protège chaleureusement le corps et l'âme tendres dans son évolution, les protège des conditions de l'existence, du brûlant rayon de soleil merveilleux et cruel, qui fait vivre et qui fait faner. .

Frigyes Karinthy

THÉÂTRE ? CINÉMA ?

Je voudrais vite noter, pour ne pas les oublier, mes réflexions à bâtons rompus sur le problème exposé dans le titre. C'est le poème dramatique moderne d'un écrivain russe qui m'en a donné l'occasion. Il faut les approfondir ? – il le faut au point que la cinématographie ne pourra plus manquer à l'esthétique d'un homme cultivé. Ce drame, j'ai eu l'occasion de le voir et au cinéma et au théâtre. De même que tous les autres qui ont regardé les deux adaptations, je peux affirmer que l'écran a vaincu les planches. La production, en plus d'exiger les moyens les plus choisis de la psychanalyse et de l'expression poétique en termes de conception et de pensée, n'était par conséquent pas une idée purement épique, s'appuyant sur la seule intrigue du conte. Elle a trouvé une solution beaucoup plus accomplie dans le genre exprimant en image tout ce qui est imaginable et en paroles tout ce qui est imagé. La solution cinématographique a tout simplement donné plus, plus fin et plus spécifique, sans paroles elle a enclenché un effet plus complet que le théâtre : elle s'est avérée être une forme plus riche, plus complexe et plus expressive – la relation qui existait jusqu'alors dans nos habitudes entre le texte écrit ou oral et l'image expliquant ces textes, s'est tout simplement renversée. Le drame cinématographique ne faisait nullement l'effet d'une série d'images accessoires du théâtre, comme pourrait le penser celui qui confond le cinéma avec une quelconque illustration d'un livre d'images, mais plutôt – au moins pour ceux qui ont vu plus tôt le drame cinématographique – c'est le drame au théâtre qui faisait l'effet d'être une collection "d'encarts" expliquant l'image animée, et qui pourraient aussi bien disparaître puisqu'ils ne sont là que comme "béquilles" aux plus lents.

L'exemple est plus que didactique. Il place dans un nouvel éclairage la grande question à côté de laquelle passent trop à la légère même ceux qui commencent enfin à saisir l'importance novatrice de l'art cinématographique. Essayons de regarder cette question en face, ne serait-ce que pour quelques instants, mais indépendamment de l'époque qui ne représente *qu'une phase* du processus de l'évolution : avec un œil détaché de l'époque, *in specie æternitatis.*

Un autre problème, de nature technique celui-là, donne l'occasion d'une comparaison des deux genres, théâtre ou cinéma.

Dans le méli-mélo de revues techniques, d'articles, de rubriques de faits divers, le problème du *cinéma parlant* est réapparu. Certaines conclusions de la technique radio ont rendu actuelle l'hypothèse que le temps est venu pour créer dans sa forme définitive le genre qui pourrait reproduire à la perfection ce qui est saisissable de l'homme et de son activité associant tréteaux et écrans : la forme, le mouvement et la voix. Le son photographié sur la bande du film qui se déroule fusionnerait parfaitement avec le geste, le mégaphone rendrait au son sa fidélité, sa force et sa couleur originales, de même que les effets de lumière. Si l'on ajoute à cela l'accomplissement proche de deux autres exigences, la reproduction à cent pour cent de la réalité en couleur et en plasticité, on n'est plus très loin de ce Présent Fixé qui rend sur l'écran le contenu total des cerveaux comme si cela paraissait dans un miroir de cristal parfait. L'image animée parfaite, le *Surcinéma* si vous voulez, ne peut en réalité être autre qu'un complément de ce palais magique dans lequel habitera un jour l'enfant de la fin du siècle, et où un mur des pièces, équipé d'images animées vers le lointain, de radios et de projecteurs, représentera une porte vers l'infini qui non seulement accueillera les spectacles et les sons arrivés de tous les coins de l'espace, mais aussi recréera par magie du fond des temps ce que son maître lui ordonnera.

En conclusion de ce qui vient d'être esquissé, il est en revanche prédictible que le film parlant apportera une déception, non pas au drame cinématographique mais à la scène : il s'avère que *la vie reproduite* contient plus d'éléments réels que *la vie vraie mais condensée* – et que le phénomène qui est à la base de l'art dramatique depuis des millénaires, *la pensée formulée en mots et exprimée en intonation*, ne crée qu'une toute petite partie de l'illusion de la réalité. De cette façon c'est la forme d'expression plus riche et plus multiforme, le film, qui engloutit et dissout en lui-même peau et poils l'expression plus pauvrette, la scène – et non pas l'inverse comme on aurait pu le croire à la naissance de ce qui s'est avéré non vivable : le *drame en images, genre popularisé sous le nom de sketch*, égaré dans un cul-de-sac. Mais il s'est avéré non vivable, et un simple raisonnement rend évident qu'il ne pouvait pas en être autrement. Ce raisonnement se base sur une loi physique éternelle : le rayonnement de la diffusion du *son* est passablement limité, quasiment négligeable dans l'espace par rapport à l'espace de la diffusion de la lumière. Dans un espace fermé, cloisonné, dans une pièce, dans une société réunie, le facteur *son* s'avère significatif, voire décisif – mais dès que l'Art compte quitter la pièce et s'élance à l'air libre, entre les montagnes ou dans les champs, le son faiblit, s'écroule, perd son importance. L'oreille se referme et l'œil s'écarquille – apparaît à quel point l'oreille n'est qu'un outil sans intérêt, négligeable et primitif au service de l'œil qui capte ses informations dans l'Infini : il voit étoiles et soleil et ciel quand l'oreille devient sourde si le signal a été donné ne serait-ce qu'à quelques kilomètres. À l'instant où l'Art franchit le seuil et sort sous l'Horizon Libre, la nature, il est accueilli par un silence calme et somptueux, et dans ce silence majestueux il ne peut plus être intéressé par autre chose que l'image et les variations de l'image, le Geste. Image et geste expriment tout – l'Art n'a plus besoin du son, qui ne le suit plus, il court derrière, tout essoufflé, dès qu'il veut voler.

Voilà donc brièvement la cause fatale de la tragédie de la scène. Et une autre, encore plus grave. La scène n'est pas le terrain du *drame*, mais celui du *jeu*, n'est pas le terrain de *l'écrivain* mais celui du *comédien* – l'écrivain, depuis que le monde connaît les lettres, existe aussi sans comédien, mais l'acteur de la scène périt sans l'écrivain, *car jusqu'à la découverte du cinéma l'acteur ne possédait pas le moyen de fixer et de reproduire son art.* Ainsi la comédie ne pouvait pas être un art autonome, à l'instar de la poésie, aussi longtemps que cette dernière avait la parole vivante comme unique manifestation. *Seul peut être art ce qui est indépendant du Présent, ce dont l'effet est pérenne et permanent* – la scène n'est pas en mesure de créer ces conditions au génie humain qui crée avec son corps quand il le laisse librement bouger dans l'espace, mais il est paralysé dans le temps. S'il s'agit d'un artiste authentique qui aspire donc à devenir immortel il doit quitter la scène et subordonner son vrai corps à ce qui en est pérenne : l'image et le geste ; il doit s'affiner en image et geste sur un écran pérenne, à l'instar du poète qui se penche sur une feuille de papier pour transformer son âme et son être et sa substance en lettres grises qui ressusciteront à sa place quand il ne sera plus.

Le film, cette merveilleuse invention, en donne la possibilité. *Le mouvement fixé* rend immortel l'art de la comédie, et l'élève en art véritable – l'art transforme toute la culture, la culture transforme l'homme, l'homme transforme l'humanité – de même qu'elle fut jadis transformée par l'Écriture, par le Verbe écrit. Nous qui vivons aujourd'hui, à l'époque de la naissance du cinéma, nous pouvons regarder l'avenir avec un sentiment solennel, car nous côtoyons le berceau d'un des chapitres majeurs de la culture. Ceux qui ont bien compris la signification de la première écriture runique après la parole humaine jusqu'alors entendue et aussitôt disloquée, ne peuvent pas trouver que j'exagère quand je devine que *la découverte du mouvement fixé, le cinéma, représente autant sinon plus que ce qu'était jadis la découverte de l'écriture, c'est une station aussi importante sinon plus dans l'histoire de la civilisation.*

Frigyes Karinthy

LE UN ET LE ZÉRO

Dissertation mathématique.

Par zéro nous entendons le point de départ de la succession des nombres naturels, d'où, en partant à droite, se suivent les quantités positives.

Par un nous entendons la première station de la suite des nombres naturels, en partant de zéro, avançant vers deux ou trois.

Autrement dit, selon l'enseignement de la suite des nombres naturels, nous entendons par zéro la quantité qui, du un vers la gauche est aussi loin que vers la droite du un jusqu'à deux. Dans une représentation graphique de la suite des nombres naturels nous mesurons une même distance de zéro à un que de un à deux.

Tous nos calculs, dans la mesure où nous les appliquons à la pratique, se basent dans notre imagination sur cette formule mathématique : de zéro on arrive à un comme de un on arrive à deux. Jusqu'à présent la mathématique n'a pas réussi à démontrer un quelconque écart entre les deux différences quantitatives.

J'ai donc l'honneur d'annoncer mon nouveau système mathématique qui, partant de l'univers euclidien, passant par les systèmes de Bolyai[18] et d'Einstein, est appelé à faire de la différence entre zéro et un l'objet d'un examen plus approfondi et plus scrupuleux, avec un regard particulièrement scrutateur sur sa différence substantielle par rapport à la différence entre un et deux.

La personne qui recevrait mon postulat hardi, annoncé sous cette forme paraissant compliquée, avec le doute qui convient dans la science, je la rassure en lui disant que ma découverte a été précédée non seulement d'une réflexion spéculative, mais aussi d'une recherche pratique approfondie dans le domaine en question. Avant de formuler un avis en authentique savant se sacrifiant pour la science, j'ai parcouru moi-même la région où j'avais besoin de données – un peu à la façon de Livingstone parcourant l'Afrique Centrale, ou de Darwin collectant des données pour soutenir ses hypothèses concernant l'origine de l'espèce

18 Jos Bolyai (1802-1860). Mathématicien hongrois, un des pères de la géométrie non euclidienne.

humaine, ou de notre Vámbéry[19] qui pour rechercher quelques racines de mots turcs et tatars n'a pas hésité à se rendre pendant quelques années au pied de l'Himalaya, afin d'être plus assuré. C'est à peu près ainsi que j'ai également parcouru moi-même, poussé par l'enthousiasme scientifique, les deux régions conduisant de zéro à un d'une part et de un à deux d'autre part, et dont les frontières sont vers le nord le Néant, ou comme le nomment les indigènes, le fleuve Aucunement, vers le sud le Quelque Chose, ou dans le dialecte des habitants locaux : la montagne Pas-si-haut, que les cartographes de tout temps ont désignée de deux traits pointillés d'égale longueur, semblablement à la topographie de la région polaire avant Cook et Peary.

Quarante-six volumes déjà parus et cinquante ouvrages à venir rendent compte des résultats de mon voyage que le monde scientifique malheureusement, à ce jour, n'a pas daigné honorer comme il l'aurait dû. J'aimerais donc résumer en quelques phrases pour les écoles élémentaires le résultat de ma découverte, en guise d'enseignement et d'avertissement pour ceux qui quittent, naïfs et ignorants, les rives du fleuve Néant, croyant que le chemin qu'ils ont à parcourir ne dépasse pas la distance de Un Quelque Chose à Deux Quelque Chose.

En effet, ils se trompent gravement. Tout ce que la mathématique de la vie a constaté de progrès, d'évolution, d'accomplissement de la volonté, de l'endurance et du talent, tout ceci concerne le chemin entre Un Quelque Chose et Deux Quelque Chose et Plusieurs Quelque Chose : les lois établies par la morale, la philosophie, l'art et la littérature sont effectivement valables pour cet itinéraire.

Entre les Un Quelque Chose et Deux Quelque Chose existe la série des guides portant les étiquettes : Sois Intelligent, Sois Prudent, Sois Prévoyant ; Travaille et Vis ; Étire-toi aussi Longuement que le Permet ta Couverture ; Rends-toi Utile jusqu'à l'Extinction de ton Lumignon ; Sois Débrouillard et Combatif. Ceux qui respectent ces principes parviendront à coup sûr jusqu'à la station suivante de la suite numérique : de un à deux, de deux à trois, de trois à cent millions de dollars.

Mais entre le Néant et le Un Quelque Chose de telles étiquettes n'existent pas – et même s'il y en avait cela ne t'avancerait pas, car par

---

19 Ármin Vámbéry (1832-1913). Géographe orientaliste, explorateur.

exemple tu peux toujours essayer de t'étirer aussi longuement que le permet ta couverture, simplement parce que tu n'as pas de couverture entre le Néant et le Un – et tu ne peux pas te rendre utile jusqu'à l'extinction de ton lumignon, car tu n'y as pas de lumignon. Et entre le Néant et le Un il n'y a pas de borne kilométrique – car cette route est semée de cadavres, en tous sens, dispersés et entassés – car entre le Néant et le Un se trouve « Ben, moi, je n'y peux rien », « Excusez-moi, je n'ai pas le temps », « Écoutez, le directeur n'est pas disponible » - car entre le Néant et le Un se trouvent le meurtre, la folie et l'impuissance.

Entre le néant et le un se trouvent la Panique et l'Intrépidité. Entre le néant et le un se trouvent l'Instinct, la Religion, la Méchanceté et la Rédemption. Entre le néant et le un se trouve la Découverte du Monde.

Car les mathématiciens se sont trompés – le chemin du néant jusqu'à un est plus long que de un jusqu'à cent mille millions – ce chemin est à peu près aussi long que celui de la vie jusqu'à la mort.

MANCI, LA REINE DE ROBB

("Ma sœur lisait un livre cet après-midi...")

Manci et Miklós, dix-neuf et dix-huit ans se sont suicidés à l'hôtel Fiume, parce que toi, père rigoureux tu as refusé ton accord à leur mariage ; toi, sœur endeuillée tu as expliqué au reporter : « Ma sœur lisait un livre cet après-midi, le héros en était un certain Robb » et toi, Manci, jeune Juive aux cheveux de jais et aux tristes yeux noirs qui as signé ta dernière lettre : « Manci, la reine de Robb » - oh comme je vous plains, oh comme je vous aime, douce reine, cher prince, morose châtelain.

Le soleil d'hiver brille au dehors. Je lis le reportage sur sa vie, sur l'amour et sur la mort, sur la vie *authentique* et la mort *authentique* et l'amour *authentique* – des larmes me montent aux yeux et pourtant je suis aussi titillé par un léger sentiment comme si j'avais envie de rire ou d'éternuer. Les lourdes et robustes tragédies *imaginaires* ne font jamais cet effet – c'est l'effet du souffle printanier du *charme*, du charme dans lequel à la beauté morne et régulière s'adjoint toujours quelque chose de monstrueux, d'imparfait, quelque chose de comique et de doux.

Manci, la reine de Robb... L'aigre psychologue habituel fait de Manci une affaire de détail, il constate qu'elle était une jeune fille exaltée à l'âme romantique, la señorita Quichotte de romans fantasques, tel et tel cas de la science traitant des tempéraments psychiques. Mais la personne pour qui et Manci, et Miklós, et le père rigoureux et le psychologue et même la science traitant des tempéraments psychiques sont des réalités vivantes, imbriquées, inséparables, en relation de causalité – cette personne est incapable de voir la chose aussi simplement. Cette personne est contrainte de tirer du cas de Manci, via le psychologue, des conclusions sur l'esprit du temps, de la même façon que le psychologue avait tiré des conclusions sur le cas de Manci de l'esprit scientifique du temps.

Pour cette personne le père rigoureux est tout aussi charmant, romantique et enthousiaste que Manci, voire le savant qui au lieu de dévorer l'histoire d'Oliver Robb lit le Roman de la Réalité : la botanique, la zoologie, la physique, l'anatomie et la psychologie. Pourtant, n'est-ce pas, le père rigoureux n'aimait pas les romans, il vivait dans la "vraie" vie où apparemment seuls les intérêts moraux et matériels jouent un rôle, le reste compte pour enfantillage farfelu et imagination : le père rigoureux a cru et croit encore que ce qui a causé la mort bien réelle de Manci et de Miklós était un jeu trompeur de l'imagination. Et il n'a pas tort bien que sa vision soit un peu unilatérale ; c'est à cause de cette unilatéralité que, oh père rigoureux, tu surestimes la réalité et sous-estimes l'imagination, et ce n'est pas cela la vérité.

À supposer que tu recherches l'œuvre de l'imagination éloignée de la réalité non seulement dans le deuil de cette mort, mais aussi dans la naissance heureuse, tu devrais remémorer cette nuit de lune où tu as rencontré la mère de ton enfant – la mère de ton enfant qui, vu "la volonté de l'âme" de ton enfant, devait aussi être "une âme romantique", et qui a peut-être lu un roman l'après-midi du même jour et "avait peut-être décidé" que ton enfant naîtrait sous l'effet de ce roman. Le jeu "trompeur" de l'imagination a causé la naissance d'un côté, la mort de l'autre – comment peux-tu donc croire que l'imagination soit inférieure à la réalité, alors que l'une crée et tue de la même façon que l'autre ?

Et comment peux-tu croire que le poète soit inférieur à la nature – comment peux-tu savoir si le hasard de ton existence en ce monde est plutôt dû directement à la Loi de la Nature qui crée un nombre défini d'êtres vivants, ou plutôt, indirectement, à l'idée d'un poète qui dans les jours de ta naissance a inspiré son temps et l'a mis de bonne humeur ? L'inverse a déjà été prouvé. Sous l'effet de Werther de Goethe il y a eu autant de suicides en Allemagne et ailleurs que de morts "naturelles" produites par une belle épidémie de typhus – et peut-être plus mais au moins autant que ceux qui ont inspiré le poète dans son œuvre mélancolique.

Le poète et le bacille du typhus sont des poisons mortels, et ceux qui prétendent que les deux préservent le monde d'une surpopulation exagérée ont raison. Mais ils ont seulement partiellement raison – l'autre face de la médaille des bacilles mortels et des poètes pessimistes est ornée de germes générateurs de vie et d'images d'ambiances germinatrices. L'imbrication entre l'imagination humaine et la Loi de la Nature est désormais beaucoup plus étroite et profonde que ne le pense l'esthète sévère qui ne reconnaît comme signe de la vie que la seule poésie, et à l'opposé les images féeriques de la vie qui ne reconnaissent pas l'empreinte de la main du poète.

Les lois de l'imagination jouent un aussi grand rôle dans les changements qui meuvent la vie que ceux que nous attribuons aux causes appelées *réelles*, les lois économiques, morales et sociales – et la poésie est désormais un moteur aussi essentiel de notre société que l'instinct de survie : le droit du cœur devient tôt ou tard aussi décisif que le droit de l'estomac, dans la lutte pour la vie.

J'ai bien dit : "désormais" et "tôt ou tard" – n'oublions pas l'époque dans laquelle nous vivons depuis près de deux cents ans. Les ères préhistoriques *crétacée* ou *jurassique* des géologues ont été suivies par les âges de *bronze*, *d'acier* et de *fer* des historiens – ces âges n'étaient plus façonnés sur la Terre par la nature mais par l'homme. De nos jours nous vivons *l'âge du papier* – nous inondons la superficie de la Terre de papier imprimé, nos descendants ne pourront plus accéder à la surface de la Terre qu'en perçant cette nouvelle formation géologique, la *couche de papier* – et à l'instar de nos ancêtres qui, au commencement de la vie, se sont hissés à la lumière du jour à travers la carapace calcaire d'animaux éteints et se nourrissaient de la masse carbonée de végétaux décomposés, nos descendants aspireront le contenu du papier : le monde imaginaire et la poésie, pour venir au monde.

La réciprocité va crescendo au fur et à mesure que de plus en plus de papier, de lettres imprimées, de journaux, de pellicules perforées, répandent l'imagination de l'homme dans les nerfs des foules – la nature crée l'homme, et c'est tantôt l'homme qui reconnaît le vrai visage de la vie dans la poésie, tantôt c'est la vie qui exerce son effet sur l'homme comme s'il avait été bricolé par un mauvais poète.

La contrainte de compléter la double loi fondamentale de la philosophie contemporaine de la vie, *les lois de la sélection naturelle et de la sélection individuelle*, par un troisième principe, devient de plus en plus pressante : accepter, à côté des deux grands principes déterminant la vie, ceux de la reproduction et de l'évolution, un troisième principe, *celui de l'imagination et du discernement humains*, comme composant égal dans la compréhension de la nature.

Frigyes Karinthy

RELATIVITÉ DES ÂMES

- Ben, je ne sais pas. D'après Géza c'est un homme honnête.

- D'après Géza ! Tu m'en diras tant ! Chacun sait que Géza est l'homme le plus naïf qui soit !

- Tu dis ça parce que tu ne le trouves pas sympathique.

- Allons ! Tu crois que moi aussi je me laisse conduire par mes sympathies comme toi ?

- Ça, on ne me l'a jamais dit. On me considère comme impartial.

- Ça dépend qui.

- Ceux qui me connaissent.

- J'aimerais bien les connaître ceux-là.

Et ainsi de suite. Un dialogue quotidien, simple, n'est-ce pas ? Mais si on y réfléchit, si on récapitule les possibles variations d'imagination attachée en nous tous à ce petit dialogue, on est pris de vertige comme qui se serait perdu dans un labyrinthe de miroirs. Il n'y a pas d'issue, les images qui se reflètent s'enchaînent – une chaîne infinie, sans issue, un labyrinthe.

Et on prend conscience de quelque chose. La chose est tellement simple et claire, on ne comprend pas pourquoi on n'en a jamais formulé un théorème. Peut-être parce que c'est trop évident – désespérément vrai.

J'ai une opinion sur quelqu'un. Dans mon opinion je donne de lui une image – je le caractérise, son intelligence, son psychisme, ses inclinations : je prononce une sentence sur ses actes au nom de la morale. Je place sa vie, ses mots, ses opinions, sur une balance. Je cherche les causes cachées de ce qu'il a subi et de ce qu'il a fait – me basant sur la nouvelle psychologie j'essaye de m'immerger au fond de ses instincts inconscients – je tiens compte même des signes physiques et psychiques hérités de ses origines, si c'est le seul moyen de me fournir une explication. Bref, je le considère comme un objet que je fais connaître grâce à l'intelligence humaine, la capacité de reconnaissance de la réalité du sujet à un tiers qui ne le connaît pas.

Sauf que ce tiers à qui cet exposé est adressé est tout autant à la fois un sujet, un homme, un objet et un observateur d'objets que moi, c'est-à-dire la personne en question, celle dont je parle. Lui, il mettra mon opinion, dans laquelle j'ai mis ma victime sur une balance, sur une troisième balance : la sienne. Et grâce à mon exposé il connaîtra deux personnes – lui dont je parlais et moi qui le caractérisais. Et il se formera une opinion des deux.

Et cela s'enchaîne.

Supposons que Carlyle[20] décrive Frédéric II de Prusse. J'obtiens une biographie vivante, des positions nettes, la magie de la réalité : j'ai le sentiment de l'avoir vu, de lui avoir parlé, comme si je l'avais fréquenté *personnellement*. Je lis ensuite un essai de Taine, dans lequel il étudie Carlyle. Il dépeint le Grand Connaisseur d'Hommes en une dialectique brillante, de belles couleurs. Et le personnage morne, puritain de Carlyle se met tout à coup à vivre – je connaîtrai son milieu, l'humus dans lequel il était enraciné, je découvre les composants fatals qui ont dû le rendre *tel qu'il était*, qui ont rempli son regard, ses yeux, de certitudes. Certitudes ? Si pendant ta lecture tu exécutes des tests d'imagination et de pensée, tu découvres avec inquiétude qu'au fur et à mesure que le personnage de Carlyle par Taine devient net et vivant, dans la même mesure le personnage de Frédéric II par Carlyle devient pâle, flou, trouble. Tu comprendras *pourquoi* Carlyle voyait ainsi Frédéric II – les yeux de Carlyle tels deux lentilles à travers lesquelles tu as regardé se mettent à briller et recouvrent l'image qu'ils ont projetée devant toi. La description parfaite de Carlyle ne favorise pas la description donnée par Carlyle – tu as mieux connu Carlyle, mais tu as perdu Frédéric II. Mais tu perdras Carlyle *aussi* de la même façon dès que tu recevras un brillant essai sur Taine – et qui pourra garantir que tu n'en recevras pas ?

Et, pâle silhouette, au milieu de toutes ces incertitudes et ces relativités, tel un arc-en-ciel se disloquant au-dessus des vapeurs, se dessine le contour d'une certitude négative, que les anciens exprimaient

---

20 Thomas Carlyle (1795-1881). Écrivain écossais de l'époque victorienne.

ainsi : tout est changeant, seul le changement est éternel. Nous connaissons l'âme humaine seulement à travers l'âme humaine, nous n'avons pas d'autre source – l'unité de mesure doit être étalonnée et il n'y a personne qui pourrait le faire. *La loi de la relativité des âmes* est tout aussi désespérément probable que l'a démontré Einstein dans le monde de la mesure des quantités. Des mesures mesurées les unes avec les autres – comme si quelqu'un disait : qu'est-ce qu'un mètre ? Cent centimètres – et qu'est-ce qu'un centimètre ? Le centième d'un mètre. Car il n'existe ni sage Socrate ni savant Sigmund Freud dont la description des caractères et l'analyse psychique vaudraient la barre de platine à Sèvres[21] : si je considère cette dernière comme un quarante millionième de la longueur du méridien terrestre, cela me donne quand même quelque chose de solide.

Je suis pris par le vertige angoissant de l'incertitude si je cherche qui écouter, qui croire, de qui j'apprendrai qu'il est mon prochain auquel j'ai envie de m'ajuster, auquel j'ai envie de ressembler si cela en vaut la peine, et dont j'ai envie de différer s'il le faut. Comment est-il *en réalité* – et quel homme je suis en réalité *moi-même*, que je ne peux voir que dans le reflet du miroir des âmes, s'il apparaît dans ce miroir que ses reflets sont déformés, autant de miroirs, autant de déformations ?

Je dois croire en Quelqu'un qui n'est pas homme, pour pouvoir croire en l'homme. Je dois désirer Quelqu'un qui n'est pas homme pour pouvoir désirer les hommes. Je dois comprendre quelqu'un qui n'est pas homme – car il doit y avoir Quelqu'un qui comprend mieux l'homme que les hommes.

---

21 Le pavillon de Breteuil à Sèvres où sont déposés les étalons du système métrique.

RÉVEIL

Qu'est-ce que c'est ? On sonne ?

Quelqu'un vient… Mes paupières s'ouvrent, ma conscience embrumée trébuche encore sur des images, des images *sans texte*, qui n'ont rien de commun *avec moi*, qui ne se rapportent pas *à moi*, à ma vie passée, à ma mort qui approche…

Un navire… île… nuages défilant à toute vitesse… oiseau à moteur…

Des images… rêve enchanté…

Mais déjà je me réveille… de l'océan infini, merveilleusement heureux des images berçantes dans lequel j'étais un poisson sans ouïes, au-dessus duquel j'étais un oiseau sans ailes, je montais et descendais, je voyais sans yeux, j'entendais sans oreilles, je gémissais dans une ivresse sans corps – de cet océan des images mon moi de noyé réveillé en sursaut, allonge ses bras de polype afin de s'accrocher au fatras effiloché d'une quelconque notion misérable : un mot par exemple.

Je me retrouve ici, entouré de ma prison ; ces quatre murs sont les quatre points cardinaux, mais je suis *seul* à les regarder – moi, noix incassable, d'où nul ne sort ni entre. Des notions-moi, pâte malléable de mots, souvenirs, connaissances, projets, craintes, désirs… moi… Attendons, ce n'est peut-être pas si sûr…

Tout est si flou… je ne sais pas encore, je me suis peut-être trompé… Je dois rassembler mes esprits…

Moi…

La première chose qui me vient à l'esprit au réveil… La première terre qui apparaît à travers le brouillard des mers – un rivage, mais comme il est étranger ! Plus étranger que la pâle bande de terre apparue à Christophe Colomb.

Moi ! Mais moi, c'est qui ?

Voyons, je vais essayer de me le faire comprendre. Moi, c'est quelqu'un ou quelque chose que j'ai déposé ici hier soir : et le voici, il n'a pas bougé. Il est toujours bien ici. Un objet longiligne, pointu, avec à son sommet une espèce de boule, couverte d'un tissu soyeux – c'est un fait. Autre chose ?

Je sens, inquiet, qu'il y a autre chose. Quelque chose d'encore plus important, que l'on doit savoir, que je dois avoir constamment devant les yeux, y prêter attention, y veiller, me le répéter, sinon ça ira mal. Moi… Moi… Ça y est j'y suis. C'est mon nom. Tel et tel. Mon nom et que je suis né un jour… Où déjà ? Oui. Et depuis… Qui ai-je été depuis ? Ça y est, je sais – j'étais un enfant… Puis un adulte… C'est ça qui est le plus bizarre en ce moment – ça prend de longs moments pour que j'y croie. Que je suis déjà un adulte – je ne suis plus un enfant, ce n'est pas la première fois qu'il m'arrive d'ouvrir les yeux sur le monde, bouche bée, pris d'une frayeur intemporelle, d'un émerveillement sans fin ; moi, moi, je suis un adulte, de la même espèce animale barbue, étrange que les autres qui sautillent autour de moi au Pays des Fées ! L'ogresse au nez de fer du Pays des Fées ne m'a pas épargné non plus ; elle m'a aussi métamorphosé en adulte, en lutin barbu, en kobold à voix grave, bagarreur, aux yeux sauvages – oui, oui, je ne rêve pas, c'est incroyable mais vrai – je suis adulte, j'ai des enfants, j'ai une femme – comme les autres ! C'est terrible ! Je suis seul à savoir que c'est un charme ! Tous les autres croient que je suis l'un d'eux, ils me traitent d'ailleurs de la sorte. Bonjour, Monsieur Trucmuche, me disent-ils, comment vont les enfants ?

Ils croient que… que moi aussi… comme les autres… que je vis, dans le temps et dans l'espace – et que, conséquemment, il faudra bien un jour que…

Que je meure !

J'ai failli éclater de rire, si comique m'a paru cette découverte bizarre… Qu'est-ce que c'est ? J'essaye de forcer la notion, oui, bien sûr… Je mourrai un jour… Je mourrai un jour… Je mourrai un jour… Moi, moi, moi… Non, l'idée est trop farfelue, je ne suis pas réveillé à ce point… au point de gober ça… Ça oui, j'arriverai à la rigueur à croire que cet objet longiligne, cylindrique, qu'il n'existera plus… mais que les images… le navire… l'île… le nuage fuyant… le bercement sur la mer des images… ce que *je suis*… que cela n'existera plus… ce qui signifierait en même temps qu'il n'a jamais existé et qu'il n'existe pas… non, c'est vraiment une ânerie, bien sûr qu'il a existé et il existe… il n'existe même que ça…

Qu'est-ce que c'est ? Que me veut-on ?

Que moi… D'accord, je sais… Comment, Ilonka ? Qu'y a-t-il ? Qui, dites-vous ? Il a téléphoné ? Pour cet article ?… Ah, ça y est, je sais…

On me demande de donner mon avis à propos de cette affaire… Le rédacteur en chef a décidé de solliciter sur cette question l'avis des penseurs les plus profonds…

Un moment… Oui, oui, je l'écrirai – où sont mes chaussures…

Profonds… profonds…

Où est-il allé chercher ça, "profond", j'aimerais bien le savoir ! Il doit imaginer une sorte de baudruche, remplie de pensées, de savoirs, de souvenirs… dans laquelle depuis longtemps quelqu'un collecte les pensées possibles sur la situation politique, et elle est pleine à ras bord…

S'il pouvait voir cette profondeur-ci !

Frigyes Karinthy

COMMENT SERA LA MODE ?

Comment s'habilleront les hommes et les femmes ? Cette question est intéressante, mais pas du tout farfelue comme le croirait le bavard superficiel qui songe tout de suite au "fantastique" dès qu'il est question d'anticipation. Un des symptômes caractéristiques de la confusion babélienne des notions dans laquelle vit l'homme d'aujourd'hui est l'imbroglio de la poésie et de la science – il prend la "prédiction", la "vision de l'avenir" pour une capacité poétique, prophétique, or en réalité, dans l'excellente définition d'Ostwald[22], seule la science prédit l'avenir, seule la science prévoit l'avenir, le poète, lui, ne fait qu'aspirer et espérer, ou dans le meilleur cas, souhaiter.

Mettant à l'écart tout "fantastique" et compte tenu de la confusion des idées, si l'on pose la question ci-dessus, il convient d'abord de préciser en deux mots ce qu'est l'habillement, ce que sont les habits.

À l'école on nous apprend que l'habillement sert d'une part à la protection contre le froid et le chaud, et d'autre part il sert à couvrir notre nudité, par pudeur. Si l'être humain était un être unisexe, à la fois homme et femme, même dans ce cas cette définition ne tiendrait pas – sauf si l'on supposait qu'il n'existerait aucun miroir dans notre monde. En effet chacun de nous aime bien se plaire, indépendamment du fait qu'il est homme ou femme. Mais qu'est-ce par rapport à l'envie des hommes et des femmes de plaire *l'un à l'autre* ?

Il est évident que l'aspect vestimentaire sert depuis les débuts, de tout temps et partout, pour quatre-vingts pour cent la coquetterie envers l'autre sexe – il est la suite directe, ou plutôt non, le développement et le raffinement de l'industrie que le monde animal exerce en plumes, couleurs, poils, crinières, huppes, à ses heures – une industrie à laquelle toutefois, on ne sait par quel biais mystérieux, de quelle manière, et dans quel but, c'est quand même *le monde végétal* qui témoigne du plus grand effort.

C'est le monde des plantes qui souligne avec la profusion la plus généreuse l'attirance des deux pôles sexués, pistil et étamines, dans une

---

22 Friedrich Wilhelm Ostwald (1853-1932). Chimiste d'origine lettone, prix Nobel en 1909.

cavalcade étourdissante des pétales et couleurs et feuilles et sucs et saveurs et douceurs et poisons. La femelle de l'animal humain ne désire pas cacher son corps laissé nu (et rappelant celui des reptiles sur ce point) par la marâtre nature, mais au contraire elle veut attirer l'attention sur cette nudité – elle l'orne, elle puise volontiers dans cette source primaire de la vie, rendant visite aux inépuisables halles de la mode des végétaux. Au-delà des tentatives de modes des époques plus bizarres les unes que les autres, elle retourne, comme l'arc-en-ciel après l'orage, à la mode ayant le plus grand effet, celle qui fait apparaître la femme comme une fleur – une fleur souple à la taille, dans l'abondante corolle "étalée" des jupes, fleur tombant de l'arbre ou de la branche, son calice tourné vers l'intérieur.

Ce motif de la mode féminine est quelque chose de *constant* ; ni un retour au passé ni une évolution, mais les deux à la fois – il est inutile de parler ici de différenciation, création de styles, de tenants et aboutissants de l'histoire des civilisations. Aussi longtemps que le corps de la femme est désirable et attirant *comme il est, tel qu'il est*, telle qu'il était hier et tel qu'il est aujourd'hui, la fleur féminine flottante, pliante, s'ouvrant et se refermant, pudique et coquette, reviendra toujours pour fendre et faire exploser l'enveloppe et la gousse des tenues de cavalières, costumes de sport, jupes entravées et autres "garçonnismes". Le buste affreusement accentué (les bouffants, manches à gigot et ailes de chauve-souris) disparaîtra avec le temps tout autant que les hanches affreusement accentuées (tournure, crinoline) – et tous les vingt-cinq ans, au printemps de chaque génération, fait apparition entre les bourgeons durs et rigides celle qu'Horace tout comme Petőfi honorait en l'appelant mon brin de rose, ma tulipe, mon brin de muguet.

Autre problème, plus intéressant et plus excitant car plus révoltant et plus antirévolutionnaire est celui de la mode masculine. Depuis plus de cent ans les hommes évoluent ici en Europe derrière un masque bizarre qui pourrait avoir pour vocation de présenter le mâle privé de tout caractère sexué, comme une notion abstraite, une formule bipède, dont la masculinité sert uniquement dans la mesure où il peut être séduit par les femmes, comme si l'homme de même que la femme n'était pas à la fois séduit et séducteur, tel qu'il est, avec les mêmes moyens *corporels*. Le "système à quatre cylindres" comme on l'appelle en

Capillaria, ce déshonorant uniforme de forçat, ce volume géométrique affublé de vêtements faits pour les moines pénitents, ce tuyau de poêle noir dans lequel l'époque de Metternich a fourré, tête et membres, poils et peau, le chef-d'œuvre de la civilisation, l'homme moderne, l'Homme exclusif condamné à vie à la nudité pour, ensuite, horrifié par le spectacle, appeler celui qu'elle a amoché "le sexe laid" (jamais auparavant l'œil sobre n'aurait songé à voir un *sexe* plus laid que l'autre !). Cette mode d'esclave que le sociologue, s'il le veut, peut expliquer sur le plan économique par le fait que c'est l'homme qui habille la femme, mais personne n'habille l'homme, produit depuis plus de cent ans, dans une réciprocité de la civilisation et de la vie, la confusion des idées fausses et des idées fixes et des monstres théoriques. Il n'est pas nécessaire de recourir à une comparaison honteuse avec le règne animal pour prouver le droit naturel de la séduction masculine par la virilité éclatante, la richesse des couleurs et des formes. L'histoire de l'humanité justifie largement, dans le temps et dans l'espace la fausseté et le ridicule et l'artifice de la conception selon laquelle les moyens de la mode, les belles couleurs et les étoffes chatoyantes et les formes attirantes, les manifestations exerçant un effet sensuel sur l'œil, l'oreille et même le nez, ne sont que les accessoires du corps féminin fait pour séduire l'homme – que l'homme, dans son genre, n'est pas de la même nature pour la femme que la femme pour l'homme – que la femme est le corps et l'homme est l'esprit, que la femme est l'aimant et l'homme est le fer brut, la femme est le soleil et l'homme est une planète. Or ils sont astres jumeaux, ils tournent l'un autour de l'autre, ils sont pareillement attirés l'un par l'autre, donc ils doivent s'attirer mutuellement.

Notre époque montre des signes encourageants : cette longue ère de l'oppression de la mode masculine tire à sa fin en Europe. La guerre, la tenue militaire, qui a déjà au moins eu le mérite de briser le tuyau de poêle, dégageant les deux lignes de séparation naturelles du corps humain que sont la taille et les genoux : ce large cercle dans lequel le service militaire obligatoire a fait répandre cette possibilité vestimentaire préparera peut-être la révolution de la mode masculine.

L'INCARNATEUR

le 24 décembre 6826.

Sur le podium, la porte à guillotine de l'armoire en sélénium tomba. Sylvia V_9 qui quarante-cinq secondes auparavant était entrée dans l'émetteur, copie complémentaire de l'armoire en sélénium sur le côté opposé du Globe terrestre, en Floride, et qui maintenant se tenait là souriante devant eux, V_9 regardait autour d'elle dans la salle, les yeux papillotants. L'éblouissante lumière bleue des lampes à mercure soulignait ses contours.

Les deux Radus contrôleurs s'approchèrent d'elle, la fouillèrent et se convainquirent qu'elle était réalité de chair et d'os.

S'ensuivirent deux minutes de silence mortel. Puis les membres du congrès se levèrent et muettement, l'index posé sur le front, rendirent hommage au Dieu Homme Omniprésent. Ce fut toute la cérémonie.

Ce fut tout, puis *Carbone 22* put tranquillement poursuivre et achever sa conférence.

- Ainsi donc, mes chers condisciples, nous avons résolu et clos le problème du transport de l'homme dans son ensemble. Me basant sur des calculs minutieux, je constate que grâce à la solution de la machine projecteur de matériaux il n'existe plus de fossé notable entre nos désirs et nos volontés les plus archaïques allant dans ce sens et leurs possibilités d'accomplissement. L'accomplissement de l'obligation catégorique, exprimée il y a dix mille ans de façon dissimulée par des contes de fées du genre "hop, hop, je suis là où je veux !", devient enfin réellement et littéralement possible après cinq mille ans de travail humain ininterrompu. Si je dis cinq mille ans c'est parce que l'aéroplane de l'âge de papier, le téléphone, la radio et la projection d'images mobiles peuvent être considérés comme un premier balbutiement dans l'accomplissement de cette obligation ; en effet la transposition de phénomènes et d'apparitions composant l'homme dans un espace choisi au gré de chacun en une unité de temps avait déjà partiellement commencé alors. Grâce à la radio, au téléhor et au projecteur télékinésique nous pouvions projeter en un instant notre voix, notre image extérieure, notre intention et nos gestes là où nous voulions, par contre jusqu'à ce jour pour parvenir d'un point à un autre dans notre être réel, complet et intégral nous devions recourir à des moyens de communication. Mais, ces moyens étant eux-mêmes faits de matière, il nous fallait compter avec certaines limites temporelles pour vaincre la résistance de la distance. Aussi longtemps qu'il s'est agi de transposer des forces, voire des apparitions de celles-ci, en un autre endroit, la solution était aisée. Déjà nos ancêtres ont simplement décomposé sur place les phénomènes du son, de la lumière et du mouvement en leurs éléments. À l'aide de lumière ou d'électricité ils ont transporté ces éléments à l'endroit voulu, et là avec les outils convenables ils ont reconstitué les phénomènes originaux de son, de lumière et de mouvement. Toutes les inventions de transmission de phénomènes se basent grosso modo sur ce même principe : la radio, l'image animée, le téléhor et les autres. Décomposition et recomposition - analyse et synthèse - c'est la base d'une part de toute cognition, d'autre part de toute création. C'est donc sur cette base qu'il convenait de poursuivre notre évolution, et une avancée a bien eu lieu.

- Elle a eu lieu au moment où, au début du vingtième siècle, il s'est avéré que la matière en dernière analyse n'est qu'une des formes d'apparition de la force, de la force résultante entre les manifestations tantôt de l'électricité, tantôt de la chaleur, tantôt de la lumière, et que nous appelons aujourd'hui matière quand elle apparaît à une certaine fréquence. Lorsqu'il est devenu évident que l'unité des composants de la matière que l'on nommait autrefois atomes, molécules, ions ou électrons n'est en réalité pas matière mais centre de force, le même que sont lumière, chaleur et électricité : autrement dit la matière n'est pas *objectum* mais *qualitas*, elle n'est pas un corps mais une propriété. Et ici je dois faire une observation, celle-ci : on a soupçonné l'importance pratique de cette découverte il y a cinq mille ans déjà quand personne ne songeait encore à une machine à projeter de la matière ; la preuve en est cette feuille de papier pétrifié, conservée au musée de Cosmopolis, dont il s'est avéré qu'elle a été fabriquée en décembre 1926 et qu'elle fut partie intégrante d'un journal alors à la mode dans les environs de l'Europe Centrale et que l'on appelait quotidien. Sur ce vestige on peut lire au-dessus d'une signature illisible une divagation naïve mais surprenante en langue ongrienne, sur l'importance de l'Incarnateur. L'auteur simplet mais indéniablement un génial visionnaire développe dans cette spéculation écrite sous forme de conte (du fait de sa forme infantile on ne peut pas parler de dissertation) l'hypothèse selon laquelle si la matière n'est qu'une forme de la force comme les autres, il n'y a alors aucune impossibilité de principe pour la projeter d'un lieu à un autre comme on le fait de la chaleur, la lumière ou l'électricité. Le mode de cette procédure serait substantiellement le même que dans le cas des autres forces : analyse et synthèse, décomposition et recomposition. À l'aide d'un dispositif adéquat je peux décomposer n'importe quelle matière en ses éléments énergétiques, puis je peux transprojeter lesdits éléments énergétiques n'importe où, là où un dispositif récepteur convenable peut les saisir. Si ce dispositif de réception condense ces éléments en une matière dans le même ordre et de la même façon que le dispositif émetteur les avait décomposés en forces, il faut obligatoirement que sur le lieu de la réception le corps minéral, animal ou humain, organique ou inorganique, mort ou vivant, décomposé en électricité pour les besoins de la transmission, *s'incarne* en le corps initial. Ceci signifie dans la pratique qu'en entrant dans l'appareil émetteur je disparais, je me sublime, je m'anéantis, mais quelques instants plus tard, à l'endroit où je souhaite me trouver, en Australie ou au pôle Nord, je sors de l'armoire de l'appareil de réception, réanimé, ressuscité, réincarné.

Carbone 22 se tut un instant puis acheva son discours sur un ton plus empathique.

- Mes chers condisciples ! Je ne prétends aucunement qu'il existe une quelconque relation de causalité entre la divagation nébuleuse de l'auteur du vestige susdit de l'âge de papier et l'expérience parfaitement réussie qui vient de se dérouler devant nos yeux. Mais en cet instant transcendant où Mademoiselle Sylvia V_9 qui voilà une demi-heure en la station de projection de matière de Floride est entrée dans l'armoire émettrice, où elle a disparu, s'est sublimée, s'est anéantie, et quelques instants plus tard s'est ranimée, ressuscitée, réincarnée devant nos yeux et est sortie de l'armoire en sélénium, en cet instant je ressens que le journaliste inconnu, endormi depuis des milliers d'années, qui à notre connaissance le premier a rêvé cette possibilité devenue aujourd'hui réalité, et qui, parions-le, a été raillé et affublé du sobriquet d'humoriste par ses contemporains barbares et primitifs, ce journaliste inconnu mérite donc que nous rendions hommage à sa mémoire en levant un doigt avant de lever la séance de notre congrès.

Les membres du congrès se levèrent et muets, posèrent leur index dressé sur leur front. Mademoiselle Sylvia V_9 ferma les yeux en souriant et elle essaya d'imaginer à quoi je pouvais bien ressembler.

RADIO !... RADIO !...

(Reportage, ou manifeste, ou discours de bienvenue, ou ce que vous voudrez, parce que j'ai pris une leçon de français depuis la Tour Eiffel, et j'ai dansé dans la rue Lajos Kossuth sur le rythme du jazz-band de l'Hôtel Savoy de Londres !)

PREMIER TABLEAU :

Mille neuf cent neuf, Budapest. Une scène inoubliable. Je file sur la barre latérale d'une charrette vers Rákos[23], impossible de trouver un fiacre, le trajet est envahi de véhicules, la foule s'y presse en essaims noirs. Au moins cent mille personnes fourmillent et se pressent là-bas, personne ne voit le bout de sa chaussure, mais ce n'est pas grave : tous les yeux sont tournés vers le ciel. – Enfin vers six heures un bruit de crécelle depuis la cabane bricolée à l'autre bout de la place – un silence figé, mortel ; les bouches s'entrouvrent, les yeux s'exorbitent. L'instant suivant bas, très bas, mais indubitablement *au-dessus des têtes*, apparaît là-bas une tache jaune sale oblongue – le crépitement rageur, le bruit de crécelle haletant forcit – encore une minute – il s'inscrit dans le ciel crépusculaire en contours très durs, près, très près, *mais au-dessus de nous*, au-dessus ! Flottant librement, il s'approche vers nous, furieux et entêté, un hanneton gigantesque à ailes jaunes et rondes. Encore une minute, et déjà il est au-dessus de nos têtes – à son châssis pendent non des pattes mais des roues, sur le côté, entre les deux ailes, on voit bien la tête de Blériot affublée d'une casquette de cuir. À le voir s'approcher ou s'éloigner, il est suivi d'une vague de hurlements à peine humains, je n'en ai jamais entendu de semblables, ni avant ni depuis. Je me rappelle que nous tendions nos bras allongés en direction du Miracle Volant, comme si nous voulions l'attraper, le toucher, vérifier son authenticité, qu'il s'agissait bien d'un objet dur, qu'un homme y prenait place qui volait et avançait librement dans l'air. Des sons animaux inarticulés jaillissent de nos gorges – il n'y a ni vivats ni bravos, nous rigolons, poussons des cris et nous bousculons. – C'est ainsi que l'Homme-Oiseau fit son apparition à Budapest voilà quinze ans – et les festivités étourdissantes terminées, nous, écrivains et journalistes, nous nous

23 Aéroport de Budapest, devenu Ferihegy.

sommes dispersés et toute la nuit nous avons gratté et diffusé la nouvelle, nos articles et éditoriaux, nos hommages : nous saluions l'Homme Volant.

DEUXIÈME TABLEAU :

Mille neuf cent vingt-quatre, octobre ensoleillé, même endroit. Je déambule au centre-ville plongé dans mes réflexions. Quelque part la vitrine d'un photographe attire mon regard par hasard. Dans la vitrine des boîtes étranges, avec des robinets de laiton, des lampes, des câbles de cuivre, plus bas des manuels techniques, plus haut un écriteau : "Vente et montage de radios. Présentation expliquée le jeudi à neuf heures."

J'entre dans la boutique, je suis accueilli par un jeune homme sympathique. Il m'introduit dans une resserre servant de bureau, il me donne toutes les informations avec générosité. Oui, ils ont ouvert le premier septembre, il loue le local par moitié avec un photographe. La Société Anonyme Radio, il vient de la créer sur un modèle étranger sous la présidence de messieurs importants : lui-même a passé six ans à l'étranger pour étudier le métier. L'intérêt commence à se manifester, il vend deux à trois appareils par jour, particulièrement à des provinciaux.

Des boîtes petites et grandes s'alignent sur une étagère : chacune des boîtes est surmontée d'une antenne caractéristique en forme de losange. Au plafond de la boutique deux minces fils de fer sont modestement tendus.

Mon guide s'arrête devant une des boîtes. Il saisit l'appareil, le place sur une petite table. Il fixe dessus un cornet d'amplification en forme d'assiette. Il commence à tourner lentement une manivelle… tout en m'expliquant :

- Je monte sur le tableau des longueurs d'onde… comme ça… Voyons, qu'est-ce qu'il y a au programme ?

Il étudie un petit cahier, il pointe l'index sur une ligne, il regarde sa montre.

- À sept heures dix… leçon de français depuis la Tour Eiffel… C'est maintenant…

Encore un tour de manivelle. Tout à coup on entend une puissante voix d'homme nette, fière, avec un entrain qui s'entend jusqu'à la rue.

« La conjugaison du verbe irrégulier : naître... »

« Biegung desunregelmässigen Zeitwortes : naître... »

Et le grand maître de langue française assis là-bas au sommet de la Tour Eiffel m'explique chaleureusement dans cette boutique de la rue Lajos Kossuth comment il convient de torturer le verbe irrégulier "naître" en français. À moi et à un million d'autres personnes, à Vienne, Londres, Berlin, Bucarest, Sofia, Téhéran, Kiskúnfélegyháza et Tátraszéplak.

Un geste léger du petit doigt sur le levier : le maître français avec son barda, chaire et Tour Eiffel comprises disparaissent au même instant comme dans un gouffre – il a cessé d'exister, un mot à demi prononcé figé sur les lèvres – un rêve dont nous avons été arrachés. Trois secondes passent : quelques tours de manivelle. L'assiette parlante siffle, tremble, râle – ce charivari évoque le fracas de la vaisselle cassée, puis une trompette retentit – tout se met en ordre de musique, s'arrange en mélodie d'un allègre jazz-band, la folle machine joue d'une voix stridente, à pleins poumons, une marche afro-américaine entraînante. Mes pieds entrent involontairement dans la danse.

- C'est quoi ça ?

- Concert à l'Hôtel Savoy de Londres, crie mon guide. Ça fonctionne tout l'après-midi, on danse dessus dans les bars de Berlin.

Nous nous abandonnons au plaisir du concert pendant trois minutes – puis voyons autre chose.

Un tour – on fait taire Londres et l'Hôtel Savoy, ils replongent dans la mer de brouillard des mille cinq cents kilomètres de distance, seule l'imagination les entend encore un temps et voit le clignotement des lumières lointaines.

Mais l'Oreille qui Entend Loin, cette petite boîte noire, continue de tourner, elle écoute, scrute, épie l'horizon – s'aiguise prudemment, rien ne peut échapper à son attention. Des bribes de sons traversent son rayon de perception, comme des météorites chauffés au rouge dans l'atmosphère... Paroles, fragments de musique... D'où ? Qui pourrait le dire ? De Zürich, Bordeaux, ou déjà Vienne... ? Elle a de nouveau perçu quelque chose, attrapé un bout des vibrations flottant au-dessus de nos têtes – ça ne devrait pas venir de trop loin, plutôt en deçà de l'horizon, car ça frappe, ça vrombit, ça peine fort. Puis l'assiette noire se met à parler. Une voix d'airain, volumineuse.

- *...le premier ministre réfute vigoureusement les allégations de Károly Rassay... Gyula Peidl*[24] *: Ils étaient meilleurs patriotes que vous... Murmures confus, le président rappelle à l'ordre István Lendvai-Lehner*[25]*...*

On est chez nous !

Mon guide décroche les écouteurs de ses oreilles, il débranche l'assiette. Il repose la petite boîte noire parmi les autres. Je regarde autour de moi, j'ai le vertige... De l'autre côté de la boutique quelqu'un vient d'acheter des disques, dehors un tram tintinnabule. Le patron explique quelque chose... Je n'en attrape que quelques mots.

- Ah l'Amérique ! On ne peut plus imaginer la vie là-bas sans radio – Cela fait autant partie de la civilisation que l'auto ou le tram. Chacun emporte le petit appareil où qu'il aille... Toute la ville est divisée en secteurs, chaque secteur dispose de son concert permanent, son service de communication, ses séries de conférences, son centre de cours pour l'éducation des enfants...

Je l'écoute... Je suis au bord de l'évanouissement, le monde tourne avec moi. Mais pas au sens figuré, comme pour les ivrognes – c'est cela *la véritable révolution* du Globe Terrestre : après l'Œil qui voit loin, le Pied qui court loin, cette fois c'est l'Oreille qui entend loin qui l'a rétrécie, si petite que j'en fais le tour en quelques minutes, je pourrais la fourrer dans ma poche, regarder dessus l'heure exacte comme sur une charmante montre gousset en cristal dont les aiguilles, les méridiens, tournent lentement devant mes yeux. C'est encore le vertige de l'homme sauvage que je ressens dans cette petite boutique du centre-ville... Le même vertige que j'ai ressenti il y a une dizaine d'années à Rákos quand j'ai volé pour la première fois. Toi, lecteur blasé, bourgeois qui t'ennuie à Budapest, qui t'étonne de mon étonnement exagéré, il y a quelque chose que tu ne dois pas oublier. Je n'ai pas été le premier à ressentir il y a

---

24 Károly Rassay (1886-1958). Homme politique libéral.. Gyula Peidl (1873-1943). Leader syndical, social démocrate.

25 István Lendvai-Lehner (1888-1945). Journaliste.

quelques minutes ici derrière ce comptoir, la perception de l'ouïe prolongée jusqu'à l'infini, autour du Globe terrestre. Cette perception n'a rien de commun avec les premiers pas, la première connaissance, la première nage, le premier baiser – autant de stations de notre vie corporelle. Ces actes-là arrivaient pour la première fois dans *notre* vie individuelle – nos pères et grand-père les ont également vécus et nous les ont légués, incrustés dans nos nerfs, sous forme *d'inclinations*, ce qui vaut presque la connaissance... Mais quelqu'un qui à notre époque a volé *pour la première fois*, a entendu de ses propres oreilles *pour la première fois* ce qui se dit à des centaines de kilomètres, n'a pas vécu un miracle individuel mais un premier miracle de l'Homme, du Genre humain, car après vingt mille années, la genèse de notre Espèce, c'est cette *génération* qui a eu droit la première à des perceptions sensuelles que nos ancêtres n'ont pas connues, et pour les sentir possibles, il n'a pas pu en apporter l'inclination depuis son berceau. Ne vous étonnez donc pas si j'ai des frissons dans le dos et si je me laisse emporter par l'imagination. Encore quelques décennies, et l'Homme effacera toutes les distances, rendra superflu tout mouvement, alors que par l'accélération incroyable de la vitesse il a déjà rendu les distances minuscules. Alors sa chambre se sera vraiment transformée en un château enchanté d'Aladin : s'il relie l'Oreille qui entend loin avec l'Œil qui voit loin, un mur de la pièce se transformera en fenêtre devant laquelle défilera le panorama des quatre coins du Monde à une allure circulaire vertigineuse, l'arrêtant là où il le désire. Un tube devant sa bouche, des casques aux oreilles, devant lui un écran blanc. Et s'il veut savoir et voir, il hurle dans le tube : « Hé, Pista, je pense à toi, ça fait dix ans que je ne t'ai pas vu, où tu es ? », et la seconde d'après la réponse arrive dans les écouteurs : « C'est toi, Muki ? Je suis assis sur le toit de ma maison à Pékin, eh bien, que fais-tu là-bas à Budapest ? J'ai très bonne mine, regarde ! », et l'instant suivant un éclair de flash et sur l'écran apparaît une maison à Pékin, entourée d'un jardin coloré, et sur le toit de la maison Pista perdu de vue depuis dix ans salue en s'inclinant, souriant, avec une netteté si parfaite qu'une rencontre physique ne s'impose vraiment pas. Hé, Messieurs, Dames, ce n'est pas des racontars, ce n'est pas une illusion rêvée, pas une utopie fantastique, pas un roman de Wells – je suis là debout dans cette boutique, sur la terre, je suis éveillé, je l'ai entendu de mes propres oreilles, c'est comme ça, c'est comme ça, je l'ai vu et entendu, c'est horrible et c'est magnifique ! L'Homme ! L'Homme ! L'homme plus merveilleux que sa mère nourricière la Nature, plus qu'elle, meilleur qu'elle, il ne lui doit pas de réponse, il répond aussi pour elle, il répond pour l'humanité, pour Dieu, pour le monde qu'il n'a pas créé, mais il prouve que s'il le faut il peut le créer, selon ses propres plans – l'Homme Responsable, l'Homme Dieu, il est là de nouveau, comme il y a quelques années, il a rendu visite à Budapest ! Je l'ai rencontré !

Le patron me raccompagne, il est très heureux, oui, ce serait très bien si je suscitais quelque intérêt. Oui, j'ai raison, c'est en effet étrange que l'arrivée de la Radio dans notre pays soit passée en silence quasi inaperçue. Je vous souhaite une bonne journée.

Un vent frais souffle depuis le pont. Les passants s'arrachent le journal du soir : Froreich a avoué son crime ! Non mais, qu'en dis-tu, le salami a augmenté. Non, mon ami, tu ne juges pas clairement la situation, tu manques de vue globale. Il faut considérer les choses de plus haut – il est évident que Bethlen[26] ne pourra pas se maintenir. Pourquoi, les croix fléchées[27] n'ont peut-être pas raison ? Mais non, ce sont tous des salauds ! Il faut frapper un grand coup, sinon ils ne lâchent pas le morceau. Fais confiance à Gömbös[28] : lui, il sait comment attraper les choses par le bon bout ! Non, Tout fout le camp ici, tout pourrit, tout est fini, les exploitants empêchent l'importation de cuirs bruts.

L'Œil qui voit loin – l'Oreille qui entend loin – le Pied qui court loin – le Bras qui se hisse au ciel – arrêtez-vous, cessez ! Ce sont *ceux-ci* qui ont raison – que vaut la Nature vaincue, disciplinée, dépassée – que faites-vous d'elle une fois que vous l'avez domptée ? Qu'entends-tu, que vois-tu au paradis, qui rencontres-tu si ton vol t'emporte jusque-là ? Des gens, l'homme qui a tout transformé mais il est content car il n'a pas changé – faible et malade, victime faillible de ses propres péchés, de sa faiblesse et de sa lâcheté, le pauvre ! Cessez, mes fils, qu'avez-vous à percer et bricoler de drôles de petits appareils d'enregistrement, des

---

26 István Bethlen (1874-1946). Premier ministre.

27 Parti nazi hongrois.

28 Gyula Gömbös (1886-1936). Général, ministre de la défense, puis premier ministre.

câbles de cuivre, de petits interrupteurs, des manivelles – oreille artificielle, œil artificiel, jambe artificielle, meilleurs que les originaux ! Que c'est ridicule ! Oreille et œil et jambe, ne sont que des outils de cette gelée tremblante qui pulse dans l'ossature de votre crâne – à quoi ça vous avance si *celle-ci* est restée l'ancienne. Elle voit et entend *plus loin*, mais elle ne voit pas *plus* et n'entend pas *plus*, elle n'en est pas capable, croyez-moi ! À bas ces jeux d'enfant – ouvrez le crâne si vous l'osez et regardez bien ce qu'il contient, si on peut l'améliorer, car il est faible et imparfait, le même depuis six mille ans !

Pest a raison de ne pas célébrer la Radio comme elle a célébré il y a quinze ans l'Avion – la Grande Découverte, qui a-t-elle sauvé, qui a-t-elle rendu heureux ? Ceux peut-être qui quelques années plus tard ont lancé des bombes sur sa tête – ou ceux qui l'ont lapidé et attendent maintenant la vengeance en tremblant ? Si l'onde sans fil ne représente qu'une chose, qu'on puisse plus facilement déclarer la guerre, faire sauter des bombes – qui a besoin de la méchanceté humaine filant à la vitesse de la lumière ? Non, merci – nous n'avons pas besoin de la guerre sans fil, pas besoin d'une Mort brevetée, sans faux ! – Nous te célébrerons, Rayon Invisible quand tu auras pris racine et quand nous verrons que tu te montreras digne de notre confiance ! D'ici-là sers-nous fidèlement, étrange étranger, et nous te promettons de t'écouter et d'essayer de profiter de ton enseignement, Bouche qui parle loin – mais nous te tirerons, Oreille qui entend loin, si tu veux encore nous entraîner vers le mal – pour l'heure, contente-toi d'une bienvenue amicale !

Frigyes Karinthy

TU AS ABATTU LE SÉDUCTEUR…

Mon malheureux ami, tu as abattu le séducteur – qu'as-tu fait, pour l'amour de Dieu ?

Je ne te connais pas, je ne connais pas la femme pour qui tu l'as tué, je ne le connais pas non plus, lui, le fringant soldat, que tu as tué, je ne connais personne, sinon la passion qui t'a fait agir – je ne m'immisce pas, n'aie aucune crainte, dans ta vie de malheur, je ne juge pas, je ne te défends pas, je ne discute pas, je ne donne pas de conseil, je n'édifie pas de toi une théorie – peut-être ne te considéré-je pas comme un gentleman, mais je ne te prends pas non plus pour un salopard parce que tu l'as tué – je ne dis pas que c'est bien fait, qu'il l'a bien mérité – je ne prétends pas que tu es une victime, tu n'es pour moi ni fort ni faible, puisque je ne te connais pas : et c'est justement de cela que je veux te parler, je ne peux pas te connaître à propos de ce que tu as fait ; si je te connaissais, je dirais que *je ne te reconnais pas*, d'après ce que j'entends, tes amis répètent aussi qu'ils n'auraient pas cru ça de toi. Parce qu'abattre le séducteur, crois-moi, ce geste offre moins de facettes de la personnalité pour aider à la connaître, qu'il n'en aurait offert avec un autre geste, par exemple celui de se servir un cigare, ou éclater de rire, ou dire bonjour, ou intervenir dans un débat – ce sont des choses comme ça que je devrais connaître à ton propos, ou à propos de ta femme, ou à propos du séducteur, pour intervenir dans la triste affaire qui s'est produite entre vous trois. Mais moi je n'ai pas vu ton visage, je ne t'ai pas entendu te racler la gorge quand tu es parti, je n'ai pas observé si tu as cligné des paupières – je ne peux pas avoir d'opinion sur toi, puisque tout ce que je sais sur toi est que tu as abattu le séducteur, rien de plus – tout ce que je peux faire c'est de t'aborder en inconnu et te demander effrayé, en chuchotant : qu'as-tu fait là, malheureux, pour l'amour du ciel ?

Tu as abattu le séducteur – mais pourquoi ? Puisque ce séducteur *ne t'a pas* trompé, *ne t'a pas* enjôlé – il ne t'a pas promis fidélité parmi des baisers enivrants, il ne t'a pas chuchoté "l'éternité !" à l'oreille, il ne t'a pas fait croire, un jour, dans une nuit merveilleuse, que vous êtes *seulement tous les deux* au monde, que tu peux lui confier le secret, le secret que tu es un homme, le secret que tu préservais même envers toi-même – que tu peux le lui confier, lui dire tout, même ce que tu n'as pas dit à ta mère, il le gardera. Qu'as-tu fait, malheureux ? Qu'as-tu fait, fou ? – tu imaginais que tu grondais un enfant qui avait mis son doigt dans la confiture, et tu lui aurais tapé sur les doigts, tu aurais pu aussi bien gronder la femme aussi qui a goûté à la gourmandise de la séduction, mais tu abats le séducteur comme s'ils s'appartenaient, comme si le séducteur était une pièce détachée de la femme et non un homme à part, responsable uniquement pour lui-même ?

Non, non – pas ça, pour l'amour du ciel ! N'invoque pas les lois archaïques – n'évoque pas *l'homme préhistorique* ni l'animal préhistorique, le mâle qui venge sa femelle, l'instinct archaïque traversant toutes les civilisations ! Que sais-tu de l'homme préhistorique au-delà de ce que tu aurais lu dans de savants livres et entendu dans la philosophie pédante ? Toi, quand tu es parti pour tuer, tu n'as pas ôté tes vêtements, tu n'as pas fait claquer tes dents, tu ne t'es pas battu la poitrine nue, tu n'as pas recourbé tes griffes – tu t'es bien habillé au contraire, tu t'es noué une cravate et tu as fourré un revolver sournois dans la poche de ton pantalon bien taillé.

Non, pas l'homme préhistorique – ne crois pas ce dont t'accuse l'imbécile et semi-cultivé psychologue des races. Ce n'est pas le sang de l'homme préhistorique qui embuait tes yeux assombris – tu ne t'es pas perdu dans les ténèbres des souvenirs d'hirsutes animaux mâles – c'est ailleurs que tu as vu, c'est d'ailleurs que tu t'es rappelé ce geste par lequel le gentleman abat le séducteur – c'est de quelque part ailleurs que cette image s'est ancrée en toi avec une force si impérative, au point que tu croyais que *c'était toi* que représentait l'image, et que tu devais imiter ce que tu avais vu.

Tu l'as rudement bien imité, on peut reconnaître l'image. Tu l'as lue dans un livre ou l'as vue sur scène, ou c'est au milieu d'une conversation au casino qu'elle a été évoquée par quelques mots interjetés de l'opinion publique régnante, de cette chose bien routinière que j'appellerai la morale sociale ou quoi, et dont – et retiens bien cela – *la littérature de pur loisir, un peu méprisée et un peu surestimée n'est pas toujours le reflet mais est très souvent base et fondement.* Séducteur et gentleman vengeur, vous êtes tous les deux victimes de mauvais écrivains sans scrupule plutôt que d'instincts archaïques – ne gobez pas la psychologie irréfléchie, indélicate, ce n'est pas vous qu'elle veut sauver, elle veut sauver sa sœur la mauvaise littérature en prétendant possible – ne saisissant que le bout le plus facile de la chose – que l'homme préhistorique brise la civilisation ; elle ne clame pas de toutes ses forces que la civilisation est une puissance plus forte que l'homme préhistorique. Tu ignores mais moi je sais ce que tu as apporté au vestiaire du théâtre, quand, dans une causerie légère, tu as repris ton manteau – qu'as-tu fait, malheureux ?

C'EST COMME ÇA

Je devais n'avoir que trois ans, pourtant je me rappelle très bien quand j'ai entendu cette expression pour la première fois. À l'âge de trois ans l'homme a déjà dépassé la première période de sa vie que l'on appelle scientifiquement "l'âge descriptif ou l'âge cognitif", ou populairement l'âge "qu'est-ce que c'est ?". Tous les parents savent que la situation encore relativement tolérable où l'enfant demande à propos de tout : « Papa, qu'est-ce que c'est ? » ou « Maman, qu'est-ce que c'est ? » dure à peu près jusque-là – on est encore en mesure d'y répondre, sous réserve que l'enfant ne tombe pas dans des exagérations et ne demande pas ce que signifie "casse" et ce que signifie "role" dans une "casserole". La période qui suit dite d'enquêtes est autrement plus difficile et plus ardue pour les parents ; c'est l'âge de la recherche causale des tenants et aboutissants quand commence l'enchaînement infini des "pourquoi ?" successifs. Papa, pourquoi n'allons-nous pas nous promener ? Parce qu'il pleut. Papa, pourquoi il pleut ? Parce qu'il y a des nuages dans le ciel. Pourquoi il y a des nuages dans le ciel ? Parce qu'ils se sont accumulés. Pourquoi ils se sont accumulés ? Parce qu'ils sont mouillés. Pourquoi ils sont mouillés ?

Cela devait être une sorte d'examen académique de cette sorte qui faisait suer mon pauvre père devant ma personne de trois ans lorsque, de façon inattendue, après mon vingtième "pourquoi" il a cru bon de me répondre brièvement, sur un ton menaçant et dur : « c'est comme ça », et il a détourné la tête.

Je me rappelle très bien avec quel effarement je l'ai regardé. C'est comme ça ? Ça voulait dire quoi ? Je ne comprenais pas ce langage ; au premier instant ça a dû me faire le même effet qu'entendre plus tard parler en turc ou en anglais. Je l'ai plutôt ressenti comme une interjection, quelque chose comme "aïe !", "allons !" ou "tout de même !", notions dont nous ne recherchons pas le sens mais seulement la coloration émotive. Mais j'ai cessé de poser des questions, je me suis tu, méditatif et sérieux, je me suis senti aussi un peu vexé, bien que sans en savoir la raison – je commençais à me rendre compte qu'un tournant venait de se produire dans ma perception du monde. Ma foi en la force universellement éclairante des relations de causalité venait d'être ébranlée. Pourtant, à partir de ce moment, si je récapitule l'histoire de ma vie intérieure, je remarque que chacune de mes pensées sensées et chacune de mes méditations consistaient en une lutte tendue et pénible contre cette expression "c'est comme ça", pour vaincre et éliminer les "c'est comme ça", pour les dominer et les piétiner. Car on a de plus en plus fréquemment voulu couper avec cette expression le fil et l'enchaînement de mes questions assoiffées, au début les vivants, ensuite, à travers leurs livres, les morts. Plus tard, perdant confiance, je me suis habitué à ne poser mes questions *qu'à moi-même*, à personne d'autre – pourtant l'âge est venu où moi aussi, le seul à qui je pouvais m'adresser en toute confiance, j'ai répondu à la dernière question par un "c'est comme ça", en haussant les épaules, et je ne me suis plus adressé la parole, pourtant je savais parfaitement que cette *dernière* question était justement la plus importante, qu'à celle-là il faudrait avoir reçu une réponse avant de me décider à quoi que ce soit, avant de consentir à ma vie, d'accepter de continuer de vivre.

C'est comme ça !

Heureux sont ceux que n'intéressait que le seul *verdict*, dans le grand procès qu'ils ont perdu, ou qu'ils ont gagné – mais que doit faire le malheureux de notre espèce que *les attendus* intéressent peut-être davantage que le verdict lui-même ? Les sentences de la vie sont longues et compliquées : la souffrance et la mort, ou la joie et l'encouragement en sont les huissiers – mais les attendus se contentent de dire : c'est comme ça.

Les attendus ! Mais le condamné ne sait même pas au nom de qui on a prononcé le verdict ! Les adeptes de la réforme mondiale monarchique de la religion invoquent Dieu, les procureurs de la république démocratique du système moléculaire, les savants, c'est au nom de la Loi Naturelle englobant tout le monde qu'ils demandent la condamnation de l'accusé coupable du crime de naissance ! Les avocats du scepticisme mystique se contentent d'encourager le pauvre client : tant pis, ça ne fera pas trop mal, c'est mieux pour vous, croyez-moi, cela devait se passer ainsi – ça ne les effleure même pas, d'entamer une action en nullité, d'exiger une abolition de l'action publique, d'introduire une requête civile : ce n'est *pas pour eux* que c'est important.

Les attendus ! Qui ça intéresse, les attendus ? Attendus : c'est comme ça. Pourquoi ? C'est comme ça. Si ça ne te plaît pas, tu n'as qu'à te chercher un autre univers.

Mais quand même – pourquoi ?

Pourquoi le méchant est-il bien ici – pourquoi le sage n'est-il pas bien ici ? Noblesse, morale, beauté, intelligence, affection – pourquoi tout cela signifie-t-il faiblesse, infériorité – vile méchanceté, égoïsme imbécile, pourquoi cela signifie-t-il force et victoire ? Pourquoi dans une main de la Nature naissent et se multiplient des beautés ravissantes, des vies heureuses – pour être détruites au milieu de pénibles gémissements et des affres de la mort, par d'autres beautés, d'autres vies, germées dans l'autre main de la même Nature ? Pourquoi la même invocation tantôt encourage les agneaux à la vie, tantôt encourage les loups à dévorer les agneaux ?

C'est comme ça !

Ne médite pas, vis ! Mais s'il faut vivre et non te tourmenter, alors pourquoi ce chagrin inattendu qui te saisit, parce que tu ne l'avais pas prévu ? N'hésite pas car la vie s'enfuit – mais si tu n'hésites pas et tu veux courir avec elle, alors pourquoi tu rentres la tête dans le mur ?

C'est comme ça !

Pourquoi faut-il pour vivre, vaincre le désir dans l'espoir d'un accomplissement pour lequel tu es né ? *Pour vivre*, pourquoi faut-il préserver justement *le but de ta vie*, le bonheur ? Pourquoi t'attire ce qui est dangereux, et pourquoi est dangereux ce qui t'attire ?

C'est comme ça !

Pourquoi désires-tu tout savoir – alors que savoir tout est mauvais pour toi ?

C'est comme ça !

C'est comme ça, c'est comme ça… La dure parole pleut sur ta tête, elle pleut sur ta tête dure que tu braques contre la parole – pendant que ton cerveau s'embrume comme sous une pluie lapidaire, et sonné, les yeux embrumés, tu attends : vienne donc la dernière qui te brisera le crâne, qu'il en soit fini à la fois des questions et des réponses. Mais même alors, pour une dernière fois – une question reste en suspens dans tes yeux grands ouverts, comme au poète quand il ne savait plus parler, et il a écrit la main tremblante la dernière strophe d'un des poèmes les plus terrifiants du monde : (*« Lass die heil'gen Parabolen...* »,[29] de Heine)

> ...also fragen wir beständig,
> Bis man uns mit einer Handvoll
> Erde endlich stopft die Mäuler –
> - Aber ist das eine Antwort ?![30]

29 Du cycle Zum Lazarus, 1853-1854. : « Assez de saintes paraboles… »

30 Nous questionnons sans cesse/Tant que d'une poignée de terre/Notre bouche n'est pas remplie/- Mais y a-t-il une réponse ?

ENTRÉES POUR UNE ENCYCLOPÉDIE

"MOI"

Les guillemets sont censés édulcorer l'effet étrange des trois lettres du titre. Sans cela il serait épouvantable, imaginons un livre ou une pièce ou même une dissertation, voire une autobiographie portant ce titre : ce serait de mauvais goût, immodeste, écœurant, faussement original, presque insolent. Pourtant le genre autobiographique, comme un poème lyrique, a pour objet de façon expresse et avouée la notion indiquée dans le titre. Mais on n'a pas l'habitude de l'expliciter ainsi, sinon de façon détournée, en parlant par exemple de "L'histoire de ma vie" ; autrement on n'utilise ce mot qu'en rapport avec des verbes ou dans des possessifs.

Les pédants vont jusqu'à appliquer ce mot dans une relation possessive avec eux-mêmes. "Mon moi" disent-ils afin d'éviter la liquidation définitive de cette notion.

Il faut quand même l'affronter une bonne fois. Cela va être difficile. Dans la Grande Encyclopédie qui va être créée dans l'esprit révolutionnaire du vingtième siècle détaché du passé, celui qui aura à rédiger cette entrée dans le volume de la lettre M en vue de le définir accédera à une des réponses les plus fondamentales.

Aujourd'hui je me demande ce que je ferais si c'était à moi qu'incombait cette tâche. Comprenons-nous bien, il ne s'agit pas de moi, celui que vous connaissez, directement ou indirectement sous tel et tel nom, à qui incombe de dire tout ce qu'il sait de la personne en question, tenant compte de l'avantage qu'il a en recevant des informations extérieures et intérieures permanentes et continues. Et il ne s'agit pas d'une spéculation philosophique ou métaphysique ayant recours à des notions comme "monde extérieur", "monde intérieur", "objet", "sujet", "conscience" et autres – celles-ci sont traitées dans l'Encyclopédie séparément, à l'endroit qui convient, au demeurant, elles ne sont pas aptes à figurer dans la définition de l'entrée "moi", compte tenu de la loi inébranlable des définitions qui stipule la non-occurrence de notions pour la compréhension desquelles on a justement besoin de comprendre la notion à définir.

Le rédacteur à qui incombera cette entrée devra répondre, brièvement, de façon concise, à la question : qu'est-ce qu'il ressent, quelle est l'impression ou la pensée qui l'envahit en entendant ce mot "moi", et quand il le prononce indépendamment de toute relation d'activité ou de possession. On ne pourra accepter sa réponse que si chacun, sans hésiter, sans contrôle intérieur, est contraint de reconnaître qu'il ressent la même chose, que ce mot signifie la même chose pour lui aussi.

Une notion ne peut être qu'objective, accessible à tous pareillement – d'ailleurs ce mot "moi" n'aurait aucun sens dans l'usage s'il ne se rapportait à une expérience connue de nous tous.

La difficulté ne réside pas en effet dans la nécessité de reconnaître cette expérience. De nous surprendre, nous prendre en flagrant délit d'un sentiment nu qui pulse dans nos artères, généralement mêlé d'autres sentiments et d'autres passions lorsque sous l'influence d'impressions nous nous sentons bien ou mal à l'aise – d'en détacher ces impressions : c'est cela qui ne peut réussir que par hasard, dans des conditions favorables et rares. Et même dans ce cas c'est un jeu dangereux – qui sait si cet instrument délicat ne sera pas brisé si nous le démontons sous prétexte de l'examiner – le "moi" n'est pas seulement une condition de la vie, mais il est aussi son unique modalité possible, et la saine raison appréhende instinctivement de déranger quelque chose dont elle ne connaît pas la composition.

Néanmoins cette notion possède quelques bizarreries et particularités qu'il vaudrait la peine de préciser avant d'en arriver à sa définition.

Et de la, découlent certaines contradictions qui toutes prouvent qu'il s'agit d'une notion extrêmement délicate.

Par exemple.

Il n'en existe dans le monde entier qu'un seul exemplaire. (C'est pourquoi on a l'habitude de le confronter au monde entier.) Par ce mot "moi" on ne peut désigner qu'un seul unique parmi tous les êtres vivants anciens ou existants au monde. Tous les autres sont toi et lui.

Un unique !

Imaginez, s'il était aussi précieux, aussi puissant qu'il est solitaire ! Quelle rareté, quel Koh-i-noor, relique et valeur estimée, une mise à prix à la force du pretium affectionis[31] !

Sa majesté Moi.

La langue anglaise écrit même le nom de dieu avec des minuscules, sauf ce seul nom (on ne peut pas le qualifier de "pronom") est désigné par un gigantesque I majuscule solitaire, comme si on voulait dire par là que c'est le début d'un grand secret – que peut-il signifier ? I comme Icône ? I comme Idolâtre ? Ou bien ce I est-il identique au chiffre I romain – signifiant Un, Premier, Solitaire ? En lisant un texte anglais tous ces I dépassent les alignements de lettres comme les tours panoramiques ou les phares, dépassent seuls, le niveau de la mer.

Malgré cela (voir plus haut) il ne convient pas de le prononcer ou de l'écrire nu, hors texte. Cela paraîtrait impudique comme la nudité corporelle.

La religion juive ne permet pas de prononcer le nom de Dieu, sinon par des termes approchants.

Il représente tant, il existe tant, tellement c'est l'unique certitude (Descartes !), il faut faire semblant de croire qu'il ne signifie rien.

Ou croire qu'il n'existe pas.

C'est curieux, il n'est pas une nécessité absolue dans l'évolution.

Tout individu n'est pas forcément un "moi". Le petit enfant n'utilise pas ce terme, quand il s'évoque il parle à la troisième personne, il existe au demeurant des peuples primitifs dans la langue desquels le mot "moi" manque totalement.

---

31 Coût affectif

Pour avancer à rebours, on peut supposer que les animaux ne possèdent pas le sentiment qui distinguerait le "moi" des autres manifestations de la vie. (Sans même parler du monde végétal où le spécimen et l'espèce sont si étroitement liés que nous avons nous-mêmes du mal à les distinguer.) Si je voulais définir "moi" par une formule plaisante, quelque chose comme : parmi tous les êtres vivants j'entends par "moi" l'unique être qui, si on le tape ou si on le pince, constate ce fait par des signes intérieurs (douleur) et non par des signes extérieurs (hurler, gémir ou fuir) – alors il conviendrait d'imaginer la souffrance d'un animal comme s'il ne sentait pas plus que ceci : quelque chose fait mal quelque part, quelque chose souffre, il faut faire quelque chose pour que cela cesse.

Mais même le Moi existant est dans l'incertitude de lui-même.

Globalement on pourrait dire que j'entends par le mot moi l'ensemble des associations en état de veille qui au moment de poser la question sont présentes dans la personne concernée par la question – mais qui permet l'identification de tous ces instants ?

Nous parlons de nos souvenirs à la première personne. Pourtant, réfléchissons : il peut arriver qu'on ne se rappelle plus quelque chose, qui ne nous reviendra plus jamais à l'esprit jusqu'à la mort. Qui est dans ce cas l'homme qu'au temps du souvenir tu as appelé moi, et qui allait et venait, se trouvait ici ou là, faisait, pensait, jugeait ceci ou cela, et que tu as plus parfaitement oublié qu'un mort a oublié sa vie – oses-tu identifier cet homme à toi-même ?

Celui que j'étais – je me le rappelle de la même façon que je me rappelle autrui.

Dans le passé il n'y a plus de "moi" – nous utilisons cette formule par pure paresse, pour évoquer nos souvenirs.

Moi – c'est un instant. Et c'est la promesse d'un instant suivant.

Moi – n'a pas été et n'est pas. Moi sera, seulement.

Il est inconnu et incertain, comme l'avenir.

1930

SAGE RAISON

1

Pour ceux qui l'ignoreraient la Grande Encyclopédie n'existe pas encore. Ce titre, je l'ai déjà souvent répété, est né de mon expérience devenue conviction que dans l'embrouille babélique de nos notions, le vingtième siècle a encore et de plus en plus besoin de ce travail de clarification que quelques écrivains français, employant une méthode qui plus tard s'avéra utile et nécessaire, tentèrent au dix-huitième siècle dans presque tous les domaines des connaissances et des idées.

2

Ce ne sont que quelques notes et non la définition, de simples remarques à propos des cas auxquels généralement on l'emploie. Je ne veux donc pas examiner ce qu'est la sage raison, seulement ce que de nos jours on entend par là quand on l'évoque. Si mon instinct ne me trompe pas, mon investigation doit révéler que l'usage commun attache des idées fausses à cette expression.

3

En effet, depuis quelque temps elle redevient à la mode. C'est à la "sage raison" que se réfèrent le politicien et l'économiste, le critique et le dramaturge, le juge et le condamné, et même assez souvent – et cela, vous le verrez, est déjà un peu problématique – le théologien lui-même, porte-parole de la volonté de Dieu. Ils invoquent la "sage raison" comme quelque chose dont la promesse est crédible, car la sage raison n'est pas infectée de théories, elle est le garant d'une réflexion saine. La version contemporaine de cette notion est très réussie ; étant une expression savoureuse, même le hasard philologique a été favorable (l'ambiance étant plutôt nationaliste) à sa nouvelle popularité (dans les compositions "la sage raison exige que...", "selon la sage raison il est impensable de...") – c'est pourquoi certains ne savent pratiquement pas que cette notion, contraire du pédantisme, ou franchement et carrément, contraire à la culture (on la remplace parfois par "sagesse populaire", "solide sagesse paysanne") a été à l'origine une annexe et une création artificielle de certains philosophèmes de même que de nombreux autres : cette marchandise a été remise à la mode par des auteurs philosophiques français au milieu du dix-huitième siècle sous le nom de "bon sens" et au début ils n'avaient pas d'autre but que de flatter l'exceptionnelle force première de l'esprit français. Le fait est que l'expression "sage raison" est un terme philosophique donc pédant ; et, formulé comme un paradoxe, je peux de cette façon tranquillement conclure un premier résultat de mon investigation dans cette thèse : *ce n'est pas la sage raison qui a découvert la sage raison.*

4

Elle n'aurait pas pu la découvrir.

Elle n'aurait pas pu découvrir par exemple la raison qui, en ce moment, s'ingénie au-delà de la carapace de mon crâne à la redécouvrir, ou plutôt à la mettre à nu (dévoilement et découverte sont des actions sœurs) ; la *raison*, je l'ai connue déjà dans toutes sortes d'états mais très rarement dans celui que l'on appelle généralement l'état de sobriété. Bizarrement, l'état dans lequel elle aurait compris quelque chose toute seule, sans aucune aide et secours, elle l'aurait même exprimé, l'aurait donc rendu compréhensible à autrui aussi, je n'oserais pas qualifier cet état de sobre : bien au contraire, cet effort soutenu, surchauffé, excité et pulsant qui "assaille" la raison dans ces cas-là ressemble beaucoup plus à l'ivresse et au vertige, à une obsession oubliant tout le reste, vie et intérêt, qu'à cet autre, le sobre, dans lequel paraît-il se manifesterait "clairement" le sens des choses. Oh non, chère amie Sage raison, ne te berce pas d'illusions : la clarté dans laquelle en effet le sens des choses apparaît parfois un instant comme un éclair ne jaillit pas de ta tête. Avec ton petit lumignon tremblotant tu éclaires seulement les lieux communs circulant en surface : pour voir plus loin et plus profond il faut un feu plus lumineux, et ce feu possède une flamme qui se consume elle-même. Nietzsche décrit cela comme suit :

Ja ich weiß woher ich stamme
Ungesättigt gleich der Flamme
Glühe und verzehr ich mich
Licht wird alles was ich fasse
Kohle alles was ich lasse
Flamme bin ich sicherlich.[32]

Et Rousseau, lui, dans ses fameuses *Confessions*, se souvenant de la genèse du "Contrat Social", sa dissertation la plus originale, en parle ainsi : « j'étais assis sous un poirier quand l'idée de base a jailli en moi comme un éclair… j'ai repris mes esprits des heures plus tard en comprenant que temps et espace avaient disparu et que *mon gilet était mouillé des larmes qui me coulaient des yeux »*. Je répète : il s'agissait d'un enchaînement sec et "sobre" de raisonnements dans son sujet – mais je suis persuadé que les grandes découvertes mathématiques sont également le résultat d'états d'âme similaires.

5

Car si nous en sommes aux mots, restons-en aux mots, qui plus est aux mots hongrois – le Français, quand il détermine une notion à partir de contraires dans une dialectique méthodique, il prend pour le contraire du "bon sens" le "mauvais sens" ou la démence – nous Hongrois persisterons à appeler ivresse le contraire du bon sens ou de la sobriété.

32 Oui ! Je sais mon origine
Insatiable telle la flamme
je me consume incandescent
Lumière devient tout ce que j'agrippe
Charbon tout ce que je délaisse
Flamme suis-je assurément.
(**Ecce homo**).

Il s'agit en revanche d'un alcool particulier, celui qui rend la raison humaine quotidienne apte à faire des découvertes et des connaissances non quotidiennes car éternelles ; il convient de constater avec un œil sobre et de bonne foi, à propos de ce vin du génie, que sans lui la sage raison n'aurait fait progresser le monde que de très peu.

6

Mais ç'aurait été un moindre mal. Il est plus grave qu'elle l'a plutôt retardé.

Dans les moments décisifs elle lui a toujours mis des bâtons dans les roues : son véritable contraire, l'esprit créatif, elle l'a plutôt empêché qu'elle ne l'a soutenu dans son travail.

Lorsque l'esprit créatif s'est douté (sans l'avoir vu d'un œil "sobre") que c'est la Terre qui est une planète et non pas le Soleil : les gens "à tête sobre" se querellaient, se révoltaient partout dans le monde, contre un tel raisonnement biscornu, artificiel, futuriste, dadaïste – puisque la sage raison "n'a qu'à regarder" et elle peut voir qu'il n'en est pas ainsi. Et quelle protestation a produit, au nom de la sage raison, l'hypothèse prudente de Spallanzani[33] supposant que les protozoaires ne naissent pas dans l'eau mais ils y surviennent, jusqu'à ce que le microscope, cet instrument insensé et pédant, n'ait prouvé qu'ils flottent dans l'air, là où la sage raison ne "voyait" que de l'air et rien d'autre : tout le monde était de cet avis, pourtant selon le proverbe, genre le plus prégnant de la sage raison, "plus il y a d'yeux, mieux on voit" (ce qui accessoirement est l'une des plus grosses âneries, rentrant dans la même catégorie que cet autre proverbe : "s'ils sont trois à dire que tu es ivre, vas te coucher", oubliant que c'est précisément au héros des grandes découvertes que non trois mais trois cent mille ont coutume de dire qu'il est ivre et qu'il doit aller se coucher).

---

33 Lazzaro Spallanzani (1729-1799). Biologiste italien.

7

L'expérience montre hélas que le contraire de la sage raison n'est pas la folie tortueuse mais la science à la vue tranchante et peut-être aussi la religion à la vue profonde, bien qu'elles apparaissent comme des antithèses l'une de l'autre. Elles se ressemblent toutefois sur un point essentiel, et c'est justement là-dessus qu'elles se confrontent à la "sage raison" – ce point, la science l'appelle ainsi : "l'impossible n'existe pas, il n'y a que l'inconnu", et la religion ainsi : "credo quia absurdum", je le crois *parce que* c'est impossible.

8

Parmi ses représentants typiques on ne trouvera ni de vrais savants, ni de vrais prêtres, ni de vrais artistes, pas même un bon vivant.

On y trouve d'autant plus les hommes médiocres, des foules entières. Un bon nombre de politiques réalistes, des commerçants, le monde entier rasséréné et souriant : ils font calmement leurs allées et venues sur le volcan, la dure glèbe, dont la "sage raison" est incapable de supposer qu'elle se prépare à un séisme, qu'elle va trembler et onduler comme la masse meuble de l'océan.

Et aussi des femmes. En réalité ce sont elles qui représentent la sage raison : elles sont les dépositaires, les conservatrices solides des états existants. Elles ne sont pas souvent créatrices, mais elles ont un talent grâce auquel des personnalités touchant au génie peuvent parfois surgir parmi elles : elles savent régner. Régner n'est autre qu'une conservation de l'ordre établi, elles s'y connaissent donc aussi bien qu'au ménage : pensez à Élisabeth d'Angleterre, Marie-Thérèse d'Autriche ou la reine Victoria.

Et puisque nous parlons des institutions du royaume : s'il fallait élire un roi, je voterai certainement pour une femme.

À l'instar de la science qui a toujours été plus patiente envers la superstition que celle-ci envers la science – la raison créatrice croit et clame toujours avec patience et compréhension, et même avec enthousiasme, que généralement on a besoin de la sage raison : elle n'a l'habitude de contester que celui qui s'arroge illégitimement une posture qui ne lui revient pas, et qui ose critiquer son supérieur : le génie.

Qu'elle reste là modestement où elle a sa place, dans son cercle étroit : sur l'établi de l'atelier, dans le bureau, autour des fourneaux, sur le trône du monarque ou du dictateur d'où l'on dirige les masses.

Qu'elle confie l'éclairage de la voie de l'Homme dans le monde à des phares plus puissants.

1933

COMÉDIE DE LA PROPRIÉTÉ PRIVÉE

I

Nous vivons une fois de plus l'époque de "Volpone" de Ben Jonson, une époque shakespearienne, celle de l'anarchie de l'argent.

Vous souvenez-vous de Volpone ? Quelle merveilleuse figure que ce génie ignoble et retors, parfait connaisseur de la nature humaine et de soi-même, qui ce jour-là a découvert une façon sûre de gagner de l'argent : piéger les gens, non par l'affection et la compassion, mais la haine et la cupidité ! Il se fait passer pour malade, puis mort, fait répandre autour de lui une odeur de charogne, pour mieux soutirer de la poche des hyènes attirées par l'odeur cette graine de magot prête à pousser et fleurir sur son cadavre ; et non seulement il ne ressent aucun chagrin ou déception, mais au contraire il éclate d'un rire vaste et sain, en voyant à quel point ses amis sont impatients de le voir mourir. Ça alors, un homme "analysé" au sens freudien du mot, à n'en pas douter : il n'a pas d'illusions.

Un homme moderne. Un homme d'aujourd'hui.

II

Et pourtant, ce magnifique coquin a un talon d'Achille, son âme comporte un point faible, c'est pour cela qu'il finira par tout perdre face à son complice, le frivole Mosca, qui pour cette raison le surpassera en rouerie.

Volpone est lui aussi avare. Pas à la façon tragique de Shylock. Avec gaîté, avec légèreté, mais c'est un avare : ce qui signifie qu'il aime l'argent pour l'argent, je dirais presque : sans intérêt. Or c'est un trait quasi artistique, donc maladif.

Mosca, lui, méprise et déteste l'argent. L'argent n'a pas encore achevé son travail culturel en son âme, il n'est pas devenu une idole, il a gardé son sens pur, archaïque : moyen de troc et d'échange, dont nous n'avons pas besoin dès que nous avons accès direct aux biens de ce monde.

Il aime la vie.

C'est l'autre type d'homme moderne.

III

Ils sont tous les deux des figures d'aujourd'hui, à l'instar du banquier d'un quelconque "drame social", où le héros de la ballade lyrique de Endre Ady, le poète qui se bat contre le Seigneur à Tête de Porc. Même empli de colère amère, il honore en lui la porte du Paradis du Bonheur – et même s'il ne le reconnaît pas, il admet que l'argent est notre Dieu, notre Seigneur.

Pourtant…

IV

J'ai beaucoup médité là-dessus ces temps-ci.

Je ne pense pas au romantisme des petits catéchismes trempés d'eau bénite, ni au sentimentalisme à la manière de Dickens, suggérant quelque chose comme : crois-moi, ils ne sont pas heureux les riches, et le millionnaire qui file à bord de son auto envie souvent le miséreux dans la poussière.

Il n'est pas question de cela, je n'ignore pas qu'il existe des riches heureux et des pauvres malheureux. Et ce ne sont pas des sentiments mais une simple réflexion logique qui me fait méditer.

Je tente d'analyser les termes "argent" et "propriété" pour la Nouvelle Encyclopédie.

V

Autrefois la succession logique paraissait claire. Je veux vivre, il me faut donc de l'argent. Je veux de l'argent pour avoir de quoi vivre.

Autrefois je trouvais naturel que tout le monde pensât de cette façon. Puis l'expérience m'inquiéta de plus en plus et me conduisit vers une autre conviction.

J'ai croisé des grands faiseurs d'argent, ils étaient au-delà du sens de la vie, au-delà de la jeunesse – ils donnaient l'impression de retourner la causalité : je veux vivre, pour faire de l'argent. Bientôt je compris moi-même qu'il fallait choisir, il y a incompatibilité, entre la vie et l'argent il n'y a pas de relation de cause à effet, comme le croirait la sage raison. Et le voleur, lorsqu'il exige « la bourse ou la vie », pose très justement la question : ce voleur est la Société elle-même et moi je dois choisir, car elle ne tolère pas les deux ensemble.

VI

Mais pourquoi ? Qu'est-ce que c'est cette folie, cette déraison, cette confusion de la fin et du moyen, ce fanatisme, cette superstition, cette adoration imbécile d'une idole, à la place de la religion du Dieu-Vie ? L'homme serait-il assez sot pour laisser l'arbre lui cacher la forêt ?

Ce n'est pas exactement cela.

Le moraliste spéculant à vide oublie quelque chose. Et il me semble que Marx aussi l'a oublié dans son fameux enseignement qui avait vocation de remettre de l'ordre dans le désordre en reformulant les anciennes notions. Le moraliste, le socialiste et le communiste démarrent de l'hypothèse que l'argent *appartient* à celui qui l'a en sa possession – et celui qui n'en a pas encore, lutte pour, parce qu'il le croit également.

Or la réalité est que c'est simplement faux.

VII

L'argent gagné de haute lutte ne fait cesser qu'apparemment la lutte pour l'argent. Cette lutte, aussi longtemps que nous volons l'argent l'un à l'autre, continue de sévir et exige au moins autant de présence, d'énergie et de concentration, sinon plus, que celle qui était nécessaire pour l'acquérir.

Aussi longtemps que ne cesse de sévir le combat pour des biens entre homme et homme, *ce qu'on peut nous prendre n'est pas à nous* (ceci est la première thèse de la nouvelle formulation) – cette "propriété" peut être aliénée, elle n'est garantie que par des lois humaines changeantes et modifiables – et ces lois doivent être défendues séparément, avec les armes et la force et – l'argent.

La thèse principale, la formulation de la propriété, deviendrait ainsi : *tout bien n'est propriété par nature qu'en fonction de la force avec laquelle je suis capable de le défendre.*

Plus la fortune est grande, plus grande doit être la force pour la défendre – et cette force peut finir par consommer la fortune elle-même.

L'argent ne simplifie pas la vie, mais il la rend au contraire plus compliquée. Et le pouvoir n'est pas un privilège ni le résultat, mais un corollaire amèrement contraignant du Dieu-Fortune, régnant sur des bases instables, dangereusement attaqué de tous côtés, qu'il s'agisse de biens privés ou de biens publics. En temps de crise économique on a vu des banques gigantesques dont les salles blindées et les équipements de protection représentaient une plus grande fortune que celle qu'ils étaient censés protéger. Une telle banque, n'était-elle pas le symbole d'un pays et d'un état en train de s'armer, se préparant à un combat "de défense", inscrivant des lignes de dépenses militaires insupportables dans son budget ?

Entre l'argent et la vie, il faut choisir.

VIII

Le vrai poète sait cela très bien. Il sait que seul lui appartient ce qu'on ne peut pas lui prendre. Non des désirs et des exigences dont l'accomplissement fuit devant nous dans le champ des pièces d'or – pas même des biens vitaux chargés sur des charrettes guerrières fuyant sous une pluie de bombes. Le sentiment de bonheur d'une paix conclue avec nous-mêmes est cette propriété privée – personne ne peut nous le prendre, car personne ne peut le ressentir à notre place.

Ne *nous appartient* que ce que *nous sommes seuls à savoir*.

1933

VÉNÉRATION

En rentrant du cimetière (une chère connaissance venait d'être inhumée) j'ai médité sur ce mot, à la lumière de mon encyclopédie personnelle, ce qui signifie que je n'ai pas "unifié les points de vue", je n'ai pas "abstrait le général de l'occasionnel", je n'ai pas cherché "les ressorts de l'éternelle nature humaine", je n'ai pas séparé les critères objectifs et subjectifs, plus généralement je n'ai placé la chose dans les coordonnées d'aucune sorte de conception, j'ai lancé le mot et j'attendais que des associations d'idées se présentassent d'elles-mêmes et sans aucun effort. Tout d'abord j'ai remarqué que je devais vaincre en moi une sorte de résistance, comme chaque fois que l'imagination vivante et autonome se trouve face à une convention qui n'est pas naturelle mais déclarée, légale, dogmatique. Je parle de vénération spontanée, allant de soi, ce que l'on ressent pour le souvenir d'amis chers et proches, de parents et affiliés, il n'était même pas nécessaire d'inventer pour cela un nom collectif spécial, le lexique exprimant le chagrin d'un manque ou une douleur définit parfaitement ce sentiment, sans même parler de l'attendrissement rendant la parole inutile et muette, l'attendrissement avec lequel nous regardons une vieille photo, ou les larmes qui de toute façon nous serrent la gorge quand les survivants se serrent la main dans le mutisme. Mais il existe aussi une vénération dont la société fait non seulement un droit mais le devoir des soldats incorporés dans le service de la vie, en témoigne la loi elle-même qui, sous le nom de "profanation" poursuit et punit le citoyen distrait s'il oublie le respect ou l'hommage dus aux morts, ou pire, s'il commet un acte activement irrespectueux.

Non seulement je respecte les lois, mais je les aime passionnément, comme le bon joueur qui sait que ce qui compte dans les règles aux cartes ce n'est pas de savoir si les règles sont bonnes ou mauvaises ; les règles ne sont ni bonnes ni mauvaises, seulement des règles que l'on applique bien ou mal au jeu de cartes. Dans le gigantesque paquet de cartes appelé société une chose est importante pour l'expert, c'est que ces lois concernent pareillement chacun et qu'elles excluent le droit de tricherie. Pourtant, d'un point de vue purement psychologique et non politique, il existe des lois qui me paraissent grotesques (je les appellerai les règles d'un "zèle excessif" ou d'une "prudence exagérée") simplement parce qu'elles *exigent* de l'homme ce qui de toute façon *existe en lui*, comme le penchant et l'affection (citons : le patriotisme). Les premières lois sévères inscrites dans un tel article furent les lois mosaïques "aime ton prochain" et "respecte tes parents", celles-là m'avaient étonné dès l'enfance, étant donné que j'aimais mon prochain et je respectais mes parents, il était franchement bizarre que je ne fusse pas *libre* mais *contraint* d'agir ainsi, comme si on m'avait dit dans le Décalogue : « aime le gâteau au chocolat ». Ces exigences inscrites dans la loi et confirmées par des sanctions punitives me rappellent ce qu'on appelle les "autovaccins", quand l'homme est vacciné par un extrait fabriqué à partir de son propre sang. Les médecins disent que c'est souvent nécessaire ; le mal est déjà grand de toute façon, ou c'est l'homme qui n'est pas bien portant ou c'est le sang. C'est un peu la même chose avec la vénération. Là où c'est la sévérité de la loi qui est obligée de veiller à ce qu'elle ne soit pas offensée, ça ne vaut pas tellement la peine d'y veiller car ou la vénération est fautive ou c'est l'objet de la vénération – en effet, non seulement les vivants, mais les morts aussi peuvent être fautifs, même les conventions le reconnaissent : le seul *fait* de ne plus être vivant ne donne pas encore droit à la vénération, parce que dans la brillante haute société il y a autant de bourreaux et de salopards que dans le royaume des ombres.

Au demeurant, pour l'optimiste entiché des épris d'intelligence humaine et de raison, le dogme de la vénération obligatoire, spectre dégénéré d'un monde archaïque obscur, devient un fardeau et un frein à la sélection, que le progrès continu doit progressivement atténuer. Il est vrai que plus nous descendons dans la profondeur du puits apparemment sans fond du passé, plus nous découvrons des significations plus larges et plus profondes quant à la loi de la vénération, jusqu'au mystère indémontable, insaisissable pour l'esprit, soi-même. Les cultes préhistoriques, apparemment, pour quatre-vingt-dix pour cent ne servaient pas les intérêts des vivants, mais ceux des morts. Des totems, des tabous, des fêtes et des cérémonies, des exercices spirituels et des règles de vie, des pyramides, des flammes perpétuelles, des cénotaphes, des lois de réglementations et des lois d'interdictions, tout cela était fait pour clamer la gloire des pères et non des fils, leur marque décisive sur la vie. Dans la plupart des civilisations d'Asie aujourd'hui encore tout se fait selon la volonté des ancêtres et non des descendants. Une pensée très facile, en tout cas plaisante, est de considérer que les manifestations, de même que les traditions du sacrifice humain et de l'adoration d'idoles ne sont qu'une hypertrophie maladive et rudimentaire de la vénération, le fantôme des passés, une folie et un obstacle à vaincre. Et si la liesse impétueuse de la libération ne se précipite pas dans l'abus inverse, on pourrait trouver comme orientation bonne et féconde de se débarrasser des excès de la vénération dégénérée en pédanterie, de critiquer les passés, en tirer des conclusions utiles. Selon moi, dans les trois degrés de la vénération représentés par l'Asie, l'Europe et l'Amérique, de l'exagération maladive de l'Asie, l'Europe n'est pas encore parvenue au juste milieu : c'est l'esprit américain dans son meilleur sens qui s'est approché le mieux de ce juste milieu en évitant les pièges de l'exagération dans l'élan de la libération.

J'avoue, même si cela s'oppose à ma nature proeuropéenne, que j'ai toujours ressenti de la sympathie pour la souplesse peut-être naïve et enfantine, mais au fond très sage et saine de l'âme américaine, pour son refus d'honorer dans l'acte de la mort une Signification mystérieuse ou un avertissement particulier : elle la prend pour ce qu'elle est, l'ordre normal des choses, une habitude humaine. Quant au respect *absolu* dû aux morts… Si le *vivant* n'y avait pas fourni une raison spéciale, l'âme américaine refuse de rendre hommage à un acte de toute façon passif qui ne distingue pas les uns des autres étant donné que nous sommes tous des mortels. Les journaux humoristiques américains, à supposer qu'on y trouve l'étincelle rafraîchissante du comique, sont aussi enclins à la repérer dans la tragédie de la mort et du dépérissement que n'importe où ailleurs, et personne ne doit s'en offusquer. Récemment, je me suis senti obligé de rire très fort d'une blague américaine à propos d'un organisateur de pompes funèbres qui, le visage rayonnant, informe sa cliente, la veuve éplorée, qu'il n'a pas besoin de la poix proposée, car lui, représentant de sa firme prévenante et pleine de tact, a tout prévu : il a déjà cloué sa perruque favorite sur le crâne chauve du défunt.

Bien sûr, seule une analyse complexe pourrait dévoiler le fond psychologique caché. Si le principe peut-être latin (eurasien) "de mortibus nihil nisi bene" est dicté par la bonté et l'affection ou par l'hypocrisie et la peur, seul peut le dire celui qui se souvient de beaucoup de morts, et a donc un large choix pour le vérifier : il est donc lui-même un vieil homme proche de la mort. Une chose est certaine, ils sont nombreux, je pourrais dire : ils sont en surnombre, il est risqué de nous les mettre à dos. Une lutte sévit entre eux, entre vivants et morts tout autant qu'entre vivants et vivants, or une lutte a ses règles, elles sont plus sévères que les règles de la paix : nous respectons habituellement davantage nos adversaires que nos amis. Or l'unique arme et l'unique cuirasse du lutteur est la Peur, qui se manifeste indifféremment sous le masque du courage ou sous le masque de la crainte – car ce n'est pas la mort que nous craignons nous mortels, mais c'est d'être assassiné.

Or si nous mesurons le rapport des vivants et des morts à l'échelle de la peur…

On pourrait dire que nous n'avons aucune raison de les vénérer car nous n'avons aucune raison de les craindre.

Grosse erreur.

C'est *maintenant qu'ils sont morts*, c'est *maintenant* que nous commençons seulement à les craindre vraiment – ils nous possèdent désormais totalement par le fait *que l'on ne peut plus les assassiner*, car ils n'ont aucune raison de nous craindre.

Ils font de nous ce qu'ils veulent.

1935

FERMER LES YEUX

C'est cette expression que je vais démonter cette fois, la scruter de plus près. Nous filons une vie durant à côté de mots simples, or un homme distrait comme moi (d'après Bergson toute la littérature est un fruit de la distraction) s'arrête parfois devant un mot, s'émerveille, découvre dedans ce qui *ne le regarde pas* et qui pourtant est l'essence même du terme. Le plus souvent un sens tout différent de celui de l'usage commun. Il arrive même que ce soit le contraire. Le mot ne dévoile son âme véritable qu'après mise en regard de sous-entendus très lointains.

Bien sûr il faut une occasion, la chose ne va pas d'elle-même : et cette occasion est *toujours* fortuite. Ce matin en me rasant j'ai découvert qu'en un certain point très délicat de cette opération privée dont chaque homme est l'unique et le principal "spécialiste" (il faut bien dix à quinze ans pour cartographier notre visage de ce point de vue là), dans la commissure des lèvres où le rasoir a le plus facilement tendance à blesser, ces dernières années, involontairement mais systématiquement *je ferme les yeux*, parce que cela me permet de mener à bonne fin avec plus de sûreté les gestes à risque. Au premier instant cela m'a surpris, puisque selon une physiologie approximative plus mes organes sensoriels participent à l'exécution d'une opération, meilleure sera le résultat : la science de l'évolution proclame qu'un succès plus riche et plus approprié des êtres vivants supérieurs provient d'une opportunité de contacts plus riches et plus appropriés avec le monde extérieur grâce à la *multiplicité* de leurs organes sensoriels. Mais ensuite je me suis rappelé que justement dans le *réflexe conditionné*, dans les opérations où tout dépend de l'expérience, un usage des organes sensoriels est souvent plus néfaste qu'utile, les organes sensoriels se dérangent mutuellement dans l'exécution, simplement parce que l'un (disons, le toucher) a *mieux automatisé* la chose qu'un autre (disons, la vue), et un déséquilibre se produit dans la coordination. Mais en fait l'expérience ordinaire a depuis longtemps résolu ce problème. « Ferme les yeux et saute ! » - a-t-on coutume de dire, et je viens seulement de me rendre compte qu'il ne s'agit pas là d'un appel à un acte désespéré, mais d'un très bon conseil pratique : mes muscles exécuteront avec bien plus de précision la tâche qui leur a été confiée, s'ils ne sont pas dérangés par l'éblouissement (vertige, perspective faussée, etc.) dû à une imperfection des yeux. Un autre dicton amusant : « tes yeux t'empêchent de voir », fait concrètement allusion au fait qu'un autre organe sensoriel, ou même pas l'organe mais directement les nerfs, "voient" mieux que les yeux, et s'il s'agit de me retrouver dans le monde extérieur *à un cheveu près*, il est bien plus sûr, plus fiable de nous confier à l'instrument archaïque, instinctif, ancestral des nerfs. Un de mes prédécesseurs encyclopédistes (et mon compagnon dans le *Reportage Céleste*), Denis Diderot, rend compte dans un texte passionnant d'un entretien profond qu'il a eu quelque part avec un *aveugle de naissance*. La personne en question est professeur d'université en mathématique et en physique, un savant de premier plan en son temps à qui les sciences naturelles, la science de la réalité, doivent beaucoup. Ce savant aveugle, prudemment et en toute modestie pour ne pas offenser son ami voyant, lui fait part de son humble avis que s'il a une vocation particulière pour la recherche en physique, ce n'est pas *malgré* sa cécité, mais justement *à cause d'elle*. « Grâce à vos communications, dit le savant à Diderot, j'ai acquis une notion suffisante pour concevoir ce que *voir* veut dire. Je dois avouer que dans le monde de la physique j'ai trouvé la cause d'un grand nombre d'erreurs et de malentendus provenant de la négligence dans les abstractions : ce qui vous entraîne à pareille négligence c'est la situation confortable qu'un long bâton ou une longue antenne (avec mes propres mots) s'érigent de vos yeux, vous permettant de toucher même les objets éloignés que nous, aveugles, n'atteignons pas avec nos bras. Ne me comprenez pas mal : je ne prétends pas que vous êtes infirme, j'affirme seulement que dans une science aussi sérieuse que la physique le cerveau capable de combinaisons est un instrument beaucoup plus fiable que cette antenne que vous appelez vision, dont l'imperfection occasionne des troubles dans la compréhension *des formes*. » Il énumère ensuite toute une armée de preuves irréfutables dont il ressort qu'il ne serait jamais parvenu à ses découvertes et constatations les plus précieuses si, d'aventure, il était venu au monde avec des yeux parfaits.

L'utopiste enthousiaste se tromperait-il en imaginant l'Übermensch, le surhomme, heureux propriétaire non pas de cinq ou six, mais d'au moins une douzaine d'organes sensoriels "extrasensibles" ? Il est certain que le sentiment de sécurité avec lequel le monde animal et le monde végétal se repèrent dans un monde extérieur complexe et hostile, vit, se multiplie et agit, accomplit des actes admirables, que ce sentiment de sécurité *n'est pas* directement proportionnel au nombre et à l'imperfection des organes sensoriels en contact avec le monde extérieur. D'amères expériences nous ont appris que les bactéries n'ont besoin ni d'yeux, ni d'oreilles, ni de toucher, ni même du "sixième sens", l'instinct sexuel, pour repérer dans notre organisme complexe avec une certitude maudite justement les cellules et les sécrétions à travers lesquelles elles peuvent nous jeter à terre et asservir notre corps en décomposition à leurs parents immondes, les miasmes de la putréfaction. Quel besoin d'organes sensoriels auraient les arbres et les fleurs ?

Lorsque Einstein s'explique, vous ne prendrez pas pour des manières ou de l'originalité de sa part que la plus grande difficulté autour de la compréhension de ses enseignements est due à "l'Anschaulichkeit", le besoin d'évidence, l'attitude scandaleuse des ignorants d'être incapables d'oublier leurs yeux lorsqu'il leur propose le monde de la *réalité*. Lui, il est suffisamment honnête et il a assez de dignité humaine pour fermer les yeux ; comment la source innée de l'intuition aurait-elle pu autrement s'ouvrir dans son âme et dans son cerveau ?

Fermer les yeux…

Est-ce que cette expression n'aurait pas le même sens dans le monde de la morale que dans le langage commun ? Est-ce la basse philosophie de *l'opportunisme* qui s'est approprié cette expression ? Est-ce qu'elle n'est pas digne plutôt d'entrer dans le recueil des notions de la plus sage des philosophies ? Est-ce que pour mieux comprendre la présence insupportable, et pourtant nécessaire du mal dans le monde nous n'avons pas plutôt intérêt à fermer les yeux ?

Goethe dans ses dernières années s'est souvent moqué de l'adoration de ses contemporains qui n'auraient jamais manqué d'affubler son nom de l'épithète "divin". « Je crois, disait-il, qu'ils me comparent à Dieu car j'interviens aussi peu que Lui dans leurs petites affaires. »

Inverse donc le proverbe "même une poule aveugle trouve des grains".

À Budapest ça sonnera mieux ainsi : "seule la poule aveugle trouve des graines".

1935

LE TRAC

Le terme est né de la culture théâtrale. Il désigne cet état d'âme dans lequel se trouve un comédien débutant quand s'allument à ses pieds les lumières de la rampe, donnant le signe qu'il peut commencer, c'est à lui de jouer, le public est attentif et il attend.

Mais l'état d'âme lui-même est probablement ancestral, il est une tendance innée de l'homme créatif, talentueux, à s'ébahir, presque à regimber, à se sentir momentanément faible et impuissant face à la tâche à assumer, ayant reconnu le grand moment quand sa personnalité complexe et rare affronte la personnalité simple et ordinaire de la foule, pour que son talent le fasse mieux plonger dans la contrainte de l'action.

Naturellement il s'agit toujours d'hommes de talent. La psychologie vétilleuse et tatillonne traite le trac comme un simple symptôme, qui a ses causes dans le système nerveux plus sensible de *l'artiste*, que l'on peut et doit traiter, mais qui guérit aussi de lui-même, dans la pratique, grâce à l'exercice. Cette présentation pathologique, surtout en ce qui concerne la routine et l'accoutumance, est contredite par l'expérience bien connue que ce sont surtout les artistes et les orateurs les meilleurs qui se débarrassent le plus difficilement et le plus tard de cette maladie. Parmi eux les plus sincères, par vanité, pour se vanter, ou par angoisse, pour se plaindre, n'hésitent pas à reconnaître qu'après vingt ans de travail en public et autant de succès, ils souffrent toujours et chaque fois du trac, chaque fois que le rideau s'ouvre ou retentit la clochette du président. Les premières paroles des grands orateurs sont toujours affaiblies et voilées (observez-le), seul le dilettante entame fortissimo les accords introductifs. La "familiarité" négligente, sans trac, sur une scène, peut hélas être observée chez ceux que l'on appelle *des comédiens d'occasion*, qui ne comprennent même pas comment on peut avoir le trac pour quelque chose d'aussi simple que la comédie.

Dans la généralité, synthétiquement, le trac a aussi un sens, qui est peut-être plus profond que ce que voit la psychologie analytique quand elle le traite comme une maladie. Cela apparaît d'emblée dès que, en mettant de côté les artistes des arts d'interprétation, nous découvrons son cheminement et sa trace dans le travail créatif.

L'état d'âme *de la création* connaît tout autant le trac que celui de la communication : face à la moindre tâche, dans ce domaine, il se manifeste aussi sûrement qu'au début d'une exécution majeure. C'est maintenant, quand on en parle, que je remarque et que je m'avoue ce qui s'est assoupi en moi, devenu semi-conscient à cause de ce qu'on appelle la *routine*, que je n'ai jamais écrit une seule ligne sans trac. Aujourd'hui encore, à l'instar des premiers battements d'ailes de l'adolescence, ou même du scribouillage de mon premier poème de petit garçon, je suis pris de palpitations lorsque je tire plus près de moi le coin supérieur de la feuille blanche pour me mettre à écrire. Une vraie palpitation chiffrable en pouls, pas une imagination, germée dans l'intérêt ou dans la vanité. Peu importe que je me prépare à écrire un poème immortel, un drame ou une scène de cabaret, voire une chronique de presse. L'essentiel est que je devrais le faire *bien*, parce que le lecteur *m'observe*, il se penche au-dessus de mon stylo, il retient son souffle : encore une minute et ma voix retentira dans l'immense salle de l'écoute publique.

Impossible de s'habituer à cela, il n'y a pas d'accoutumance possible. Il doit y avoir une raison plus profonde que ce qu'un neurologue peut constater ou traiter. Je soupçonne que dans ces premiers instants de trac, quand mon instinct ressent encore clairement la mission ancestrale et la vocation, c'est l'essentiel qui en moi fait entendre sa voix : en langage théologique cela s'appelle la conscience, le moraliste agnostique parlerait de *responsabilité*.

Quel que soit ce que je compte rendre public, la responsabilité de sa publicité m'incombera. Il convient de soigneusement mâcher les mots, parce que l'effet produit au dehors, dans le monde extérieur, dépendra des épithètes et des virgules – une fois que le mot est sorti, il devient définitif comme un contrat auquel les deux parties pourront dorénavant se référer. Tant que le mot pulse en moi, c'est un jeu, une distraction, une philosophie – en se libérant, tel la meule de Toldi[34], il devient le destin. C'est un cas de conscience pour moi ce que le mot deviendra dehors dans le monde, en se mêlant à des éléments d'autres consciences. Dans ce contrat, pourtant, il semble que c'est le mot le plus noble, à l'instar des éléments nobles, qui se mélange le moins, qui devient le moins une pièce constitutive de la psychologie des masses. Mais peu importe, la possibilité existe que le mot écrit fasse courir plus vite mon contemporain ou lui fasse faire demi-tour, comme poursuivi par quelque Volonté inconnue. Le mot pourrait le faire obéir ou le pousser à la révolte, qu'il m'ait compris ou qu'il m'ait compris de travers. Petőfi a écrit « liberté universelle » et il a écrit « combat », et il a dû tomber parce que le mot écrit lui a lié pieds et poings. Comment la grande Chance que je lance pourrait ne pas me faire palpiter le cœur ? Le billet que j'ai soumis au tirage au sort, puisse-t-il paraître bon marché, dissimule l'éventualité du gros lot que je toucherai ou que je devrai débourser.

Je sais très bien qu'il n'en est pas ainsi dans la pratique (nous vivons dans le siècle du journalisme et des idéaux d'un jour). Mais le trac prouve justement que la conscience cachée de la possibilité se dissimule toujours derrière le mot, comme la dégénérescence d'un organe immense autrefois important. Le sentiment de la responsabilité ne vit plus en nous qu'en sa dégénérescence, mais il vit, il peut causer des malheurs, des infections internes, comme l'appendice. Il n'y a aucune exception, et c'est une question de sensibilité si notre système nerveux le capte ou ne le capte pas.

Cette sensibilité accompagne par exemple le poète tout au long de sa vie, *c'est peut-être par là* que sa malchance a fait de lui un poète. Ses jours, ses heures, ses minutes ne sont qu'un tremblement intérieur, à tout instant il ressent *toute sa vie*, sa tâche, sa mission dont la fascination l'a fait venir au monde. Un homme ordinaire ne ressent quelque chose de semblable que quand il est en danger de mort, au moment d'une chute, ou s'il est saisi par une tornade. Seul le poète aperçoit *le seuil de l'instant* d'où, en projetant un regard vers l'avant, s'ouvre le ravin insondable de

---

34 Héros d'une épopée de János Arany.

l'avenir, chaque instant, faisant continuellement renaître le monde. Il lui faut autant de force pour maintenir en vie le monde que ce qu'il fallait pour l'engendrer. Le poète, comment pourrait-il ne pas sentir dans le baiser de sa muse le Baiser unique qui ne se présente qu'une unique fois ? Comment pourrait-il ne pas sentir sa vie, cette aventure au risque mortel, comme un unique et long instant de trac ?

1936

PROPAGANDE D'ÉTAT

Nous sommes encore loin des volumes "P" et "R" de la Nouvelle Encyclopédie où les entrées "Réclame" et "Propagande" seront analysées – hélas l'Encyclopédie se prépare lentement, pendant ce temps la vie continue, l'esprit du temps applique les signaux habituels à des phénomènes nouveaux dont il n'y avait pas eu d'exemple, par contre le politicien qui produit ces phénomènes est trop paresseux pour chercher de nouveaux mots pour les désigner ! Le politicien est paresseux, le poète est réticent, et pendant ce temps le minuscule champignon enflé en gigantesque citrouille se trouve là, avec sa désignation ancienne, telle un vieux monsieur à qui on aurait oublié d'ôter son surnom de nourrisson, ou telle le malade optimiste qui appelle toujours bouton ou comédon sa tumeur cancéreuse envahissante.

Parce que même si cette chose que ce siècle a dénommée "réclame" s'est bien multipliée et répandue à travers le siècle dernier, on ne peut pas la désigner autrement que l'inévitable bouton d'acné du magnifique progrès de l'industrie et du commerce. Les siècles précédents ne connaissaient pas cette notion. Son culte envahissant a démarré sur les traces d'une découverte psychologique importante – cette découverte a été amenée par l'ordre de production capitaliste. Elle consiste brièvement en ce que la loi de l'offre et de la demande appliquée aux larges masses n'est pas déterminée par les besoins *réels* mais par les besoins *imaginaires* (en contradiction avec la théorie de Marx mathématiquement juste, mais psychologiquement peu fondée). Oui, il s'est avéré que l'imagination humaine – nous pourrions l'appeler illusion – en tant que "consommateur" est un facteur de plus grande notoriété à cette foire qui justement pour cela porte, vraiment et non seulement imaginairement, le nom de "foire aux vanités", comme besoin humain. Traduit en langage commercial cela signifie aussi qu'il est plus important pour le producteur d'exercer un effet sur l'imagination affamée que sur l'estomac affamé, car les hommes *ne mangent pas ce dont ils ont besoin mais ce que leur appétit leur dicte* – or ce n'est pas l'estomac qui fait l'appétit, mais c'est l'œil, victime assurée du tape-à-l'œil et de la fumisterie. C'est ainsi qu'est né et a victorieusement grandi *la réclame industrielle*, partant de l'idée qu'en masse les hommes ne portent pas sur leur corps, n'avalent pas, ne font pas entrer dans leurs oreilles, leur cœur, leur cerveau, ce qui correspond à leur goût, plaisir, envie, idées personnelles – mais ce que moi, producteur, leur dicte, par le biais de la dictature plus impérative que tout besoin ou toute loi de la nature : la dictature de la *mode*.

Donc tout le monde connaissait et comprenait et acceptait cette dictature, personne ne se révoltait contre elle car à quoi cela aurait-il servi ? Puisque cette fameuse mode n'a jamais exigé qu'au-delà de l'imagination je lui rende hommage avec mon consentement, ma conviction et mon enthousiasme, que je la hisse sur un piédestal. Pour citer un exemple pratique, si j'ai acheté la pochette à la mode dont personne n'a besoin et que des millions d'hommes portent parce que les autres la portent aussi, le fabricant n'a jamais exigé qu'en plus de l'agrafer je chante sa gloire, je la chérisse publiquement, je participe à sa promotion publicitaire et j'exige d'autres aussi qu'ils la portent – le fabricant s'en charge et l'inclut dans ses frais généraux.

Le problème a commencé quand la pochette, glissant un peu plus haut dans la boutonnière, s'est transformée en un symbole et une bannière, au service d'intérêts politiques dissimulés derrière des idéaux politiques. En effet, un idéal est autre chose, initialement il n'est pas œuvre d'imagination, mais de raison et de compréhension, sa route conduit par sa justification avérée juste, ou au moins crue juste, jusqu'à son acceptation ou son rejet. C'est quelque chose qui ressemble aux thèses de la science que nous apprenons à l'école, accompagnées des explications jointes. Personne n'a l'idée (tout au moins pour le moment) de faire de la réclame au tableau de Mendeleïev ou au théorème de Pythagore, ni à la guérison du diabète – ces connaissances se répandent par le monde sans réclame, tout comme se répandent le pain ou l'eau sans lesquels on ne peut pas vivre.

Au début aucun pédagogue sérieux n'aurait songé, pas même dans les sciences de l'État, de placer son enseignement sur la base de la psychologie de la réclame. Dans la mesure où cela servait les intérêts d'un pays, de façon très saine l'État empruntait ces méthodes pour clamer, sous la dénomination de "propagande", les valeurs naturelles et culturelles d'une région, d'un pays, compte tenu des avantages économiques provenant du tourisme, aussi ouvertement et franchement qu'une grande marque propose ses marchandises. Ouvertement, franchement, honnêtement, et généralement de bonne foi – n'oublions pas l'intérêt qu'a éveillé au début du siècle le déplorable *Clissold* de Wells, ce livre intéressant, enthousiaste, mais hélas naïf, dont le héros célébrait la publicité (pensant naturellement toujours à la publicité industrielle) comme nouvelle opportunité pour l'éducation populaire, mettant ce culte né par intérêt au service d'une science désintéressée.

Wells ne voyait pas encore clairement (pourtant il rendait compte dans le même livre des amères déceptions de son voyage en Italie) où le culte glorifié prit en ce temps-là un tournant décisif – non pas dans le sens des sciences, mais dans un sens bien différent.

La propagande soviétique ne s'est pas contentée d'utiliser l'énergie mobilisant massivement la force de l'imagination pour promouvoir les beautés naturelles de la Russie. Un nouveau miracle a vu le jour : la réclame politique produite par l'État. Dans sa forme elle met tout en œuvre pour imiter et perfectionner l'ancienne réclame industrielle, avec des spots lumineux, des défilés solennels, des affiches murales, des retraites aux flambeaux, des oriflammes et des "marques déposées" – quant au contenu…

Eh, en ce qui concerne le contenu, on ne pouvait pas là non plus tortiller la chose : le contenu était donné en tant que marchandise et article industriels sur lequel s'est édifiée la nouvelle constitution et ce que la nouvelle constitution était constamment contrainte de produire et de fabriquer, n'ayant rien d'autre à se mettre sous la dent.

Mais cette matière s'appelait autrefois *idée* et on n'entendait par là rien de matériel : la forme et le contenu sont devenus contradictoires.

Et cette contradiction n'a pas cessé et ne pourra pas cesser avant la naissance de la Nouvelle Encyclopédie qui, comme l'ancienne, aura la vocation de redresser le Bon Sens marchant sur la tête.

Car quelles que soient les limites de la propagande, la qualification scientifique et la définition du terme "réclame" ne pourront pas commencer autrement dans cette Nouvelle Encyclopédie que par ces mots :

Communication sans fondement,
Affirmation sans argumentation,
Thèse sans preuves.

1937

Frigyes Karinthy

HAUT ET PROFOND

À quel point on utilise fréquemment ces deux mots. Parmi les couples de mots opposés, celle-ci est peut-être la seule que nous mentionnons aussi souvent au sens premier qu'au sens figuré.

Dans leur signification physique, autrefois aussi, mais plus encore depuis Einstein, il n'y a pas de doute qu'ils représentent des états relatifs. On n'a pas besoin d'une très haute culture ("haute") ni d'une profonde réflexion ("profonde") pour comprendre que dehors dans l'Espace il n'y a ni profondeur ni hauteur, il n'y a que des distances que l'observateur juge, pour son seul et propre usage, avec ces mots. Les étoiles peuvent briller haut au-dessus de nous, nous papillotons profondément sous ces étoiles, ce qui par exemple pour les Martiens pourrait être tout aussi valable en négatif s'ils étaient en contact avec nous, que le serait cette autre égalité avec des signes contraires dont nous avons déjà l'habitude : dans un dialogue les deux interlocuteurs utilisent le mot "moi" alors qu'ils entendent par ce mot des choses non seulement différentes mais carrément contraires. D'ailleurs, depuis que le succès de Copernic fait taire notre autre conviction concernant la forme de notre planète, nous avons cessé de débattre pour savoir si c'est nous qui sommes "en haut" et c'est l'Amérique qui est "en bas" – le membre clandestin du parti politique opprimé de la terre plate a intérêt à faire semblant de croire qu'il est possible qu'en Amérique les gens pendouillent la tête en bas et pourtant ils ne tombent pas.

Il nous a été un peu plus difficile de nous habituer aux sens relatifs du "profond" et du "haut" dans le monde invisible où l'on utilise ces termes au sens figuré.

En particulier dans les domaines de l'esthétique et de l'optique.

On entend dire et on lit à tout bout de champ les expressions suivantes dans les critiques, la psychologie, la caractérologie, l'esthétique : "pensée profonde", "discours qui vole haut", "profonde sagesse", "haut niveau moral" ou plus généralement "abyssal" ou "élevé" – ou éventuellement dans le langage quotidien : "ça vole trop haut pour moi" ou "c'est une chose très profonde, vous savez ".

Passe encore quand nous parlons ainsi de pensées, capacités, moralités d'autrui, dans notre modestie obligatoire, en comparant à nous les différents niveaux.

Mais certains *pensent sérieusement* être profonds ou hauts, qui prennent au mot la tournure verbale employée par *autrui*. Ils la prennent au mot et parfois, en secret ou en s'admirant dans un miroir, ils se désignent eux-mêmes aussi par ces termes relatifs. Et ils déambulent dans le monde comme s'il s'agissait d'une promotion réelle, d'une distinction, d'un titre de noblesse qui oblige. Je connais un philosophe que ses critiques considèrent comme "profond" : il a pris cela au mot, et il affiche constamment une tête comme si une cloche de plongée lui pendait au cou. Un de mes amis, un poète, lui, flaire avec les ailes de son nez comme s'il avait des vertiges dans la "hauteur" ou ses rimes l'ont élevé.

C'est aussi ridicule que si une majesté royale ne se contentait pas de se décrire au pluriel mais elle parlerait en plus de "notre majestueuse personne". Celui qui a essayé un jour de voler ou de grimper sur une haute montagne sait bien que ce n'est pas le lieu où nous sommes que nous sentons haut, mais c'est la terre abandonnée que nous sentons bas. L'endroit où nous sommes, ce point fixe, est le centre, le centre du monde, que nous puissions en bouger ou non.

L'aviateur qui à cinq mille mètres est pris de vertige, du vertige de sa propre bravoure ou de sa force, nous ne l'appelons ni poète élevé ni penseur profond, mais un mauvais pilote. Le héros de l'élan et de la "passion" du comédien, de l'écrivain, de l'homme politique, je ne le crois que si je le vois comme chez lui, dans la profondeur comme dans l'altitude.

Il n'y a maintenant qu'une seule profondeur et une seule hauteur atteignable pour nous : accéder à notre propre valeur. Il y a beaucoup de Napoléons qui couraient et courent encore en ce monde, mais nous les reconnaissons d'après le seul qui, hissé à n'importe quelle hauteur, a toujours été d'un degré au-dessus de son propre rang.

1937

MODESTIE

Nous devrions enfin nous mettre d'accord sur le contenu de cette notion. En effet elle est utilisée dans les sens les plus divers, et on lui octroie les appréciations morales les plus contradictoires. On peut parler en général de modestie physique ou psychique. Nous rencontrons la première tout d'abord chez Diogène qui s'est contenté d'un tonneau vide. Je remarque qu'il s'est avéré par la suite qu'un tonneau n'est pas forcément symbole de modestie – cela dépend de la partie dont on se sert. Celui qui se blottit dedans n'ira pas très loin ; mais un autre qui monte dessus pour y faire ses discours, pourra conquérir le cas échéant un pays tout entier.

C'est Socrate qui nous offre un bel exemple de modestie psychique lorsque, face aux "sages", il se désigne comme "amateur de la sagesse". Or ici aussi il apparaît que s'il a distingué ses mérites de ceux des autres c'était en réalité par un trop-plein d'amour-propre, lorsqu'on a compris qu'aimer la philosophie équivaut à ne pas aimer les (autres) philosophes. Goethe, lui, était sincère quand il a déclaré : « Nur Lumpen sind bescheiden », c'est-à-dire « seuls les oisifs sont modestes ». L'aphorisme de mon homonyme lointain, Kazinczy[35], sur l'âme modeste suggérerait plutôt le contraire :

« *Il ôte son chapeau devant le mérite, et ignore, ne sent pas le sien propre. Se réjouit si on louange autrui, mais si les autres le louangent, il rougit.* »

Cette conception se base sur le principe que le vrai mérite ne doit pas être conscient, ce qui en revanche dans les appréciations ressemble étrangement à la protestation d'un homme qui dirait : « moi je dors, ne me réveillez pas ». Apparemment certains ne sont modestes que pour avoir un mérite de plus. Maintenant quant à la joie ressentie à la louange

---

35 Ferenc Kazinczy (1759-1831). Poète, écrivain hongrois. Rénovateur de la langue.

à autrui, elle est à double tranchant, comme l'a constaté mon excellent ami Sándor Incze une fois pour toutes, en disant : « Sándor Nádas[36] est dans une situation plus favorable que moi – dans *Színházi Élet* je louange tout le monde tour à tour, faisant un seul heureux (l'objet momentané de la louange) et rendant tous les autres furieux – lui dans *Pesti Futár* réprimande tout le monde tour à tour, faisant un seul furieux (l'objet momentané de la réprimande) et tous les autres heureux ».

Au demeurant j'y pense à propos de Sándor Nádas. Je l'ai beaucoup aimé quand un jour, quelqu'un m'a exagérément louangé, lui, il a publiquement défendu ma modestie notoirement connue face à cette surestimation ; à l'issue de quoi il m'en a beaucoup voulu lorsque par gratitude je lui ai promis de protester moi aussi le cas échéant si d'aventure il était surestimé un jour. Je crois qu'il convient d'en tirer la conclusion qu'il vaut mieux confier la modestie à la personne modeste elle-même, ce n'est pas la peine d'être modeste à sa place, on est chacun le meilleur expert et le représentant le plus pertinent de sa propre modestie.

En effet la modestie n'a une valeur que si elle a un objet, sans objet elle n'a aucun sens. Je cite souvent la phrase de Ernő Osvát[37] devenue classique. De ses lunettes étincelantes il a réprimandé un poète débutant qui n'avait encore rien produit mais qui faisait le modeste : « De quoi êtes-vous si modeste ? » (cf : « mach dich nicht so klein, du bist nicht so groß »[38].)

J'ai aussi développé à plusieurs reprises que nous devons être modestes de notre personne, mais jamais de notre opinion. Je ne connais pas de dicton plus sot et plus maladroit que'"à mon humble avis". Celui qui n'est pas fier de son propre avis n'a qu'à le garder pour lui.

---

36 Sándor Incze (1889-1966). Journaliste, écrivain hongrois, fondateur de la revue Színházi Élet (Vie Théâtrale) en 1910. Sándor Nádas (1883-1942). Écrivain, journaliste hongrois, fondateur de l'hebdomadaire Pesti Futár (Courrier de Pest) en 1907.

37 Ernő Osvát (1876-1929). Critique, journaliste hongrois.

38 Ne te fais pas si petit, tu n'es pas assez grand pour cela. (Aphorisme allemand).

Apparemment la modestie est une question de *pure forme*, rien d'autre.

Chez nous en Hongrie un homme d'esprit doit extrêmement veiller même à la forme, sinon il peut avoir des pépins. Un ami m'a raconté l'autre jour qu'en société quelqu'un parlait de moi avec un mépris dédaigneux. Il s'en est étonné et a demandé à cette personne d'où elle tirait sa conviction que j'étais une nullité insignifiante, car les avis divergeaient sur le sujet.

- Vraiment ? – rétorqua ironiquement cette personne, avant d'ajouter : - Sache que c'est lui-même qui me l'a dit.

1937

MOTS ET IMAGES

DICTIONNAIRE ET ENCYCLOPÉDIE

Il y aurait là le grand Ordonnancement – Ordre des Notions, l'Encyclopédie, Ordre des mots, le Dictionnaire. L'un pour la science, l'autre pour l'art. Maintenant (procédé par exclusion !) je mets de côté ce dernier, je lui jette un regard rapide et je souris. Il n'existe pas de différence essentielle entre la science et la poésie, les deux sont porteuses de vérité, leurs lignes prolongées se rencontrent à l'infini. Elles veulent asseoir des *thèses*, elles sont assoiffées de rédemption de l'âme humaine, de clarté, d'éveil décisif à la vraie réalité. En regardant le Dictionnaire je dois songer que formellement, je pourrais presque dire mathématiquement, c'est lui qui est plus près de cet accomplissement. Je ne fais pas allusion, bien qu'il me soit loisible de le faire, à ce que la richesse des poèmes a souvent précédé, souvent même surpassé la vérité de la science – j'ai seulement eu une idée pratique. Cette vérité décisive, la solution, la clé, la constatation des faits et l'appel qui en découlent et l'allusion à ce qu'il faut faire – tout cela se trouve *plus sûrement* dans le dictionnaire que dans l'encyclopédie, où nous avons groupé les mots suivant un certain projet. Ils se trouvent forcément et fatalement à l'état *brut* dans le dictionnaire, comme les sculptures dans le rocher, puisqu'une fois que nous les aurons trouvées, nous les exprimerons en paroles. Il suffira de les trier, les grouper comme Cendrillon les lentilles. Pensons aux permutations dont les composantes sont toutes des mots se trouvant dans le dictionnaire – autant de mots, autant de combinaisons factorielles, et parmi les phrases ainsi formées on peut trouver… On peut y trouver *tout* ce que la pensée humaine a jamais cherché. On y trouve la recette pour toutes les maladies, on y trouve la réponse à toutes les questions, on y trouve la solution de tous les maux, on y trouve l'ordonnance convenant à toutes les éventualités. (Bien sûr il s'agit de permutations logiques.) Tout projet philosophique ou pratique ne résulte-t-il peut-être pas de tels travaux de combinaisons et permutations et variations ? Des constitutions, des sociologies, des inventions et des découvertes ? Autant d'esquisses pour trouver la cachette de la pierre philosophale ? C'est bel et bien comme ça ; et vue de cette façon, la philosophie également n'est que tâtonnement instinctif, dans l'espoir de tomber sur le Dogme, tel un joueur sur le numéro gagnant. Et s'il en est ainsi, alors j'ai une préférence pour les poètes, chevaliers intrépides de la chance, qui méprisent tant le philosophe, de même qu'un joueur passionné méprise l'homme *à systèmes.* Le poète le méprise, et il admet franchement, ouvertement, que lui, il *joue avec les mots* sans aucun système, dans l'espoir de tomber sur le bon, et il a mieux confiance dans son succès en s'en remettant au hasard, que s'il s'en remettait à la certitude d'une recherche sans fin. C'est pourquoi, plus que les serre-joints de la logique, importent pour lui des porte-bonheur : les rimes, le rythme et une bonne sonorité – qui sait si le Magistère, la cohérence décisive n'est pas blottie là quelque part, au fond de deux mots qui sonnent bien ensemble ? Nous y sommes, voilà l'explication, voici pourquoi justement les plus grands esprits aiment bien *les jeux de mots* tant méprisés par les bourgeois. Les preux chevaliers du hasard de l'esprit sont en réalité des expérimentateurs téméraires, et pour la communauté le jeu de mots s'avère être un laboratoire bien commode dans lequel, contrairement à Berthold Schwarz[39], on a souvent trouvé de l'or en faisant mitonner dans l'athanor des "fleurs de mots" gargouillant.

1937

39 Alchimiste allemand du XIVe siècle

MON JOURNAL

PRÉFACE, À MOI-MÊME

À l'âge de dix-huit ans j'ai cessé d'écrire mon journal – jusque-là, depuis l'âge de huit ans, je l'avais toujours tenu, j'ai rempli environ vingt-cinq cahiers, cédant à une sorte de contrainte, signe que nous ne faisons pas suffisamment confiance à la mémoire. Maintenant, par pure curiosité, je recommence. C'est surtout cela qui m'étonne, étant moi-même vraiment curieux de savoir ce que ça donnera. Que diable signifie cette contrainte de tenir un journal ? Et en général, qu'est-ce qu'un journal ?

C'est apparemment un genre que cultivent avec prédilection les femmes et les enfants. On écrit un journal quand on est enfant ou bien parce qu'on est né femme. Ces deux types de psychisme, l'enfant et la femme, se connaissent moins bien qu'un homme adulte – pour une femme ou un enfant, le monde des désirs et des instincts inconnus vivent encore fortement à l'écart de tout le reste, éveillant chaque jour et chaque heure une nouvelle surprise dans la conscience, infiniment plus intéressante et plus remuante que les événements du monde extérieur. La femme comme l'enfant se place face au chaos de son psychisme – pour elle il n'existe pas de plus grand miracle au monde qu'un miroir, et pas de chose plus excitante et plus extraordinaire que sa propre image. D'où l'illusion intérieure que nous écrivons le journal pour nous-mêmes, et qu'il n'existe pas de genre plus intime.

Cette illusion, ce mirage est en rapport étroit avec la terrible légèreté sous le signe de laquelle nous sommes enclins à confondre sincérité et vérité. La plupart des gens croient que lorsqu'ils sont sincères, alors ils disent le vrai – c'est la raison pour laquelle quatre-vingt-dix pour cent des martyrs sacrifient leur vie pour des mensonges ou des erreurs. L'homme authentique, l'homme adulte qui ne considère pas la vie comme un passage éphémère allant de la naissance à la mort, mais comme occasion de la comprendre, une leçon dont il faudra un jour rendre compte à un examen – homme qui a en réalité l'âge de la civilisation humaine par son expérience de six mille années – cet homme, observateur et penseur, en quête de l'authentique vérité et non son ombre, connaît bien la construction de l'âme humaine et une de ses lois fondamentales : nous ne pensons pas ce que nous voulons et nous ne disons pas ce que nous pensons et nous ne faisons pas ce que nous disons. Il sait qu'une Volonté inconnue vit en nous, pas forcément la nôtre, pas forcément une Poussée agissant dans l'intérêt de notre vie – un jeu de forces inconnues, indépendantes de notre ego, vers un but inconnu indépendant du nôtre, et cette chose inconnue chamboule toute espérance de créer une harmonie entre notre pensée, nos mots et nos actes.

L'enfant, comme la femme qui ne connaît pas cette loi, tombe d'une surprise dans l'autre lorsque surgissent les disharmonies, démentant toute possibilité d'illusion. Maintenant je vais écrire quelque chose, me suis-je dit quand j'étais enfant, où je dirai tout, tout sur moi-même, à moi-même – je dirai tout ce que je dois cacher devant les gens. Et commença alors cet âge caractéristique de tenir un journal, la période où, s'observant depuis le monde de la réalité, on n'a encore en fait rien à écrire, puisqu'on n'a pas de vécu, on n'a rien à noter – des figures informes, des fantômes évanescents virevoltent dans la cavité du crâne comme dans une chambre noire dont le diaphragme est obturé. Ordinairement nous cessons de tenir un journal dès qu'adviennent les premiers vécus – aux jours de l'amour bourgeonnant, dès qu'il y a quelque chose à cacher.

Je dois savoir cela, je dois comprendre cela lorsque j'écris le mot "journal" au-dessus de la fixation des événements extérieurs et intérieurs. J'ai mon avis sur la sincérité, sur la mienne comme sur celle des autres. J'ai aussi peu confiance dans ma sincérité vers l'intérieur que dans celle vers l'extérieur. Je connais déjà mes pensées, je connais mon "âme" – j'ai l'honneur de m'en occuper depuis suffisamment longtemps. Je me suis mille fois trompé moi-même – je me suis leurré, étourdi, enjôlé – je suis prudent et soupçonneux. Je tiens "mon petit moi", mon âme, en laisse comme un animal domestique utile mais dangereux. Nous avons un rapport de possesseur à possédé sans que je m'identifie à lui. Moi-même – je ne me connais pas, je suis en effet "secret et étrangeté" – je connais en revanche bien, fort bien ce qui s'efforce et se tord en convulsions, là-bas dans la boule osseuse d'où un fin fil nerveux conduit au bout de ma langue et au bout de ma plume ! Laissez-le chercher la Vérité – moi j'attends et j'observe, puisqu'il la cherche pour mon compte – mais seulement avec modération – car jamais il n'a su ce que signifie aimer la vérité à en mourir, celui qui n'a fait que veiller à ce que soit vrai ce qu'il dit ou ce qu'il écrit. Moi j'attends et j'observe – je supporte mes pensées, colorées et ballottées par les sentiments et les emportements – je les supporte comme je supporte les battements de mon cœur, le fonctionnement de mon estomac, le halètement de mes poumons.

Sincérité ?

Qui vous a dit que le ton sur lequel nous parlons à nous-mêmes, les termes dans lesquels nous sommes avec nous-mêmes, la façon de nous voir nous-mêmes, diffère substantiellement de la connaissance générale des gens sur nous ? Je ne sais plus qu'autrui sur moi-même que dans le contenu factuel, mais mon moi d'hier m'est une chose tout aussi incompréhensible que celui de quiconque que le destin a jeté sur mon chemin.

Une immense contradiction, générée par un malentendu minuscule. Si je veux, je peux renverser et mettre cul par-dessus tête le système kantien de la cognition subjective avec une seule question : est-ce que je me connaîtrais moi-même si d'autres ne me connaissaient pas ? Le profil clinique de Kaspar Hauser[40] grandi dans la solitude offre une image plus profondément obtuse qu'un animal : la confusion du monde extérieur, l'absence totale de conscience. N'ai-je pas puisé mon ego dans les ego d'autrui ? L'enfant et l'homme sauvage parlent de tout le monde y compris d'eux-mêmes à la troisième personne – le toi et le moi naissent en même temps. Le premier homme a tout de même dû être Adam, c'est de lui que nous descendons à travers les singes, petits-fils dégénérés d'un être plus perfectionné que nous, apparemment, puisque ne peut même pas être singe quelqu'un qui n'a personne à singer.

Simplicité ?

« Que ta parole soit oui, oui ! non, non ! – ce qui vient par-dessus, provient du malin. » Ainsi parle l'Écriture[41]. C'est bien beau mais la simplicité apostolique, le Verbe du Christ, c'est le résultat filtré de

---

40 Enfant trouvé à Nuremberg au XIXe siècle, d'origine mystérieuse.

41 Évangile selon Saint Matthieu.

profondes méditations et souffrances intérieures – est-ce que c'était également simple dans la lutte de l'âme, dans la conversation avec nous-même ? Ce n'est pas moi qui suis compliqué, c'est ce dont je parle qui est compliqué, je l'ai dit un jour à Monsieur Kovács[42] qui voyait toute cette question comme extrêmement simple – évidemment ! La goutte de sang aussi est simple tant qu'on ne la met pas sous un microscope, ou qu'on ne l'approche pas davantage des yeux. Et, bien que cela soit peu commode, nous sommes un tout petit peu trop près de nous-même.

Simplicité !

À la question : quand sommes-nous les plus naturels, les plus simples ? Tout le monde répond sans réfléchir : c'est quand nous nous trouvons seuls, sans être obligé de jouer la comédie pour plaire à autrui. Il en résulterait que le ton le plus naturel, le plus direct, le plus sobre, est toujours celui qui ne quitte pas nos lèvres. Est-ce bien vrai ?

Je ne dirais pas cela.

Dans mes moments les plus clairvoyants, dans la solitude de la bonne humeur et de la joie et de l'envie de vivre et de l'envie d'agir, je n'ai jamais été simple et clairvoyant avec moi-même. Comment aurais-je pu l'être ? Puisque le rythme des pensées est conduit par le rythme pulsant du sang qui circule dans le cerveau – et le mot né de la pensée, la pensée née du mot (n'avez-vous pas remarqué qu'ils s'engendrent l'un l'autre ?) sont contraints de reprendre l'élan du rythme. Le bourgeois insensible à l'art oppose la sobre veille au rêve extravagant comme si la première représentait le calme et ce dernier l'imagination volage. Quelle ineptie ! Puisqu'une personne qui rêve est nécessairement en train de dormir, elle est couchée immobile, avec un métabolisme réduit, diminué, de son corps comme de son psychisme – qui a inventé le mensonge selon lequel dans un corps paralysé l'âme se fait pousser des ailes ? La science qui analyse les rêves a désormais démontré que nos rêves sont beaucoup plus secs et plus sobres et plus liés à la matière que ne l'est notre imagination éveillée. Oh comme c'est vrai, j'ai été sobre, j'ai été matérialiste, j'ai été logique, j'ai été incrédule, j'ai été pratique – mais seulement dans mes rêves ! Éveillé, face à moi-même, dans la joie de vivre de ma minute la plus épanouie, la découverte étincelante de moi-

42 Le monsieur Dupont hongrois.

même et du monde a, en expression et en ton, choisi la forme, le mot, que la sophistique menteuse nomme mensonge le plus recherché, comédie et tricherie, c'est-à-dire l'émotion (oui, l'émotion, la vraie, qui nous effraie pour la seule raison que nous la confondons avec le pathos, le pathos qui est le langage du théâtre et de l'église) le ton sur lequel nous nous adressons à l'âme de l'homme éveillé et à Dieu qui, lui, est veille éternelle.

J'écris un journal – ne me demandez trop de franchise. Je parle à moi-même – je crains de vous assourdir si vous m'écoutez ; aux autres je m'adresse d'habitude plus doucement.

J'écris un journal – je discute avec moi-même. Mais je veillerai à ne pas oublier les cent mille personnes qui le liront – car il risque de devenir une proclamation si je les oublie, ne serait-ce qu'une minute.

Laissez-moi enfiler une tenue de ville – ma robe de chambre est trop parée, trop brodée.

Dois-je continuer ?

Parce que tout cela, ce que j'ai pu dire la semaine dernière à propos de sincérité et de simplicité, ce n'est rien. La vérité, ou tout au moins une troisième condition de la crédibilité, la plausibilité, est que, comparé à la réalité, ce que j'ai affirmé à propos de moi-même et le monde se révèle vrai ou, en tout cas, ne se révèle ni mensonger ni erroné – c'est la troisième condition pour moi de tenir un journal…

Dois-je continuer ?

Mais pourquoi pas ? Et si tout le journal ne consistait en rien d'autre que son écriture, que l'analyse et l'exploration des confessions de l'âme – ce travail serait-il inutile ?

Je supporte l'accusation et je m'accuse d'être un bavard. Les conditions de la communication, les différents styles, changent chaque instant selon la matière à laquelle nous avons affaire. Un aphorisme bien trouvé vaut quelquefois des volumes entiers – mais jamais aucun aphorisme n'a encore rendu les volumes inutiles. Vaine est la violence pour chercher un diamant, si on tombe dessus on a de la chance et la chose est entendue. C'est très différent dans le cas du radium. Il est nécessaire d'arracher à la surface du sol une masse énorme de pechblende, le tout doit être retravaillé pour en extraire quelques grammes de la pierre des Sages, le Magistère. Mais cela mérite sa peine, parce que le radium vaut bien plus que le diamant – au lieu d'un scintillement mort, une force vivante, un effet éternel, un élixir.

Parfois nous nous présentons devant nos élèves avec un résultat tout prêt, parfois nous résolvons les problèmes ensemble – heureux instituteur qui peut apprendre en enseignant, qui dans sa recherche est inspiré par des yeux curieux, avides. Ce genre, le bavardage péripatétique, possède une beauté et une charge émotive particulières dans la mesure où (ô, toi, cher Platon, immortel bavard !) ce magnifique esprit humain mouvant et cliquetant dans l'action, ce sens humain, cette chose la plus vivante, assiégeant les nuages et fouettant les fonds marins et atteignant les allures vertigineuses de la lumière, laisse entrevoir l'atelier en activité. Je n'ai jamais aimé l'homme parlant à flots – derrière tous ses mots, d'ennuyeux lieux communs prédigérés sombrent dans le marasme. J'ai en revanche toujours dressé l'oreille aux associations d'idées bégayantes, exaltées, sautillantes – tiens, tiens ! Un chaos bouillonne ici, quelque chose est en train de germer et se former ici devant mes yeux. Quelle rare occasion, un monde en train de naître, un monde nouveau – je suis presque certain qu'il sera meilleur que l'ancien qui était lui forcément mauvais puisqu'il m'a fait souffrir et m'a rendu anxieux.

Qui ose dire que j'ai renié par-là la logique, la raison, condition de toute compréhension, et que je proclame le chambardement, le néant ? Au contraire, je cherche partout le Logos vrai et absolu, contrairement à ceux qui croient déjà l'avoir localisé quelque part. Autrefois les gens voyaient une relation très simple et logique entre Jupiter et la foudre – et si le soleil brille quand il pleut, le paysan se contente parfaitement de l'explication qui répond suffisamment à tout raisonnement logique pour comprendre ce phénomène particulier dans la conclusion définitive que le diable bat sa femme. Je doute que la vision du monde de Kant et de Laplace, pas plus que celle de Darwin, ait donné une explication substantiellement plus rassurante – elles ont simplement découvert et relié entre elles davantage de tenants et aboutissants.

Pour comprendre, la logique suffit, mais pour connaître, il faut plus – or pourquoi diable dois-je comprendre quelque chose que je ne connais pas ?

En conséquence la route paraît toute tracée – celui qui cherche plus de tenants et aboutissants, plus approfondis et plus synthétiques, doit s'efforcer à acquérir plus de connaissances – d'abord observer, l'œil et le cœur élargis pour mieux aspirer la vie et le monde – et ensuite, un fois que l'œil et le cœur sont pleins, le mécanisme de la raison peut tranquillement entreprendre sa marche trépidante.

Écoute donc !

Monde extérieur, monde intérieur !

Il était ordonné aux anciens de faire la différence entre les deux : dans ton monde intérieur tempêtent des orages, des désirs et des craintes – prends garde, tout cela n'est qu'une réponse, dehors, dans ton monde extérieur, sévissent des forces, des grands Principes, l'électricité, la chaleur, la gravitation et la Lutte pour la Vie – tu n'es que la caisse de résonance réceptrice du jeu des forces tourbillonnant autour de toi, que le miroir du monde, haut-parleur, goutte d'eau.

Tu sens cela en effet – mais écoute encore mieux ! Ne remarques-tu rien d'autre ?

Car moi oui – mille fois oui ! J'ai essayé cent fois de le nier, de me dire que ce que j'avais remarqué en sus, ce n'était que mirage, déception, leurre – cent fois j'ai raillé le joueur de cartes imbécile qui parlait de chance, le bigot qui invoquait la providence, le fataliste qui évoquait le destin. Mais je ne ris plus désormais. Il y a quelque chose là-dedans, une chose, même s'ils l'ont mal nommée.

Le matin je me lève. Je suis de mauvaise humeur, abattu, des frissons de fatigue me pèsent. Tout est vain, il vaudrait mieux mourir. Le monde n'a aucun sens, la vie est mauvaise, la joie ne vaut pas la souffrance qu'elle coûte. Ce qu'hier j'ai trouvé beau, intelligent, correct, aujourd'hui je le trouve vide. Bref, je suis d'humeur pessimiste.

Bon, bon, me dit le médecin, tu digères mal, tu as dû trop manger, ou il y a là une tempête au fond de ta conscience. Aller, ouste, dehors, dans le monde, c'est là que tu trouveras la guérison.

Et je sors dans le monde. Le premier homme que je croise me dit quelque chose de désagréable avant même que je puisse ouvrir la bouche. Vous savez, me dit ce premier homme tout de go, j'ai réfléchi cette nuit sur ce que vous m'avez dit hier, j'avais répondu avec enthousiasme que c'était beau et juste et intelligent. J'ai réalisé ce matin que ce n'était ni beau ni juste ni intelligent, une énorme ânerie, ce que vous m'avez dit hier. Alors, qu'en dites-vous ? Salutations.

Je poursuis ma marche dans le monde, et la pluie se met à tomber, et je n'ai pas de parapluie, et j'entre dans le café, et je regarde les journaux, et dans un journal je suis orageusement attaqué par un de mes fidèles admirateurs, et le garçon renverse le café sur moi, et la personne qui m'a promis, et même juré qu'elle m'appellerait, ne téléphone pas pour cette affaire qui me tient tant à cœur, et l'après-midi arrive la dépêche précisant que malheureusement ça ne marche pas, et le soir je trouve ma porte fermée, et la nuit je reçois un message m'annonçant que le mieux serait de me tirer une balle dans la tête, et avant même que je puisse m'exécuter, arrivent des policiers et ils m'arrêtent pour le même motif pour lequel on m'avait promis une décoration.

Hasard ?

Le lendemain je me réveille, et je prends mon courage à deux mains, et je serre les dents, et je sens en moi une étrange transformation, et une force inconnue s'élève doucement et calmement par-dessus mon cœur et ma raison. Et une demi-heure plus tard on me laisse sortir de la prison, et encore une demi-heure plus tard on me propose un maroquin ministériel, et dans la rue je croise des sourires, et mon pire ennemi publie sur moi un article élogieux, et plus tard il s'avère que ce jour-là untel et untel ont pensé à moi à Paris, à Londres, à Berlin et à New-York, ils se sont rendu compte que j'avais raison et ont pris des mesures pour que tout soit fait selon ma volonté.

Hasard ?

Bien sûr que non. J'ai observé cela plus de cent fois après que je l'avais constaté une première fois. Non seulement le comportement des gens n'était pas un hasard – mais même la pluie, celle qui ce jour-là m'avait fait fuir au café.

C'est irrationnel ?

Hum.

Vous ne pouvez pas tenir cela pour irrationnel depuis que l'on sait que des ondes radio manipulées par des mains humaines peuvent provoquer des transformations météorologiques ?

Mais jusqu'à présent on nous a toujours enseigné que l'esprit humain, remué et dirigé par le monde extérieur n'est qu'un simple appareil récepteur. Chaleur et lumière, électricité et gravitation. Vie et Lutte pour la Vie, Sélection naturelle…

Et l'imagination, l'imagination humaine était qualifiée de pure illusion.

Seulement il apparaît que l'esprit n'est pas une simple station réceptrice, mais est aussi un émetteur. Ce que j'imagine, moi, est tout autant une force pour former et façonner et a autant d'impact que tout ce qui agit sur moi – mon imagination se répand en tous sens et elle atteint chaque atome du monde entier.

Ce n'est pas seulement moi qui ai été créé par le monde – moi aussi je crée, je recrée constamment ce même monde. L'imagination humaine, au fur et à mesure qu'elle s'épanouit et gagne en puissance, prend une part de plus en plus grande à la création du monde.

Et ce que cela deviendra n'est qu'une question de rapport de force. Il y eut des instants où un méchant regard aurait pu me balayer – mais d'autres instants viendront où mon regard fera exploser un tonneau de poudre, il fera sauter le monde révolu.

Mais alors, qu'est-ce que c'est tout cela, si ce n'est ni sincérité, ni communication, ni connaissance de moi-même – car, n'est-ce pas, pour expérimenter j'ai libéré les associations d'idées, et les formes qui se sont dégagées du chaos tourbillonnant, elles étaient toutes différentes de celles qu'on m'avait inculquées. Connais-toi toi-même – allons donc !

Dans une phrase célèbre, Talleyrand en est arrivé jusqu'à prétendre que nous avons inventé la parole afin de cacher nos pensées. Quant à moi, si je me rappelle bien, la dernière fois j'en suis arrivé à supposer que nous pensons nos pensées afin de les dissimuler à nous-mêmes, pour ne pas connaître nous-mêmes, cette Chose inconnue, redoutable, la réalité sanglante que l'antiquité appelait centaure, le Moyen Âge Satan, et qu'un psychanalyste allemand contemporain n'ose pas nommer autrement, chuchotant, impuissant, que ça – Quelqu'un que nous souhaitons aussi peu rencontrer face à face, que nous ne souhaitons voir, nos intestins et notre cœur et la gelée tremblotante qui ballote dans le bol osseux de notre crâne.

Qu'est-ce donc cela, que sont cet effort, cette contrainte et cette intention de penser, parler, écrire, crier, chuchoter, tout ensemble – une fièvre et une pulsion plus puissantes que ce qui meut notre bras quand nous le tendons pour manger ? Que sont cette action et ce geste plus rapides et plus efficaces que toute autre action ou geste (ô, pragmatistes naïfs !) ?

C'est l'imagination humaine qui mène en ce monde son combat acharné pour un aboutissement, pour qu'un idéal invisible se réalise et prenne corps. La physique moderne nous enseigne que des forces peuvent se concentrer en matière – la psychologie prétend que la pensée disloque, la création rassemble. Une forme nouvelle de la lutte pour la vie est apparue à l'homme dans le monde des vivants, une forme jusque-là inconnue dans la nature paisible. Alors, par rapport à cela, quelle petite lutte innocente que la gentille fable d'Ésope avec laquelle Darwin, ce doux vieillard barbu, endormait les enfants du siècle précédent ! – Mais il se trouve encore des enfants obstinés qui pour une meilleure compréhension de l'homme se tournent vers le monde animal pour y chercher des métaphores à la manière de Darwin ou de La Fontaine. Et ils comparent à un lion le chef de guerre qui presse un bouton pour faire sauter une flotte, pour envoyer des centaines de milliers de gens vers un quelconque petit enfer par rapport auquel la géhenne biblique n'est que le jardin suspendu de Sémiramis – à un lion ! Ils pourraient aussi bien le comparer à un chat jouant avec des souris !

Où en sommes-nous et où serions-nous, si des comparaisons infantiles ne nous le rappelaient, avec cette forme primitive de la lutte pour la vie qui combat pour la réussite par des agissements corporels, des gesticulations désordonnées des mains, des pieds, des dents et des ongles ! S'il faut à tout prix des métaphores du monde animal, je préférerais quelque chose entre le serpent ou l'araignée : il paraît que ces animaux paralysent et charment leurs victimes à la force de leur regard. Nous, hommes, maîtrisions jadis ce mode de lutte. Le travail du système nerveux moteur était pourtant très insuffisant pour cette victoire terrifiante, pour ce résultat qui a conquis le monde, dans l'espoir duquel le premier homme a abandonné sa famille animale pour partir seul, nu, sans armes, contre le monde entier ; tuer, étrangler quelques centaines d'animaux ? C'est tout ce qu'il aurait pu obtenir – c'était trop peu pour lui. Il s'est alors construit, à partir du système nerveux réceptif sensible, une arme inouïe, là-dedans, dans le centre nerveux. Et vinrent la pensée et l'imagination, et elles se transformèrent en mot et en image imposée – une force magique qui, à travers des centaines de miles, paralyse et rend impuissants les muscles impréparés ou les pensées et imaginations plus faibles qu'elles.

Socrate était un homme intelligent – par conséquent je ne peux pas considérer comme de bonne foi sa démonstration par laquelle il essaye de nous faire croire que le but de la réflexion est de mieux nous connaître nous-mêmes. Un millier d'années plus tard le Christ paraît déjà plus sincère : sa pensée œuvre ouvertement, et voici que, depuis des siècles et dans des périmètres croissants, des milliers d'hommes vont tous volontairement à la mort et au renoncement, charmés par cette pensée agissante, eux que la vie avait appelé à naître pour vivre et se battre et réussir. Car la pensée du Christ avait reconnu en elle-même sa propre source, l'image et l'imagination, et elle est devenue verbe, agissant et créateur, elle est devenue force créatrice, même par des démolitions, faute d'autre moyen. Elle est devenue vision qui engendra d'autres visions sur la paroi intérieure de crânes lointains.

Et germent la vie et la mort, et des mondes naissent et des mondes périssent. Dans un de mes anciens écrits j'ai parlé un jour d'un père accusant les "romans extravagants" du suicide de sa fille. Je l'ai invité prudemment à réfléchir : est-ce que ce n'est pas aux mêmes "romans extravagants" que sa pauvre fille devait aussi sa naissance – cette sorte de romans sous l'effet desquels jadis la mère de la jeune fille lui avait accordé sa main ; peut-être voyait-elle en lui l'incarnation d'un de ses héros de romans préférés. Des visages et des silhouettes imaginées par un peintre ou un poète d'antan ne virevoltent-elles donc pas autour de nous pour que le Sculpteur Aveugle, sous le charme de l'émerveillement, les copie dans le vivant utérus maternel ? Depuis je vois la justesse de mon opinion sans cesse étayée, acceptez mot pour mot la parole du poète – ce n'est pas une métaphore mais une réalité vivante aspirant au jour.

C'est l'Imagination Humaine qui mène son combat créateur de mondes sur le Globe – nous devons enfin nous éveiller et les réaliser : en effet, au cours du dernier siècle le rythme de ce combat s'est accéléré de cent fois. La première étape de la révolution victorieuse de la communication est achevée – les armes de la pensée éparpillent à des distances sans limites les germes fertilisants et assassins de l'imagination rayonnante, stupéfiante et hallucinante de l'homme, à une allure quasi intemporelle. Ce qu'hier quelqu'un a imaginé en Amérique, devient aujourd'hui une composante rayonnante et agissante de mon imagination, déterminant mes actions. Cela fait quelques mois que H.G. Wells a publié son roman intitulé "Le monde de William Clissold" – il paraît qu'aujourd'hui déjà des sectes clissoldiennes débattent en Amérique, en Allemagne tout comme chez nous, et luttent pour des idéaux de réformes lancées par ce livre. Ce combat se livre à grande échelle, impossible d'en avoir une vue globale comme de petites luttes particulières – ses dimensions le rendent invisible à nos yeux. La bataille de la pensée et de l'imagination et sa victoire face à elle-même et le monde erre là quelque part dans le milieu des ondes électriques – c'est en vain qu'on envoie contre elles défilés d'honneurs, manifestations de protestation, parades militaires.

Les romantiques de la "réalité positive" préfèrent bien sûr les proportions visibles. Et ils font davantage confiance à la force physique qu'à la force de l'âme – l'esprit avide de victoire est contraint de leur montrer ses muscles pour gagner leur confiance – pour vaincre ceux que l'on n'arrive pas à convaincre, on doit les menacer – c'est une des formes de la fascination de l'imagination, même si elle est plus primitive que celle du poète ou celle du penseur. En Europe de nos jours, par exemple, les esprits nés pour régner ont recours à cette méthode passablement primitive. Le récemment disparu Clemenceau et le terriblement actuel Mussolini illustrent bien cette tendance au déclin que reflète en Europe l'air de notre temps. Tous les deux en leur temps chevaliers d'idéaux humains universels, d'un meilleur monde, ils ne peuvent plus s'imposer autrement qu'en abandonnant ce qui est général et en gardant ce qui est propre à l'homme. Ils font cliqueter les sabres ou menacent de leurs muscles – peu importe ; ici aussi le but est que l'âme plus faible, fascinée par la vision que l'on a frauduleusement introduite dans son imagination, applaudisse et obtempère. Hélas, cette vision ne représente la vigueur et la santé que vue de près. L'Europe bravache qui fait cliqueter son sabre, imbue qu'elle est d'elle-même, dès que je la compare aux autres continents, devient piteusement morcelée, une fourmilière d'insectes fratricides, au seuil de tout perdre de ce qu'à travers trois siècles elle a pu se gagner de puissance universelle.

Il faut que cela passe et disparaisse, il faut que vienne une force imaginative plus puissante et unificatrice. Aujourd'hui elle est encore latente, pensée en germe, mais demain elle deviendra peut-être verbe. Aujourd'hui elle n'est encore que raisonnements épars, chétifs, innocent jeu logique hésitant sur une feuille de papier, dans la machine calculatrice du cerveau, se répétant que ce n'est pas bien ainsi, qu'il convient de créer l'unité, que l'Europe devrait s'unir et saisir à nouveau le gouvernail de la civilisation – pour demain cette pensée trouvera le mot et l'image, elle va être conçue et flambera dans l'âme de centaines de millions de gens.

Et pourtant et encore et de plus en plus sûrement : c'est le plus fort qui la clamera. Pas la main et pas le pied, mais la tête – une nouvelle théocratie prendra le pouvoir, car elle est l'élue de l'esprit né pour régner.

15 mai 1927

Frigyes Karinthy

MON JOURNAL

Vienne, Juin

J'ai passé l'après-midi au Planétarium. Pour ceux qui ne le sauraient pas, un planétarium est un merveilleux instrument optique, d'invention récente, fabriqué par Zeiss. Au milieu d'une salle à coupole blanche, passée à la chaux, un étrange monstre bicéphale martien : le projecteur. Le public prend place tout autour. La salle s'assombrit, un monsieur commence à parler…

« …Selon Kant, il existe deux choses en ce monde, le ciel étoilé au-dessus de nos têtes, et la morale en nous… »

L'instant suivant la salle s'agrandit comme si elle s'ouvrait, et le ciel étoilé apparaît avec une telle perfection qu'on a du mal à le croire. À gauche Sirius, à droite l'Étoile Polaire et la Grande Ourse – tout cela dans les couleurs, les tailles et l'intensité lumineuse réelles. C'est splendide. Le monsieur sur l'estrade explique le fonctionnement. Une flèche éclairée, telle une comète grotesque, apparaît sur la Voie Lactée elle court de gauche et de droite, elle désigne les différents objets de l'exposition astrale. Deux vers d'un de mes vieux poèmes me reviennent à l'esprit :

« Mais je voulais mieux la voir,
J'ai alors gratté une étoile… »

Il ne peut pas en être question évidemment, il est interdit de toucher aux objets exposés, de toute façon ils sont seulement projetés. Maintenant s'installe un événement solennel, toute la voûte céleste se met lentement à tourner autour de l'étoile polaire. Le Soleil se lève, il traverse d'est en ouest, arrive la Lune, les planètes zigzaguent en tous sens, tout le ciel fourmille.

À quoi cela ressemble-t-il ? Ah oui, je sais. J'ai souvent observé une goutte d'eau au microscope, hypnotisé. Des unicellulaires scintillaient de cette façon sur un fond noir, de temps à autre une minuscule boule, quelque protozoaire frénétique parcourait le champ circulaire.

(Tiens, quelles drôles de choses nous viennent parfois à l'esprit. Mais c'est vrai, on nous prêche tout le temps que nous ne sommes que poussière dans l'univers. Eh bien, veuillez retourner ce Macroscope –

toute longue-vue a deux bouts. Si je songe au système solaire des électrons, je me sens terriblement grand.)

On nous a projeté ensuite des échelles sur la voûte céleste, l'écliptique et l'équateur, on a vu que tout est parfaitement ordonné, tout fonctionne dans une merveilleuse harmonie, tout s'ajuste à l'instar d'une machine bien réglée. Plus tard je me suis quand même approché du monsieur, le Seigneur qui fait tourner l'ensemble. La machine tournait, ce seigneur mangeait un sandwich au jambon. Mon Père, lui dis-je, l'ordre qui règne ici est vraiment étourdissant. Je veux bien le croire, a-t-il répondu. Le projecteur a coûté trois milliards, une bonne vingtaine d'années de travail pour son inventeur. Mais il est impeccable. Dans ce cosmos miniature l'astronome peut aussi bien faire son travail, exécuter ses calculs, comme il le faisait avant dans sa tour, à la différence qu'ici, s'il le faut, en une heure il peut se faire dérouler ce pour quoi Dieu dans son planétarium original devait patienter une année entière. C'est la machine à remonter le temps de H.G. Wells – une sorte de microscope du temps, à la manière d'un film en accéléré.

En longeant méticuleusement le Ring, après la séance, c'est là-dessus que je méditais. Quelle splendide petite infinité on aménage pour soi dans ce monde ! Monsieur Lindbergh et ses camarades font petit à petit rétrécir le Globe terrestre au point que bientôt nous pourrons se le fourrer dans la poche, comme n'importe quel ustensile. Bientôt on racontera au public l'histoire de notre genre humain, depuis Cro-Magnon jusqu'à nos jours, en une petite heure, à l'aide de quelque mécanisme de science de l'évolution, comme on nous explique ici le mouvement des étoiles. Le temps et l'espace ne cessent de rétrécir, alors que l'homme grandit.

L'homme…

Autrement dit, moi-même. C'est à ce point que je suis intéressant, moi, nom d'une pipe. Moi et tous ces…

- Sie, sehens's net die Linie ?43

C'est un policier qui m'attrape, je m'apprêtais une fois de plus à traverser la chaussée n'importe comment, pourtant une ligne blanche tracée indique ici très clairement le passage étroit obligatoire. Eh oui, les

---

43 Monsieur, vous ne voyez pas la ligne ?

autres respectent sagement cet écliptique de communication. Mars, Mercure et Vénus enseignent l'ordre, même à une comète vagabonde comme moi. J'ai beau lui dire, pardon, je n'appartiens pas à ce système solaire, Monsieur l'Agent. Voyez mes documents, je ne suis que de passage, mon lieu de résidence est Sirius, à droite, dans la constellation de Vega ; il est vrai que j'ai aussi contourné votre Soleil, qui plus est de tout près, de bien plus près que n'importe lequel parmi vous, regardez ici, le pan de mon pardessus a même roussi aux extrémités. Néanmoins je ne suis pas d'ici, comprenez bien, le fait est que je dois contourner deux soleils, c'est pourquoi vous me voyez peu fréquemment, une fois tous les cent ans – l'Autre se trouve un peu loin, le voyez-vous ? Là-bas, ce petit point scintillant, l'étoile Alpha, c'est l'autre foyer de l'ellipse de mon orbite. Mais je peux vous souffler à l'oreille que vous aussi tendez vers là-bas, avec votre système solaire et tout votre bric-à-brac. Bien sûr, y parvenir vous prendra pas mal de temps. D'ici-là je serai obligé de garder le contact, de voleter, aller et retour. Croyez-moi, ce n'est pas une orbite heureuse, cette longue ellipse, je l'échangerais bien contre une plus courte, comment vous dire, une plus économique.

Monsieur l'agent, ça lui est égal : tant que je suis ici, je n'ai qu'à respecter l'écliptique. J'ai compris, ce serait donc ça, l'Ordre et la Force aussi importants que le ciel étoilé – la loi morale, l'impératif catégorique. Le devoir envers moi-même et mes congénères.

C'est bien beau, sauf que ce système n'est enseigné dans aucun planétarium. Ici je sais encore moins bien où j'appartiens – je devine seulement que tout le monde s'imagine être un Soleil et verrait bien que je tourne autour de lui. Ils m'attirent et me repoussent. Quelques points lumineux désordonnés de dogmes et de proverbes clignotent dans le ciel noir. Où m'adresser ? Aimer mes congénères comme moi-même ? Parfois entendre un merci – comme moi aussi je dirais merci si un suicidaire m'aidait à la même chose qu'à lui-même. La plupart des gens et des institutions attendent de moi bien plus de sacrifices que les leurs pour moi. Eux, ils tournent autour d'eux-mêmes, mais ils voudraient que je tourne, à part moi-même, autour d'eux aussi. Mes journées seraient à eux – je n'aurais le temps de m'occuper de moi que dans mon rêve.

Que faire ? Je n'ai jamais aspiré à être un soleil, mais je n'ai rien de la nature d'une planète. Ce qui me plaît le plus, ce sont les étoiles jumelles qui tournent l'une autour de l'autre. Mais il faut bien appartenir à quelque part, n'est-ce pas. Comment pourrait-on se placer de façon que ce qui est bon pour moi, soit bon pour l'autre aussi ? Mon déjeuner n'assouvira pas la faim de l'autre, tout comme ma soif ne sera pas étanchée par l'eau que boit mon prochain. Ce n'est pas bien ainsi, comprendre tout le monde, pendant qu'on n'est compris par personne – alors même ici, dans ce cosmos, je devrais assumer le rôle de la comète, du messager ?

Astres éternels…

Bonjour, Monsieur le Rédacteur, que dites-vous de ces rumeurs de guerres ?

Écoutez, je reviens de Sirius… Il y a du nouveau ?

Je vais plus loin, j'essaye de me concentrer. Lindbergh… Il a traversé… L'évolution… La victoire de l'homme… L'univers… Loi morale… Bon, bon – mais pourquoi suis-je si malheureux ?

Devant l'Impérial c'est Ferenc Molnár qui est assis sur une chaise. Je le salue respectueusement, je m'assois aussi pour trois minutes. Je lui raconterai le planétarium, me dis-je. Quoi de neuf ici ? Rien, j'ai entendu une bonne blague chez les Hatvany. Tiens. Comment ? Ah oui. Assez bonne. L'ai-je déjà entendue ? « On demande à Weisz… »

Je rigole un bon coup. C'est vrai qu'elle est encore meilleure. Mais que voulais-je déjà dire encore… ? Ah oui, je sais. Ce truc, là d'où je viens – qu'est-ce que c'était déjà ? Tu reviens d'où ? Rien, aucune importance, j'ai assisté à un petit truc sans intérêt là, à Mariahilferstrasse… Et alors ? Rien, aucun intérêt. Un truc, l'univers, n'importe quoi. Ah bon ? Il paraît que c'est plutôt ennuyeux. Bon, salut.

Mais déjà je suis de meilleure humeur. Comment c'était cette blague ? « On demande à Weisz… »

Je ris tout seul, puis je m'arrête en sifflotant.

Ce serait donc ça le grand concordat, l'harmonie dans le chaos – le rire ?

La Lune s'ébauche derrière le toit d'un immeuble. Sur elle deux profils, aux contours nets, presque des photos, deux bouches soudées, un baiser.

Mon sifflement se coince sur mes lèvres arrondies.

Ce serait donc ça – l'unique chance pour deux mortels : ce qui est bon pour l'un est en même temps bon pour l'autre – la loi morale ?

Le baiser et le rire…

Alors tout va bien.

Gabi, mon fils, ne sois pas en retard à l'école, je suis encore à Vienne, mais je te préviens, gare à toi quand je vais rentrer.

5 juin 1927

SUR TROIS OISEAUX

1

- Alors, on y va ?
- Le temps est favorable…
- Alors – partons. Sous ma responsabilité !

Les deux amis fidèles s'étreignent. À eux deux ils ont trois yeux au total. Nous les appelons : Coli et Nungesser. Au demeurant quelque chose de comique, gentil, flotte autour d'eux. Coli et Nungesser. Zoro et Huru[44]. Les experts se grattent la tête et haussent les épaules quand il s'agit de leur avion. Un drôle d'avion. Il est solide, personne ne dit le contraire, il serait peut-être un peu trop compact s'ils veulent vraiment… Heu, traverser… L'océan avec ça !... Ils l'appellent l'Oiseau Blanc, on devrait plutôt l'appeler l'Oiseau de Plomb. S'il touche l'eau, il pique du nez comme une meule. Une drôle de machine. Il… Comment le dire… Il a une forme joviale. Un vieux carrosse aérien lourdingue, j'ai failli dire une diligence. Quand il démarre, tout craque et tout grince – ses roues s'enfoncent profondément dans le sable ; enfin il finit par se hisser en l'air en vrombissant, en haletant… Mais ne dirait-on pas qu'il a basculé ? Ça cahoterait en l'air ? Tant pis ! Petit à petit il disparaît tout de même dans les brumes de l'océan…

Et Paris attend, il observe bouche bée… Un jour passe, un autre jour… Patience ! Quel dommage qu'ils n'aient pas emporté de radio ! En fait, qu'ont-ils emporté ? Les paris sont ouverts, il y en a qui prétendent être au courant. Ils ont sûrement emporté un gros morceau de fromage, et des fougasses cuites sous la cendre. Deux paires de saucisses chaudes peut-être, qui sait ? Cinq boîtes d'allumettes, trois mètres de lacets de chaussure, ces lacets modernes se cassent si vite. Éventuellement deux jeux de cartes, un harmonica, dans tous les cas le dernier numéro de La Vie Parisienne dans lequel de mignonnes petites Parisiennes élégantes se montrent toutes nues – ce long voyage pourrait être ennuyeux.

En effet, le voyage paraît bien long. Ils ne se sont toujours pas manifestés, certains imbéciles pessimistes, des boches antipatriotiques, des socialistes sans Dieu, osent croasser qu'ils ne reviendront peut-être

44 Couple de comiques hongrois de l'époque.

jamais… Que la chose était insuffisamment préparée, mal calculée… Qu'il leur est peut-être arrivé quelque chose… Quel culot !...45 Quelle insolence ! Calomnie défaitiste ! Ce sont des Français, Mesdames et Messieurs, ils ont bien donné leur parole, comment osez-vous douter d'eux ? Ce sont des fils du peuple des Nouma Roumestan46, des Cyrano – des Bouvard et Pécuchet !

Cependant…

2

- Mon nom est Lindbergh. Où suis-je ?
- À Paris.
- Well.

Et le jeune blond, svelte et élancé sort d'entre ses ailes comme Lohengrin sortait de son cygne. Il en sort, solitaire, solennel, tout comme de l'autre côté il s'était installé dans l'étroit habitacle de ce char quand il a reçu le message du Graal – va, va affronter les tempêtes de neige, l'Incroyable et l'Inimaginable te réussiront : tu es invulnérable.

Wer nun dem Gral zu dienen ist erkoren,
Den rüstet er mit überirdischer Kraft;
An den wird jeder böser Trug verloren,
Ersehet Ihr ihn, weichet dem des Todes Macht.[47]

La presse mondiale, toujours affamée d'anecdotes, tente enfin de lui arracher des épisodes amusants – le lointain par lequel il est arrivé se perd dans le brouillard. Quelques mots brefs, d'une force dramatique, dans un élan quasi iambique : tornade de neige au-dessus de l'océan – volutes de brouillard, carapace de glace, de plus en plus épaisse, sur mes ailes. Encore un doigt de plus en épaisseur et la carcasse ne supporte plus le surpoids – c'était la question centrale pendant des heures. Puis une nuit

---

45 En français dans le texte.

46 Héros d'un roman d'Alphonse Daudet (1881).

47 Celui qui a été élu pour servir le Graal / Se verra pourvu d'une force surnaturelle / Toute vile tromperie à son encontre est vaine / Vous le voyez, il échappe à la puissance de la mort (Lohengrin, acte 3)

immobile, le dragon vrombissant fait du surplace, la masse d'eau invisible qui défile en dessous, au-delà du noir goudron. L'imagination tétanisée hoche la tête, palpitante : qu'a-t-il ressenti, que dit-il, dans cette merveilleuse nuit, l'homme, que la génération virile de vingt mille années a produit le premier pour qu'il expérimente cette sensation ?

Mais Lindbergh-Lohengrin se tait mystérieusement. Qu'ai-je ressenti ? Je l'ignore. Rien. Je m'ennuyais. Nie sollst du mich befragen48.

Je m'ennuyais !

Vous le croyez ?

Mais pensez seulement, essayez de l'imaginer – au-dessus de lui les étoiles, Sirius, sous ses pieds l'océan tourbillonnant des nuages, parfois il culbute par-dessus, il fait des chutes de quatre cent ou cinq cents mètres, un instant il aperçoit la noirceur sans fond. Le lointain inhumain, l'altitude et la profondeur s'écroulent, se répandent, insaisissables. C'est la nuit de la Création quand, le cinquième jour, les eaux et les nuages se sont séparés. Bientôt poindra à l'est la première Aurore et elle verra le premier être vivant s'élever du chaos des éléments et des forces. Animal ou dieu ? – s'est-il élevé d'en bas, de la profondeur de la mer, ou est-il descendu en zigzaguant d'en haut ?

Le diable tartaréen de la science, diable humain bricolé de crocodile, de porc et de singe, ou ange déchu de la religion, étincelle tombée de la main de Dieu ?

Non, il n'est pas vrai qu'il s'est ennuyé. Mais pourquoi le prétend-il alors ?

Probablement pour qu'il soit plus difficile de le deviner. D'après des experts en sport, un tel travail surhumain, trente et une heures en place, avec les mêmes gestes, toujours avec la même attention tendue et le même effort, sont seulement rendus compréhensibles par un état d'excitation de veille et de volonté poussée au maximum, surchauffée.

Ce « je m'ennuyais » est une défense, un refus, un raccourci dramatique de la crise et de la catharsis du cinquième acte, une protection contre l'envahissement de la populace profane du poulailler.

48 Il ne faut jamais me le demander.

Ennuyé ? Allons donc ! Je l'imagine qui chantait les bras écartés. Il a chanté le Grand Air, et quelque part, depuis l'Antarctique, depuis le Spitzberg, depuis la Norvège, le Vent du Nord accompagnait son chant spectral d'accords à la Peer Gynt.

Car lui aussi est vent du nord, mystère septentrional. Même les noms se ressemblent. Lindbergh et Strindberg.

C'est l'Idéal qui volait là dans la nuit.

Et deux jours plus tard…

3

- Cet Océan Atlantique est tout de même une flaque d'eau plus imposante que ce que je croyais.

Enfin une cloche américaine pur-sang ! Et un visage américain pur-sang – et un style américain pur-sang. Une bonne quantité de déclarations avant le départ. Un large sourire sur les photographies diffusées, agitation de chapeau avant la prise de vues, un bon petit battage de tambour. Un petit soupçon me taraude – le directeur de l'usine se trouvera là également, l'usine, l'usine, l'usine ! Est-ce que tout cela n'est pas une simple publicité industrielle ? Si ça réussit, c'est bien, si ça échoue, ça rentabilise tout de même l'investissement, le monde entier répétera le nom de la firme – peu importe si c'est à propos d'un échec ou d'une réussite – le principal c'est de faire retenir le nom.

Mais Chamberlin49 arrive tout de même en ce lundi de Pentecôte – il arrive, et même il bat Lindbergh d'une bonne dizaine d'heures.

Son arrivée n'est pas aussi nette, il est vrai, n'est pas aussi idéale, n'est pas aussi dramatiquement précise, je dirais. Il s'y glisse des erreurs dramaturgiques, des fautes esthétiques – le directeur de l'opéra refuserait ce livret car la conduite de la ligne n'est pas parfaite et le contrepoint est confus. Ce sujet est sans doute encore plus effarant, plus large et plus complet que n'était l'autre – mais ces maudites insuffisances ! Tout d'abord, rien à faire, ce n'est pas lui, le premier. Ensuite il n'a pas atterri exactement à l'endroit prévu. À cause d'une panne d'essence, mais ça

---

49 Clarence Chamberlin a pulvérisé en 1927 le record de distance de Lindbergh, mais a été contraint de faire atterrir son "Columbia" à moins de 200 km de Berlin.

alors ! Il a été mû par l'essence et pas par l'enthousiasme ? Il redémarre, cette fois c'est l'huile qui pose des problèmes – il se pose de nouveau, mais alors c'est l'hélice qui casse. On est obligé d'attendre qu'on lui en livre une autre. Berlin s'impatiente. Bon, tout est bien qui finit bien.

Il arrive – c'est incroyable de le voir tant parler et tant manger ! Il parle la bouche pleine, tout en lui rit, ses yeux, sa bouche, même ses narines. De la curiosité qui l'entoure il n'y a que sa curiosité à lui qui est plus grande : il ne nie pas à quel point il est heureux de voir ceux qui le voient.

Même son petit malheur, il le trouve amusant. L'avez-vous su ? Il s'est égaré à la frontière ! Pourtant il a diminué son altitude pour voler très bas, il criait fort et faisait signe aux paysans : « S'il vous plaît, est-ce la direction de Berlin ? Merci ! » Mais ce foutu brouillard ! Mon Dieu, il s'est perdu un peu. L'erreur est humaine.

En effet.

Et le personnage de Chamberlin est le plus humain parmi les trois. Il vient avec quelqu'un, il n'est pas bon d'être seul pour un voyage aussi fatigant. Il rate la première place – mais ce n'est pas la primauté qui compte, ce qui compte c'est d'être en second meilleur que le premier ! Je commets des fautes, tant pis, je les corrigerai !

Et le principal – il rit allègrement. Il rit du monde, il se moque un peu de lui-même – et même un tout petit peu du divin Lindbergh qu'il intitule "le fou volant", peut-être pas tant à cause de sa témérité, que plutôt pour son sérieux. La preuve : il est possible de surpasser sa performance, sans arrogance – avec légèreté, en sifflotant ! Je ne suis qu'un homme, imparfait et faillible – et pourtant apparemment c'est à moi qu'a été donnée la possibilité de corriger et de perfectionner ce monde, de le rendre meilleur, ce monde créé tambour battant par les dieux mystérieux !

Chamberlin…

Son nom nous rappelle celui du génial acteur au grand cœur, Chaplin, l'acteur le plus humain de tous les comédiens.

Lindbergh est le héros, Chamberlin est l'homme.

Lindbergh est le passé, Chamberlin c'est l'avenir.

Et les pauvres Coli et Nungesser ?

Eux sont la poésie indépendante des temps… Le Don Quichotte et le Sancho Pansa du moulin à vent tournant et changeant de la réalité… Ils sont toujours en train de voler, ils n'arriveront jamais, mais ils voleront jusqu'à la fin des temps.

12 juin 1927

L'ART THÉÂTRAL

Nous sommes allés voir Othello avec Moïssi[50]. Sur le chemin du retour nous parlions de l'art de la scène avec Béla qui voudrait devenir acteur de cinéma. Nous en restions aux généralités jusqu'au moment où, à propos d'une question la conversation prit une tournure assez intéressante pour que j'aie envie de noter, afin de ne pas les oublier, tout un tas de nouvelles idées auxquelles je n'avais jamais pensé. Au demeurant c'est plutôt moi qui expliquais, façon de réfléchir à haute voix comme cela m'arrive souvent ces temps-ci, si quelqu'un m'inspire – un excellent hypnotique.

Écoute, lui dis-je à peu près, en fait, depuis le fameux "Paradoxe" de Diderot, personne n'a vraiment donné une explication fondamentale au problème de l'art du théâtre. Une nouvelle définition, une méditation sur le sujet, a été rendue actuelle justement par le cinéma. C'est précisément à toi que j'affirmais, n'est-ce pas, récemment que nous avons du mal à entrevoir au berceau de quelle gigantesque et vertigineuse ère culturelle nous sommes parvenus avec l'apparition du cinéma. Tu parles, toi, avec quelque mépris de découverte, d'invention technique ; qu'a-t-elle à voir selon toi avec la culture authentique, a fortiori avec l'art ? Alors écoute. Premièrement : la découverte de l'écriture, la fixation de la parole n'était, elle aussi, au début qu'une technique, une découverte primitive. Pourtant la parole éphémère demeurée pérenne au point qu'il valait la peine de *mâcher* le mot avant de le prononcer, a représenté dès lors le début d'une ère culturelle six ou huit fois millénaire. Je peux t'assurer que *la mastication* du mot fut à l'origine de tout ce que nous appelons aujourd'hui la Pensée et l'Idéal, l'Esprit et le Génie, et que sais-je encore, t'assurer que le Mot et la Pensée, comme Nietzsche s'en est déjà vaguement douté, sont nés *simultanément, et* non l'un à la suite de l'autre, comme la contrainte de l'analyse causale nous le ferait croire.

Je ne veux pas t'ennuyer longuement avec cela, crois-moi simplement, ce fut ainsi. Si la fixation de la parole, la lettre n'avait pas été inventée, il n'y aurait pas aujourd'hui des génies et des artistes du Mot et du Verbe. L'inquiétude, la poussée vitale des nerfs aurait cherché

50 Alexander Moïssi (1879-1935). Grand acteur autrichien d'origine albanaise.

son assouvissement ailleurs, non à travers le cerveau. Eh bien, si tu veux, ce que je mets en débat c'est que la découverte *du mouvement fixé*, des *manifestations vitales fixées* sont aussi importantes dans l'histoire de la culture universelle qu'était la découverte de l'écriture. C'est un monde nouveau qui commence, avec la cinématographie. Est-ce que ce monde nouveau voudra et pourra s'insérer dans l'ancien, dans le monde de la parole, ou se tournera-t-il contre lui (et dans ce cas les pessimistes pourraient sérieusement parler d'une nouvelle Atlantide culturelle, du déclin de la *culture verbale*) – on ne le sait pas encore. Une chose est certaine, c'est que la présente génération aura pu être témoin de quelque chose qui ne se produit qu'une fois tous les six mille ans : la naissance et la pérennisation du Mouvement, de l'Action, en tant qu'élément permanent de la mémoire. Écoute, tu vas comprendre. Imagine que dans cent ans ou deux cents ans tu prennes en main un livre qui ne se composera pas de lettres imprimées sur du papier. Ce n'est pas feuilleter dedans qu'il faudra, mais tourner dessus quelques boutons ou manivelles latérales – et sur l'unique page du livre que jusqu'ici il fallait lire, transformer les lettres en mots et les mots en *pensées* – à la place et sans toutes ces médiations fatigantes, tout simplement *ça se produit*. Tu vois devant tes yeux la véritable histoire de X ou Y telle qu'elle s'est produite, ou telle que des comédiens l'ont jouée.

Tu vas comprendre pourquoi tout ce préambule était nécessaire. Les nouveaux esthètes, toutes sortes de -istes et de révolutionnistes, gazouillent tant d'âneries de nos jours sur les objectifs de l'art. Et ils commencent à oublier une chose pourtant simple, qu'un enfant de six ans voit parfaitement : le principal et unique objectif de l'art, même pas son objectif, mais sa raison d'être, son origine et son intention et son essence sont une nécessité parallèle à la lutte contre la mort, sauver de la perdition ce qui est périssable dans le monde autour de nous et en nous, et qu'il serait dommage de laisser périr. Lorsque je constate donc la venue au monde de l'action fixée, déjouant la loi de la mortalité, je déclare par là même la nature artistique *authentique* et *impérissable* de cet art nouveau (car n'est art que ce qui est impérissable), ce que n'était pas jusqu'à présent l'art théâtral.

Oui, j'affirme que l'art théâtral est né avec la naissance de la cinématographie, et il est devenu l'égal de la peinture, de la sculpture, de la musique et de l'écriture. Je peux donc ajouter aussi que l'art théâtral n'est vraiment né que maintenant, maintenant que l'acteur *doit réfléchir*, *doit mâcher* ce qu'il fait, parce que quand il l'a joué une fois, *le rôle* jusque-là éphémère est devenu tout aussi pérenne que le *tableau*, le *livre*, la *sculpture* et la *partition*.

L'art du théâtre est devenu au début du siècle un art authentique et désormais il le restera – il convient donc d'en parler comme des autres arts. Cet art ne possède pas encore une histoire, mais cela ne nous empêche pas d'esquisser d'ores et déjà son esthétique, ses lois fondamentales, ne serait-ce qu'approximativement. En réalité l'esthétique et l'histoire de l'art ont peu de chose en commun : la première puise tout au plus des exemples de la seconde, mais elle survivrait aussi bien sans l'autre.

Écoute, si tu veux, je peux t'esquisser dès maintenant les contours de cette nouvelle esthétique. Tout d'abord, il faut partir du fait que la matière d'un art ne peut être que ce qui est *universellement humain*. Comme un art a besoin de créateurs et de ceux qui en jouissent, nous pouvons affirmer tranquillement que tout homme est né artiste, soit au sens passif, soit au sens actif. La masse des gens l'est au sens *passif*, dotée de la capacité de jouir de l'art, alors que quelques élus le sont au sens *actif*, doués du potentiel de la création. Mais que signifie cela, appliqué à notre sujet ?

De même qu'il existe une *image universelle picturale*, pour la raison simple qu'en chacun de nous se cache un peintre passif qui aime les belles couleurs et les belles formes, de même qu'il existe une image universelle musicale, pour la raison simple qu'en chacun de nous se cache un musicien passif qui aime l'effet mystique des sons, de même que, si l'art du théâtre est un art authentique (or il l'est), il faut qu'il existe aussi une image théâtrale universelle. Nous devons tous découvrir en nous *le comédien passif*, puisque c'est pour nous la seule façon de jouir de l'art théâtral actif.

Une image théâtrale universelle– c'est une notion nouvelle, germée des nouveaux moyens de la culture. Nous ne pouvons pour le moment la décrire que par analogie, par la connaissance des autres arts. Le *génie créateur de la scène* n'est pas encore né, celui qui en fera la preuve, mais on peut déjà deviner à quoi il ressemblera. Pour lui le monde entier jouera, jouera la comédie, comme pour le peintre tout est couleurs et formes, et tout est son et harmonie pour le musicien. Dans toutes les manifestations de la vie le comédien verra un rôle – les différents rôles de Dieu ou d'un Être unique, mystérieux, qui joue tantôt un homme bon, tantôt un homme mauvais, qui se grime en banquier, en roi, en mendiant, en oiseau, en crocodile, en cerisier bourgeonnant, en enfant heureux et en souffrant malheureux, afin de vivre cent millions de formes, afin de se voir sous ces cent millions de formes dans son miroir. Ce génie du théâtre verra et nous fera voir ce que nous avons déjà ressenti dans certains moments de rêve ou de distraction, apeurés et étonnés, chassant aussitôt cette découverte oppressante ou désagréable : tous nous jouons un rôle en ce monde, pour un public inconnu, pour nous-même – depuis nos premiers pleurs jusqu'à nos derniers râles – nous jouons naissance et amour et mort, comme si nous voulions amuser, émouvoir, égayer, bouleverser et amener à la compassion un autre Moi inconnu, avec notre tragédie.

Tu sais quoi, je te dis autre chose. Ne l'as-tu jamais remarqué – hum. En effet, on ne cesse pas de parler de *réalité*, de *représentation*, et ainsi de suite. Allons donc ! C'est moi qui te dis, moi qui suis proche de toutes sortes d'arts, que le véritable jouisseur passif de l'art, que l'on appelle *le public*, n'a pas la moindre idée de cette réalité dont on dit qu'il doit la reconnaître à travers sa représentation par le comédien et qu'il reconnaît pour être sa propre vie. J'affirme que les gens ordinaires ne connaissent la vie que par l'art – et que seul l'artiste connaît la réalité. Dans un des moments les plus horribles et les plus sincères de ma vie, *par hasard*, je n'étais pas seul – quelqu'un se trouvait auprès de moi, quelqu'un qui jouait un rôle décisif dans ma vie. C'était un moment tragique – je sanglotais, je voulais mourir, je cognais ma tête contre le mur stupide. Mais j'y ai survécu, et le témoin de ce quart d'heure critique m'a avoué par la suite qu'il devait rire : il était et il est encore persuadé que je jouais la comédie, et il trouvait ma comédie très décevante. Je lui rappelais un comédien qu'il avait vu dans un rôle semblable, mais l'autre était meilleur.

Dis-moi, que pouvais-je lui répondre ? La *maudite logique du temps* fait qu'il n'aurait jamais compris que *c'est de moi* que ce comédien-là avait appris cette scène. Que lui qui voyait la scène comme la vie, a dû forcément sentir comme une scène et comme une comédie que, pour une fois, le caprice du destin lui faisait l'honneur d'entrouvrir *cette réalité* pour ses propres yeux, *cette vie* dans laquelle la tragédie puise sa matière.

En fait, qui sait s'il n'avait pas raison ? Combien de fois nous sentons nos larmes les plus justifiées comme une comédie ? Combien de fois nous pensons *simuler* la joie et la douleur dont nous apprenons par la suite qu'ils étaient le zénith et le nadir de notre vie ?

Bon, salut ! Me voici arrivé chez moi.

27 juin 1927

Frigyes Karinthy

KALÉIDOSCOPE

L'expression et la communication, avec leurs *formalismes* ne m'ont jamais trop inquiété. En quelque sorte j'ai depuis toujours senti un lien plus direct entre réflexion, discours et écriture que de laisser enfler en moi cette question des règles de grammaire en un problème si important que ça, quand je parlais ou j'écrivais. J'avoue même que ces efforts désespérés, mortellement sérieux m'ont toujours fait un effet un peu comique (mes premiers écrits, les caricatures, en témoignent), les efforts qui tourmentent la plupart des écrivains, obligés qu'ils sont, pour exprimer leurs sentiments ou leurs humeurs, leurs pensées ou leurs observations, de sélectionner les meilleures possibilités qu'offrent les styles et modes d'écriture connus jusqu'alors ou à imaginer par la suite. Je pensais naïvement, moi, qu'il suffisait de respecter les règles grammaticales en vigueur à chaque moment, ces conventions pratiques de la communication (autrement dit du but de susciter et d'évoquer dans l'âme et dans la raison de l'autre personne le même processus qui m'a incité à communiquer), pour satisfaire à toutes mes obligations formelles. Le reste, *ce que* j'ai exprimé, l'importance de la vague que j'ai soulevée dans l'autre âme, dépend de toute façon de l'importance de la passion ou de la vague de la pensée en moi – rien ni personne ne peuvent y remédier, aucune boîte ornée : c'est perdre son temps que d'emprunter le cor de Lehel[51] ou le violon de Paganini si je n'ai pas de mélodie intéressante à jouer dessus. Si en revanche j'ai cette mélodie, le sifflet arrondi de mes deux lèvres fera un instrument très convenable. Je hausse les épaules quand j'entends affirmer par exemple : tel écrivain parle le langage classique des savants grecs – tel autre s'exprime avec charme et légèreté comme un chant populaire – tel troisième claironne avec la force d'un Shakespeare – tel quatrième "est revenu au pathos des apôtres", "a pris un ton biblique". Je ne crois pas qu'il existe en soi un ton biblique et un ton non biblique. Je ne crois pas bien sûr que Jésus Christ parlait sur le ton naturel de son temps, dans le style que le commun des mortels pratiquait – mais il avait des choses à dire. Je ne pense pas que, par exemple, le bureau des brevets sauterait de joie s'il recevait la description d'une

51 Lehel, héros de l'épopée hongroise du Xe siècle.

invention totalement neuve, merveilleuse et révolutionnaire dans un style, disons, expressionniste ou rédigé dans "le pathos des apôtres". Plus j'analyse un sujet difficile et obscur – plus je dois en parler avec clarté, puisque le but de mon discours est précisément de dissiper cette obscurité – on n'éclaire pas les esprits avec du brouillard.

Pourtant, ce matin en parcourant le journal, j'ai ressenti la légitimité d'une façon d'écrire devenue récemment très à la mode : le *simultanéisme*, ce mode de représentation qui place côte à côte une masse de phénomènes de l'espace sans sélection et sans relations entre eux. J'ai bien compris qu'il ne s'agissait pas d'un formalisme fantaisiste – quelqu'un qui après la lecture d'un journal essaye de réfléchir, s'embrouille et perd les pédales, tout simplement. Un enfant du peuple au système nerveux construit pour une existence fruste est bombardé par une telle masse d'impressions à digérer et à élaborer en des assauts renouvelés chaque heure et chaque minute, qu'il doit forcément renoncer à assimiler les tenants et aboutissants de toutes ces choses – encore heureux s'il est capable d'absorber les faits purs et simples.

À six heures du matin le capitaine Byrd[52] quitte New-York. Dix minutes plus tard il fait savoir par radio qu'il vole au-dessus de l'océan, le temps est favorable. Un quart d'heure plus tard il fait savoir qu'ils vont pomper le kérosène d'un des réservoirs. Une demi-heure plus tard ce rapport est transmis à tous les journaux du monde – on prend acte aussi bien à Tokyo et à Melbourne qu'à Washington et à Budapest que maintenant il va falloir attendre une demi-heure car Byrd doit pomper son quatrième réservoir. La radio continue de bourdonner : on fait savoir à Byrd, assis au sommet d'un nuage à sept mille mètres d'altitude, qu'entre-temps son confrère pilote est bien arrivé à Honolulu. Cinq minutes plus tard on fait savoir au confrère pilote en question à Honolulu que Byrd qui est en train de déjeuner au-dessus de Terre-Neuve lui souhaite un agréable voyage, celui-ci envoie ses remerciements chaleureux vers les côtes irlandaises où Byrd est arrivé entre-temps.

La population entière du globe terrestre, un milliard et demi de personnes, se plaît à parler et communiquer en tous sens – tout le monde l'entend, le monde s'est transformé en une oreille gigantesque ; un ou

52 Richard E. Byrd (1888-1957). Aviateur, explorateur du Pôle Nord.

deux ans encore, et tout le monde pourra se voir. Un enchantement s'est produit : l'immense globe terrestre a rétréci en une unique et joviale taverne où les hommes vivants se sont réunis pour une petite parlotte. Chacun entend l'autre, chacun rapporte ses soucis et ses joies, chacun s'intéresse aux autres.

La Terre a rétréci - l'apôtre enthousiaste du Progrès hocherait la tête : ô, ces âmes poétiques ! Veut-il peut-être dire que c'est l'Homme qui est devenu un géant ?

L'homme ?

Tourne la page de ton journal – le voyage du capitaine Byrd n'occupe que les deux premières pages. Sur la page trois on lit :

L'homme gorille a reconnu jusqu'ici dix-huit meurtres – son passe-temps est d'étrangler les femmes.

Sous l'effet de l'acquittement de Madame Grosavescu[53], voilà un deuxième assassinat conjugal.

Suicide dans une chambre d'hôtel. Suicide dans un bureau directorial. Suicide en prison. Suicide dans une salle de bal. Suicide dans un observatoire astronomique. Suicide au sommet de la Tour Eiffel.

Comment ? Tous ceux-là ont-ils alors commis leur suicide en ce jour magnifique du Progrès et de l'Espérance et de l'Épanouissement – mettant fin non seulement à leur vie, mais aussi détruisant en eux une lignée millénaire de générations – leurs enfants et leurs petits enfants pour lesquels le monde s'apprête justement à se transformer en un paradis ? Ont-ils pu se suicider avant d'être informés de l'heure d'arrivée de Byrd à Paris – n'étaient-ils pas anxieux de savoir s'il allait bien arriver ? N'étaient-ils pas friands des bulletins radio que le petit crieur hurlait chaque minute à leurs oreilles, affirmant que si ce n'est pas ce soir, il arriverait sûrement à l'aube – ne voulaient-ils pas attendre l'aurore, l'aurore rédemptrice de l'Homme Surhumain ? Ne pensez-vous pas, vous, suicidaires, que le capitaine Byrd se sentira légitimement offensé que vous ne vous pressiez pas à sa rencontre – que vous soyez capables d'être écœurés et de mépriser le monde, d'avoir pu abandonner la vie qui a la chance de le célébrer dans la liesse ?

Vous vous taisez, suicidaires ?

---

53 Trajan Grosavescu, célèbre ténor, assassiné à Vienne par sa femme en 1927.

Vous vous taisez, suicidaires – que pourriez-vous dire ? Pourquoi diable aurais-je dû m'intéresser à l'arrivée ou non du capitaine Byrd ? Est-ce à moi qu'il allait apporter réconfort, bonne nouvelle ? – allait-il me tendre la dernière planche de salut dont j'avais besoin pour continuer de vivre dans cet enfer d'égoïsme, de cruauté, d'assassinat, de peur, de haine et d'incompréhension que je suis heureux d'épargner à mes enfants qui ne naîtront pas ? Est-ce que le capitaine Byrd s'intéresse à moi ? Il ne s'intéresse qu'à son avion. Je ne l'intéresse pas – il ne m'intéresse pas non plus.

Voilà ce que répond le suicidaire – tais-toi donc apôtre enthousiaste du progrès qui prêche constamment l'Homme, l'Homme glorieux, l'Homme victorieux, alors que l'Homme n'existe pas, il n'y a que des gens parmi lesquels un ou deux volent en altitude, très haut, alors que les autres aimeraient les rabattre à terre pour prendre leur place. Laisse la philosophie, les tenants et aboutissants, de toute façon tu n'y comprends pas grand-chose – le combat continue sur le globe terrestre rétréci en une unique et joviale taverne. Les avions arrivent et arrivent encore, ils arrivent par l'ouest, ils apportent les soldats prêts au combat, héros heureux de la victoire sur la matière – quand en viendra-t-il un de l'est avec à son bord le médecin des âmes malheureuses ?

D'ici là ce n'est pas la peine de chercher des tenants et aboutissants dans ce panorama d'images chamarrées. Si Madách vivait aujourd'hui, il n'écrirait pas *La Tragédie de l'Homme* dans le temps mais *dans l'espace* – un immense drame simultanéiste dont les scènes représenteraient une seule journée dans la vie du globe terrestre – et on y apprendrait que ce jour-là, le premier juillet mille neuf cent vingt-sept, en différents points de la Terre, Adam et Ève sous leurs divers avatars jouent aussi bien leur destin depuis l'homme gorille jusqu'aux esquimaux qu'ils l'ont joué entre les différentes strates superposées des siècles successifs – le Temps n'y aide pas plus que ne le fait l'Espace – tout est vain, seul Dieu pourrait aider l'homme s'il le voulait.

3 juillet 1927

Frigyes Karinthy

MONSIEUR FUKSZ

Aujourd'hui, après une pause de six mois, Monsieur Fuksz a réapparu.

Maintenant je sais.

Il s'est manifesté la première fois il y a dix-huit ans. J'étais un jeune homme immature et un important rédacteur de revues, j'habitais rue Népszínház, déjà détenteur d'un logement, avec une bonne, un vestibule et une salle de bains, écrasé "d'activités débordantes" et d'un emploi du temps surchargé et "je regrette, je n'ai pas le temps, j'ai des rendez-vous" et des projets enfiévrés et un programme suffisant pour deux cent quatre-vingt-dix-neuf ans, organisé au jour près et accessoirement la rédemption de l'humanité, et à cette fin avant tout la préparation de l'unique mois pendant lequel je ne devrai pas travailler ni me préoccuper de l'organisation du lendemain, mais je pourrai tranquillement m'asseoir pour observer et résoudre le mystère de l'humanité selon une combinaison aux échecs – la préparation de cet unique mois dont à vrai dire je crois encore qu'il aurait pu résulter quelque chose de décisif pour moi comme pour l'univers – hypothèse que malheureusement je n'ai jamais pu vérifier car ce mois, le mois de l'indépendance et de l'insouciance, il est toujours en préparation sans jamais s'être présenté.

Mais c'est déjà le mirage de ce mois-là qui me courait dans l'esprit quand la bonne est entrée pour annoncer quelqu'un qui demandait Monsieur, j'ai sévèrement levé la tête derrière mon bureau, outragé par le dérangement. Or la bonne est restée là, debout, déconcertée et gênée, et moi aussi j'étais gêné, et un silence particulier, soucieux et pesant s'est infiltré depuis l'antichambre, comme un courant d'air.

- Qui est-ce ? – ai-je demandé tout bas.

- Il a dit qu'il s'appelait quelque chose comme Kuksz ou Fuksz.

- Qu'est-ce qu'il veut ?

- Il demande que Monsieur le reçoive, si possible…

- Pourquoi n'entre-t-il pas ?

La bonne a haussé les épaules.

- Il reste planté à la porte.

Ce doit être une facture, ou un mendiant.

Je me suis levé et je suis allé voir.

Monsieur Fuksz se tenait effectivement sur le palier, dans l'embrasure de la porte entrouverte, sans que sa main lâche la poignée, prêt à se retirer à la première injonction impatiente du regard, à dévaler l'escalier à reculons, comme un rêve de cinéma tourné à rebours. Monsieur Fuksz ne portait pas de chapeau, l'excitation haletante lui faisait perler des gouttes de sueur sur le front – un sourire particulier hésitait sur ses lèvres épaisses, pouvant signifier à la fois un humble embarras ou une ironie insolente – cette grimace niaise et ambiguë avait tellement envahi sa figure que la salive débordait aux commissures de ses lèvres. Cette même ambiguïté s'est retrouvée aussi dans sa voix quand, enfin, à mon troisième "que désirez-vous", il s'est mis à parler d'une voix rauque et émue.

- Pardonnez-moi… Je ne voulais certainement pas vous importuner.

- Je vous en prie. Que puis-je pour vous ?

- Oh, excusez-moi, ce n'est pas important… C'est-à-dire… Pas urgent… Terminez tranquillement ce que vous étiez en train de faire, Monsieur le rédacteur… À certains égards…

- Bon, allons, de quoi s'agit-il ?

- Je reviendrai une autre fois…

Et déjà il reculait. J'étais moi-même interloqué – aurais-je été brutal, aurais-je utilisé un ton agressif ? Le regard couleur petit lait de Monsieur Fuksz a commencé soudain à se brouiller devant mes yeux…

Et je l'ai retenu avec une courtoisie exagérée :

- Mais je vous en prie… Je n'ai rien d'urgent à faire… Entrez donc.

- Mais… Ne vous donnez pas cette peine… Vraiment… je ne voudrais pas vous incommoder… À certains égards, n'est-ce pas… Je peux très bien rester… J'attendrai…

Il m'a fallu cinq bonnes minutes pour le persuader d'entrer jusqu'à mon bureau – là aussi il s'est planté à la porte et à aucun prix il n'a voulu s'asseoir.

J'ai essayé d'être affable, afin de dissimuler ma gêne et mon inquiétude croissantes. J'ignore pourquoi mais j'avais le sentiment agaçant que si je ne faisais pas d'effort, encore deux minutes, moi aussi je me mettrais à bégayer et à ricaner bêtement comme lui, créant une situation si pénible et insupportable qu'on ne pourrait plus s'en dépêtrer, nous nous figerions tous les deux, face à face, en un rictus sans fin, deux statues de sel, incapables à jamais de communiquer.

- Alors quoi de neuf, cher Monsieur Fuksz ? – lui ai-je demandé pour cette raison, sur un ton léger tout en lui tapotant l'épaule. – Avons-nous besoin d'un emploi ? D'une aide quelconque, d'un piston ?

- Mais… Rien de tel, se dépêcha-t-il de m'assurer, c'est-à-dire… À vrai dire… Tout compte fait… Je n'ai besoin de rien, vraiment besoin de rien…

Après cela j'aurais dû lui demander ce qu'il voulait alors. Mais j'aurais été incapable de supporter une nouvelle fois l'absence d'une réponse claire. J'avais le sentiment que dans un tel cas je pousserais un hurlement, j'attraperais un objet contondant ou je le boxerais avant de le pousser dans l'escalier. Il a dû en capter quelque chose dans mon regard, sa figure a viré au gris cendre, il a fermé les yeux et d'effroi il a de nouveau affiché son rictus niais, imbécile, profond.

J'ai détourné la tête et je me suis mis vite à parler de n'importe quoi. Je lui ai montré les objets, ma bibliothèque, j'ai dû lâcher quelques mots nerveux sur mon travail en préparation, sur les conditions difficiles. Une fois, c'est par hasard que je l'ai regardé et il m'a semblé que son épais sourire reflétait alors de l'insolence et de l'ironie plutôt que de l'humilité. J'ai désigné ma montre.

- Eh bien, cher Monsieur Fuksz, lui ai-je dit d'un air faussement distrait et décontracté, vous ne m'en voudrez pas n'est-ce pas, mais je dois maintenant partir. Voulez-vous m'accompagner ?

- Je vous en prie, je vous en prie… En effet… Je ne voudrais certainement pas vous importuner… néanmoins… on peut dire…

D'un geste viril j'ai attrapé mon imperméable et mon chapeau. Je l'ai poussé pour passer la porte devant moi, mais vu sa résistance obstinée, je l'ai franchie le premier. En bas, dans la rue, il a marché à mon côté un bout de temps en gardant le silence ; je n'arrêtais pas de parler de tout et de n'importe quoi, trop fort, comme une crécelle, pour chasser le silence, pour ne pas encore être obligé de lui demander ce qu'il voulait. Lui, il m'écoutait avec son perpétuel rictus respectueux.

Au coin de la rue un fiacre stationnait. Je n'avais rien à faire nulle part, comme je n'avais pas non plus à sortir de chez moi. Mais ça ne pouvait plus durer davantage.

- Eh bien, Monsieur Fuksz, que Dieu vous garde, je vais prendre cette voiture. Cocher… Euh… Rue Bajza, s'il vous plaît…

- Je vous en prie… Surtout ne vous gênez pas…

- Eh bien alors…

Il restait là, son rictus aussi.

- À bientôt… À la prochaine…

- Mais non… À vrai dire… Je ne voudrais pas vous importuner…

- Vous ne m'importunez nullement, n'hésitez pas, quand vous voudrez…

- Ne m'en veuillez pas… C'est-à-dire…

- Je ne vous en veux pas, croyez-le bien. Au revoir…

Et le fiacre a démarré avec moi. Je n'ai pas regardé en arrière, de toute façon j'étais sûr qu'il se trouvait toujours là au coin de la rue avec son tranchant "c'est-à-dire" au bout de la langue, je me suis reproché de l'avoir abandonné d'une façon si cavalière et malpropre avant qu'il n'ait pu m'expliquer qu'il ne voulait pas m'importuner, avant qu'il n'ait pu m'en persuader du plus sincère et du plus profond de son cœur. Mais un brouillard épais est descendu me comprimer l'esprit – je savais que quelque chose d'éternel venait de commencer qui m'accompagnerait désormais jusqu'à la tombe.

Je ne me suis pas trompé.

Depuis dix-huit années, jusqu'à ce jour, Monsieur Fuksz apparaît chez moi à intervalles irréguliers mais relativement fréquents – il ne se laisse pas perturber par mes changements d'adresse, ni l'évolution de ma vie privée ni mes affaires familiales.

De façon obstinée et imprévisible il revient pour m'apprendre qu'il ne veut surtout pas m'importuner. Le sujet de nos conversations varie selon mon état d'esprit et mon humeur, mais grosso modo il reste toujours le même. Il pousse un petit coup de sonnette rapide, tout juste assez pour ne pas manifester clairement sa volonté de vraiment entrer – le genre de coup de sonnette que l'on peut éventuellement reprendre, récupérer, et que l'on ne répète pas, même si l'on n'ouvre pas la porte.

Mais si on l'ouvre, il reste planté sur le seuil et tient fermement la poignée de la porte. Il est en sueur et affiche un rictus ambigu. En général il tombe à des moments – est-ce symbolique ? – où je suis juste avant ou juste après un événement significatif, un grave problème, un changement déterminant, à la onzième heure où il conviendrait d'agir, de décider dans cette affaire problématique que je traîne depuis une vingtaine d'années, cette affaire qu'est devenue ma vie – au moment où il faudrait justement sauter le pas, le seul petit pas vraiment simple qui permettrait de radicalement tout arranger : je suis sur le point de prendre le téléphone, de me lever, d'ouvrir la bouche, de sortir, pour franchir ce pas, lorsque retentit sa sonnerie discrète et grinçante, et moi je n'ai plus la force d'ordonner qu'on ne lui ouvre pas.

Je vais vite à sa rencontre et avant qu'il ne puisse ouvrir la bouche je me mets à parler, parler vite avec fermeté et virilité. Je lui développe en détail mon regret d'être justement obligé de partir – vous savez, les nouvelles élections, et tout ça. Il m'écoute tout en sueur et parfois, quand je reprends ma respiration, il bredouille un fragment de la vieille phrase bien connue comme quoi n'est-ce pas, en effet, à certains égards, effectivement, il ne voudrait aucunement m'importuner. Moi, je prends mon chapeau, nous descendons ensemble, je me mets en route dans le sens opposé à celui où j'avais à faire et où j'aurais dû agir et prendre des dispositions. Lui, il m'accompagne humblement et patiemment, jusqu'à ce que je disparaisse de sa vue sous le porche d'un immeuble inconnu, où ensuite j'attends encore une dizaine de minutes pour guetter et m'assurer qu'il n'est plus dans les parages.

Un jour peut-être c'est moi qui devrai aller avec lui. L'accompagner, le suivre – me laisser guider par lui, révéler et comprendre enfin cette phrase mystérieuse selon quoi il ne veut pas m'importuner. Je le suivrai jusqu'à ce que sa silhouette apeurée et étrange entre d'un pas chuintant par la grande porte du cimetière de Kerepes où attendent les quatre longues semaines de calme et d'indépendance, qui me permettraient de solutionner la grande question.

24 juillet 1927

LA SOURIS DANSANTE

Je suis tombé dessus ce matin dans la vitrine d'un marchand d'animaux au centre-ville, au demeurant c'est une vieille connaissance, ils en avaient quelques spécimens au zoo il y a quelques années, j'ignore s'ils les ont encore.

Son nom officiel est souris chinoise dansante. Ce genre de bizarrerie animale, comme des poissons ou des tortues à deux têtes, est souvent d'origine chinoise – on les élève là-bas, paraît-il, depuis des millénaires, avec une obstination particulière, que je sens pourtant très humaine, justement parce que c'est contre-nature.

Mais justement.

La danse de la souris dansante, veuillez ne pas la prendre pour une métaphore ni l'imaginer comme une désignation empruntée. C'est un petit animal dont l'apparence ne se distingue en rien de la souris blanche normale, et qui danse stricto sensu – non en faisant des gestes dansants ou des sauts rappelant une danse pour satisfaire ses besoins vitaux. La danse des papillons n'est pas une vraie danse, c'est ainsi qu'ils se cherchent les uns les autres ou la fleur, pour eux c'est d'un intérêt vital simple, pratique et adéquat, ce n'est qu'à nous qu'elle paraît un spectacle ravissant. Or ma souris, on n'a qu'à l'observer pendant deux minutes pour comprendre que chez elle il ne s'agit pas de cela. La danse de ma souris est un art purement gratuit, encore moins intéressant que la danse humaine. Si les gens dansent c'est pour se plaire ou pour se distraire, voire pour refaire leurs forces. Or ma souris ne danse ni pour s'amuser, ni même par conviction comme le derviche pour qui la danse fait partie d'une cérémonie religieuse – je ne crois vraiment pas qu'on puisse parler d'une éthique religieuse chez ma souris qui, je le répète, est semblable aux autres souris.

Je vais essayer de décrire cette danse. Ma souris, disons, remarque un grain de blé dans un coin. Elle lève la tête, elle pointe les oreilles, elle remue le museau, puis elle se dirige directement vers le grain de blé. Or, avant d'y arriver, à mi-chemin, soudainement, mais avec une uniformité répétitive et mécanique, elle se dresse un peu sur les pattes arrière, fait une triple pirouette sur elle-même rapide comme l'éclair, puis elle continue tranquillement sa route vers le grain de blé.

J'anticipe vite l'intervention du mystique philosophe de la nature qui murmurerait quelque chose comme : il existe peut-être une relation inconnue entre le grain de blé et la danse. Il n'y a aucune relation. Ce n'est ni une danse alimentaire, ni une parade amoureuse comme celle des oiseaux. Ma souris danse la même danse toute seule, et la même aussi quand elle n'a pas faim. Ma souris ne peut tout simplement pas exister sans cette danse. Elle ne danse ni de joie, ni de chagrin, ni de passion, ni d'excitation – elle danse tout naturellement, et chaque fois, après quatre ou cinq pas, elle fait une triple pirouette sur elle-même rapide comme l'éclair, puis elle vaque à ses occupations. Si on l'observe non pas deux minutes, mais quatre minutes, on a irrésistiblement l'impression de voir un de ces automates qui, ayant dans leur mécanisme une roue taillée en biais ou un ressort spécialement réglé, font de façon inattendue un geste inapproprié, comique, entre des mouvements naturels. Ma souris exécute ses pirouettes automatiquement et sans aucun sentiment, comme sous une contrainte maladive, subie, manifestement désagréable pour elle aussi, comme quand on tousse – sa danse à elle lui semble être un fardeau, elle la gêne dans ses mouvements, elle lui fait souvent rater son objectif, elle fait un geste nerveux de la patte, comme un homme qui tousse, pour qu'on ne la dérange pas – après la danse elle hoche la tête, tout essoufflée, hum, cette maudite danse, elle m'épuise, dit-elle.

Mais alors pourquoi danse-t-elle, pour l'amour du Ciel ?

Par instinct ? J'ai appris à l'école que l'instinct est l'intelligence de survie de l'espèce en compétition pour l'existence, toujours dirigé vers un intérêt vital. Eh bien, ma souris n'ira pas loin avec cette danse. Au contraire – toute souris normale lui happera le grain sous le nez pendant qu'elle danse.

Je pourrais dire que je n'ai jamais vu d'ânerie aussi grande que cette danse, si je ne craignais pas d'insulter les braves ânes bien portants qui n'auraient en aucun cas d'idée semblable.

En revanche où voulez-vous que je mette ma vision darwinienne du monde sur la sagesse de la nature ; ne le prenez pas mal, si au sens des espèces je considère la danse comme chose normale ? Car s'il ne s'agissait que d'une maladie individuelle parmi les souris normales, ça irait – après tout il existe bien des moutons qui tremblent, ça n'empêche pas que le mouton reste un animal intelligent qui sait très bien ce qu'il a à faire pour fournir le plus de laine et la meilleure chair possible pour l'homme. Mais dans le cas de la souris c'est toute une espèce qui est prise de tremblante – les petits naissent tremblants et passent leur tremblote aux suivants comme tout autre ordre et disposition de la sage nature.

Au demeurant ce genre de bizarrerie n'est pas du tout un cas isolé dans le monde des espèces. Nous connaissons des colombidés qui eux aussi dansent tout le temps, et qui de plus inclinent étrangement la tête en arrière, le menaçant à tout instant de perdre l'équilibre et de tomber. Dans son livre sur la nature, Maeterlinck mentionne une sorte de fourmi qui court à une allure si folle qu'en général elle dépasse l'objectif qu'elle visait. Si, par exemple, on pose devant elle un morceau de sucre, elle le sent, et elle prend un tel élan qu'ensuite elle est incapable de s'arrêter, elle dépasse le sucre puis, prise de panique, elle fait une course folle dans tous les sens, elle n'est plus capable de le retrouver, et elle finit honteusement, mais toujours aussi vite, par courir jusqu'à son point de départ. Cette sorte de fourmi survit depuis des millions d'années dans les conditions les plus misérables, elle subit depuis des millions d'années les pires inconvénients et désagréments liés à son comportement écervelé, mais elle n'a toujours pas compris qu'elle devrait se discipliner un peu. Non, elle court toujours comme une enragée – elle est folle !

Bien sûr, elle est folle !

Mais ce n'est pas la seule espèce. De très nombreuses autres espèces vivantes le sont. Peut-être même… La plupart.

Peut-être même toutes.

Je le soupçonne depuis longtemps, mais je n'ai jamais osé en parler, de peur que ce soit moi que l'on prenne pour fou, un esprit sain parmi les aliénés d'un asile.

Je soupçonne depuis longtemps que le monde des vivants, y compris son gouverneur, "la sage nature", est un peu dérangé. Impossible de savoir ce qui en est la cause, peut-être justement la lutte pour la vie, ce que l'on pourrait comprendre si les naturalistes n'essayaient pas constamment de prouver que cette lutte a nécessairement aiguisé l'intelligence et l'instinct des vivants. À mon avis on pourrait tout aussi bien affirmer que cette même lutte les a rendus fous, tout comme un individu peut s'enfoncer dans un combat trop long et trop épuisant.

J'ai autant de preuves pour cette affirmation que pour son contraire. Les savants se répandent volontiers en éloges sur les termites, les abeilles ou les fourmis, s'émerveillant de leur "vie sociale" parfaite et harmonieuse, soulignant qu'un magnifique jeu de l'instinct de chaque individu soutient chez eux l'ensemble, l'espèce, afin d'en préserver la survie. Mais personne ne parle de ce sadisme honteux, dévoyé, insensé, déraisonnable, cruel et maniaque avec lequel dans ces sociétés l'espèce tue et torture l'individu, même inutilement, détruisant l'unique instant d'un bonheur préparé à grand-peine, dans une voracité obstinée pour produire le plus vite possible de nouveaux individus et les exposer à de nouvelles tortures, dans l'intérêt de l'espèce. Même la théorie selon laquelle l'ancienne génération sacrifie son bonheur pour un bonheur plus parfait de la génération nouvelle ne constitue pas une excuse raisonnable de la méthode, puisque le "génie" dément de l'espèce, avec sa discipline phalanstérienne empêche aussi qu'au moins les enfants deviennent différents de leurs parents. On parle d'évolution, mais qui va dire lequel parmi les intérêts opposés de l'individu et de la société représente mieux le progrès ? Est-ce que la société des termites mille fois louangée en tant qu'illustration n'est pas le degré ultime, la preuve *par l'absurde* de ce qui nous attend lorsque notre "vie sociale" aura atteint sa perfection ? D'autant plus que les termites ont des millions d'années de plus que nous.

Je ne suis pas exactement un anarchiste, mais merci beaucoup, je n'en veux pas de cette société parfaite. L'attitude de la "sage nature" me paraît bien suspecte, et je préfère attendre qu'un expert examine son état mental avant de suivre sans réserve ses invitations. Mon cher et bon ami Bicsérdy[54], je ne vois aucune garantie de ce que la sage nature voudrait faire du bien à moi ou, en général, par mon truchement à autrui, voire à elle-même. La sage nature, depuis que nous connaissons son action dans le monde des vivants, est la cause continuelle de souffrances à ces vivants, or, qu'on le veuille ou non, mon esprit ignorant et imparfait reçu de cette sage nature, mais indépendamment de toute sage nature, au-delà de la société et de la vie, au-delà même de la mort, même sans corps et même dans le vide de l'espace, criera et hurlera que la souffrance est mauvaise et le bonheur est bon. Quiconque donc cause de la souffrance,

54 Béla Bicsérdy (1872-1951), un des pères de la « médecine naturelle ».

quiconque ne peut apporter le bonheur qu'au prix de le lier à la souffrance et à la mort, n'est ni sage ni parfait, mais dérangé, il l'est dans chacun de ses actes, et les conséquences de ces actes doivent être corrigées non pas par elle, la sage nature, mais par l'Homme et avec l'aide de Dieu se situant au-dessus de la sage nature, par l'Homme avec sa foi contre-nature dans le bien, la négation contre-nature du mal.

31 juillet 1927

Frigyes Karinthy

DIEU

Que se passerait-il si un jour je prenais le mot au sérieux, si je disais : et maintenant taisez-vous, *vous, les mots*, tessons sonnants là-dedans, dans la tasse osseuse du crâne qui, si je les secoue, composent chaque fois une formule, une pensée, *un avis* digne d'une sentence – si un jour je retournais la roue motrice de la machine, à l'envers – ou si j'arrêtais tout pour un instant ? Comprenons bien : je sais fort bien qu'en réalité mes pensées *ne m'appartiennent pas* en propre – je ne suis qu'un homme en lutte pour sa vie, je n'ai pas acheté un passe-partout pour la vie, le matin de chaque jour je dois de nouveau faire mes preuves, me battre pour mon droit à la vie, chaque jour je dois une nouvelle fois, comme il se doit, accoucher de moi dans la douleur et le sang, pour me maintenir en vie j'ai besoin d'au moins autant d'énergie qu'il en a fallu au petit noyau cellulaire dont j'ai germé pour se battre et venir au monde. Cette lutte est permanente sur tous les fronts de mon corps et de mon esprit – pensées et mots, sentiments et passions, ils sont les différentes armes de mon armée, ils servent tous quelque intérêt de cette Volonté secrète et obstinée qui par inertie s'attache à me conserver *dans ma forme actuelle*, niant aveuglément la possibilité *d'une autre forme possible*. Mes joies et mes douleurs sont des stations de cette lutte – les premières signalent en moi les jubilations des victoires, les dernières la peur panique des batailles perdues, autant de rapports de guerre d'où il ressortira de quoi je suis le plus proche : de la vie ou de la mort. Il ne m'a pas été donné un unique instant de sentiment de sécurité permettant de me rencontrer – la Vérité qui sommeille au fond de mon âme ne peut jamais faire surface ; des soldats barrent l'entrée de ma conscience afin d'examiner si c'est une vérité *utile, profitable à la vie* ? Car sinon : retour à l'obscurité !

Que se passerait-il si un jour je trompais mes propres soldats et je faisais moi-même le guet pour arrêter le moi qui fonce : - Halte là, qui es-tu ? Le mot de passe !

Une fois ou deux j'ai presque réussi. Ça a demandé un effort – je tâchais de ne pas me perdre dans mes pensées. Dans quelques rares instants heureux lumineux de distraction j'ai réussi à *faire taire* en moi le bruit du combat, j'ai tenté d'entendre, les yeux fermés et les oreilles aiguisées, ce qui *est au-delà*, cet autre bruit étouffé qui vient *du dehors*, de la réalité extérieure, ce que j'entendrais bien si je n'en étais pas empêché par le bouillonnement de mon sang, le cliquetis de mon cœur, le halètement de mes poumons, les contractions de mon estomac, la sonnerie incessante des fils télégraphiques de mes nerfs.

Enfant, quand j'écoutais de la musique, il fallait que j'oublie d'abord les paroles, ensuite les souvenirs passionnels et les désirs attachés à la mélodie : tristesse, joie de vivre. Ce que mon imagination plantait dans la musique, puis ce que le compositeur y avait semé. Et lorsque tout cela avait disparu et cessé, j'étais pris par le sentiment frissonnant et étrange que *quelque chose était encore resté* derrière tout cela – dans le sautillement décousu des sons était resté un effort lointain, très lointain, un cognement inquiet sur les cordes du piano et du violon et sur la paroi extérieure de mon crâne – comme si quelqu'un émettait des signes désespérés, comme s'il pressait et avertissait qu'il voulait dire quelque chose, comme s'il voulait rappeler quelque chose – comme si quelqu'un *me* parlait, *à moi et pour moi*, dans une langue inconnue que j'avais oubliée.

Et moi aussi j'ai essayé alors, et depuis, de donner des signes à ce Quelqu'un. Mais comment pouvais-je faire ? Je me doutais bien, vaguement, que l'appeler avec des mots aurait été peine perdue – les mots, je les ai appris à l'usage des hommes, or ce Quelqu'un n'est pas humain. J'ai ânonné des prières mémorisées, attendant la réponse les oreilles dressées, un sourd silence me répondait. Je fermais donc les yeux et arrêtais la machinerie des mots. À ces moments-là, par instants, j'entendais bien ce lointain cliquetis.

Et j'entendais également, serré contre mon oreille, le coquillage ramassé sur la plage au bord de la mer – un bourdonnement tenace, monotone dans le coquillage, et mon cœur s'arrêtaient de battre et je chuchotais : Allô ! Qui est là ? Qui tient l'autre coquillage dans sa main là-bas, de l'autre côté de l'horizon ?

Et j'essayais d'établir une liaison avec le hurlement inarticulé quand je ressentais un mal insupportable du fait qu'un autre homme ne me comprenait pas, qu'il était méchant à mon égard, qu'il me haïssait car il croyait que je le haïssais. Et l'autre levait sur moi des yeux apeurés car il s'imaginait que soit j'avais perdu la raison, soit je voulais l'insulter, pourtant mon cri n'était pas adressé à lui mais à l'autre là-bas, à l'unique qui connaît la clé de mon incognito.

Et j'essayais de lui faire des signes avec des larmes dans les yeux et des rires sur mes lèvres et des baisers doux et prudents sur les lèvres de la femme – et il essayait de me faire des signes avec des coups de tonnerres dans le ciel et des grondements menaçants sous la terre.

Il y a deux choses que je sais maintenant de façon certaine. Une première est qu'en dehors de moi il existe lui qui est au courant de mon existence, qui sait mieux que moi qui je suis. Une seconde est que le chercher ainsi est vain – il est plus puissant que moi, seul lui peut me trouver – si nous cherchons tous deux à l'aveugle, en tâtonnant, nous risquons de nous rater, de passer l'un à côté de l'autre sans nous trouver. L'un de nous doit se tenir tranquille – laisse-moi être celui-là, moi, plus faible et plus las. Je dois rester patient et attentif – je dois attendre sans perdre patience – et dès que je sentirai près de moi sa main qui tâte, je serai libre de chuchoter doucement : je suis ici, je suis ici, je suis ici, c'est moi ici – mon Dieu, comme tout est simple, comme tout est clair, mon Dieu, mon Dieu, mon Dieu à moi.

20 août 1927

ARABESQUE

Qu'as-tu produit aujourd'hui ? Toujours rien ? Bref, tu t'es adonné à l'oisiveté, pourtant tu ne l'ignores pas : *nulla dies sine linea.*

Si je n'ai pas écrit, c'est peut-être justement parce que j'avais trop de choses à écrire. J'étais trop plein, mon feu intérieur me faisait cracher de lourdes masses d'une lave brûlante et souillée – j'ai dû dépenser toute mon énergie pour la retenir, qu'elle ne fasse pas éclater son récipient, pour que ce qui n'est pour le moment qu'une pensée ne devienne pas une action trop précipitée.

Mon activité aujourd'hui a consisté à ne pas travailler. Ça m'a fatigué davantage que si j'avais travaillé.

À Copenhague les défenseurs des animaux ont déposé une requête en vue de la libération des fauves du zoo. Souhait légitime. Priver des êtres vivants de leur liberté est illégitime – mais pourquoi appellent-ils cela *défense des animaux* ? Il s'agit à mon sens d'un peu plus que cela : c'est plutôt *le parti des animaux*, et cela mériterait une requête pour la défense des humains : qu'il soit permis aux hommes, le temps que les fauves gambaderont en toute liberté dans la ville, de se réfugier dans les cages abandonnées.

Au demeurant un grand débat, au cours duquel il y a eu de nombreuses interventions, s'est instauré au zoo dans cette affaire. Le lion n'a exigé pour lui qu'une petite part insignifiante de ce monde extérieur qu'ils devront se partager – juste la part qui légitimement lui revient, puisqu'il ne voudra pas toucher à ce qui appartient à autrui, il se contentera de la part du lion. La girafe s'est levée et s'est contentée de dire : Messieurs, je serai brève. Le chien a renoncé à tout, il se contenterait d'une base piétiste : savoir qu'en haut, au paradis, il sera écouté lui suffira. En avant, mon cher, s'est écriée l'écrevisse avec enthousiasme, pendant que l'hyène s'est lancée dans une rhétorique contre le conservatisme. Le perroquet a exprimé des réserves concernant le rôle du clergé et a proposé l'espéranto comme langue officielle de la communication entre les hommes et les animaux. Le crocodile a ri jaune et l'ours s'est fermement élevé contre le charleston.

Bien sûr, quelques désordres, quelques signes de dislocation – pas étonnant que les penseurs se mettent à penser et les critiques à sentir notre siècle comme critique. Spengler[55] propose une nouvelle Atlantide, et annonce les derniers soubresauts d'agonie de la civilisation chrétienne. Un livre hongrois très intéressant, l'histoire des civilisations intitulé "Vers un nouveau Panthéon" de Pál Ligeti[56], va encore plus loin. Son système d'ondes, en alternant les phases des périodes d'architecture, de sculpture et de peinture, fait ressortir sa loi d'association et de dislocation et parvient à la conclusion étonnante qu'en réalité nous n'approchons pas de la fin *d'une certaine civilisation*, mais des derniers jours de toute l'histoire des civilisations connues, de l'achèvement d'un grand drame historique dont le premier acte était l'Égypte, le second acte Rome et Athènes – et que l'acte présent, le dernier, est Londres et New-York. Ensuite commencera un nouveau drame complètement inconnu qui nous sera complètement étranger.

Il manque encore un métaphysicien qui reconnaîtrait la triple loi dans l'unité des vagues plus grandes que les vagues sans cesse grandissantes. Dans ce système il appliquerait à très grande échelle, à l'histoire de l'univers cosmique connu aujourd'hui, l'analogie reconnue à petite échelle. À l'époque de *l'architecture* correspondrait une période *créatrice*, la *création* du cosmos connu par nous les hommes, avec ses bouillonnantes taches nébuleuses, ses galaxies et ses systèmes solaires en gestation. À l'époque de la *sculpture* correspondrait le *temps de la mise en forme*, lorsque la matière s'endurcit, devient astres, planètes et soleils, se couvre d'une croûte et prend forme. Enfin à la troisième époque, celle de la *peinture*, correspondrait l'apparition d'une *vie organique* à la surface de la croûte, avec ses couleurs bariolées et sa diversité spécifique, et enfin l'homme, dernière œuvre "impressionniste" de la force créatrice déclinante de Dieu, l'homme qu'il a créé "à sa propre image", pour son propre amusement, en souvenir à laisser à un autre dieu qui créera un nouveau cosmos à la place de l'ancien.

---

55 Oswald Spengler (1880 – 1936) philosophe allemand, auteur du « Déclin de l'Occident ».

56 Pál Ligeti (1885-1941), architecte et théoricien de l'art.

Un jour, dans mon désespoir, j'ai qualifié l'homme de tumeur de la terre et la vie de maladie de l'existence. Je le répète, j'étais d'humeur amère ce jour-là. En tout cas il est étrange que cette philosophie et cette métaphysique qui cherchent la loi quelque part dans le monde extérieur, *en dehors de l'homm*e, parviennent nécessairement au même résultat.

Ou voyons par exemple ma barbe.

J'ai compris hier que la barbe d'un homme qui se rase quotidiennement est un moyen naturel pour mesurer le temps. J'ai un toucher raffiné, le matin, en me tripotant le menton j'arrive à peu près à déterminer s'il est encore tôt ou si j'ai dormi longtemps. Si par exemple je faisais une randonnée et je tombais dans un ravin en perdant conscience (supposons que j'aie aussi cassé ma montre), en reprenant connaissance c'est de ma barbe que je pourrais constater si mon état d'inconscience a duré des jours ou seulement des heures.

Mais oui c'est comme ça.

Il est aussi possible de reconnaître le caractère du visiteur sur sa façon de presser le bouton de la sonnette. Le mendiant effleure à peine le bouton – en cas de nécessité il lui serait possible de nier qu'il a sonné, la sonnerie se serait enclenchée soudain d'elle-même. Je reconnais chacun de mes trois fils à leur sonnerie, elle reflète mieux leur caractère et leur destin futur qu'une analyse graphologique ou les lignes de la main. L'aîné est calme et courtois, le cadet impatient et agressif, le troisième joyeux et drôle. Il existe des sonneries vaniteuses, des sonneries insolentes, d'autres menaçantes ou encourageantes. Le facteur sonne autrement quand il apporte un mandat ou quand il remet un avis de paiement. Il existe des sonneries désespérées qui sont comme un grand cri provoquant un silence à couper le souffle et l'on n'ose pas aller ouvrir – derrière la porte surgit le Drame et tonne le canon d'un revolver si on ouvre – est-ce la Mort qui attend dehors ou pire encore : *personne* n'attend ? Ça a sonné tout seul.

Ce matin en montant à ma rédaction, dans la cage d'escalier, entre deux étages j'ai ressenti un petit frisson dans le dos. Mon regard grimpait les marches avec moi et j'ai remarqué que le tapis était passablement usé. Pendant un moment je ne savais pas ce qui me mettait de mauvaise humeur – puis j'ai compris que cela faisait exactement vingt ans que j'avais monté cet escalier pour la première fois – c'était alors un tapis rouge flambant neuf, à peine monté. Mais c'est impossible… Ce n'était qu'hier… Je me rappelle très bien le motif de ma venue… Les mêmes projets, désirs, ambitions, problèmes, espoirs et humeurs qui font aujourd'hui aussi que je suis ici, au nom desquels je dois ici et maintenant, très vite, en moins d'une heure ou en quelques jours régler ceci ou cela… Pour ensuite entreprendre enfin le Grand Programme… À cause duquel j'accepte de solder ces petites démarches transitoires, pour en finir vite, pour en finir très vite… Encore un ou deux petits trucs… Et ce troisième, mais vite, vite Docteur, vite Monsieur le Rédacteur, vite mon petit, finissons-en, vite ce café, Garçon, vite Alfred pas tant de savon… Mais vite, vite, pourvu que cette nuit se termine, pourvu qu'il fasse jour, pourvu que la nuit tombe, pourvu que cette corvée soit derrière moi, pourvu que le procès prenne fin, pourvu que le train arrive… Si je pouvais enfin la voir, si elle arrivait enfin, si je pouvais enfin l'embrasser…

Pourvu qu'elle parte enfin, que je ne la voie plus…

Quelle folie ! En réalité, quand tout cela est arrivé, quand Monsieur le rédacteur a tout arrangé, quand la chose est derrière toi, quand on a apporté le café, quand on a fini de te savonner, quand le matin est venu, et le soir est venu, quand ton désir s'est accompli, quand la corvée est derrière toi – ce n'est pas la vie, mais c'est un mal plus grand que tous les maux, la mort dont tu es plus près d'un pas.

Entre-temps, dans le tram, j'ai repensé à ce poème de Heine, du *Livre de Lazare*. Il l'a écrit dans la dernière année de sa vie.

De mémoire :

Laisse là les paraboles sacrées,
Laisse là les pieuses hypothèses
Et cherche à résoudre sans détours
Les infernales questions.

Pourquoi le juste se traîne-t-il sanglant,
Misérable, sous le fardeau de la croix,
Alors que le méchant, heureux, triomphateur,
Chevauche fièrement ?

Mon journal

Où en est la faute ?
Notre Seigneur n'est-il pas tout puissant,
Ou bien est-il lui-même l'auteur de ce désordre ?
Ah ! Ce serait trop vil.

Et sans cesse nous nous répétons ces questions
Jusqu'à ce qu'avec une poignée de terre
On nous ferme la bouche ;
Mais est-ce là une réponse ?

25 septembre 1927

Frigyes Karinthy

FILM

Lecteur soucieux qui dès l'introduction de ta lettre me prévient que je fais très mal ce que je fais – que "j'éparpille" toutes mes idées, mes "idéaux", mes pensées, mes découvertes abstraites et concrètes que tu suis avec attention depuis longtemps – tu me reproches de les écrire à tort et à travers, tantôt sous forme de causerie superficielle, tantôt dans d'insignifiants billets humoristiques, tantôt en les mettant dans la bouche d'un personnage d'une nouvelle au fond d'une proposition subordonnée, tantôt en les dispersant en aphorismes – à ton avis il y a beaucoup de ces "idées et pensées" qui suffiraient à d'autres pour remplir des volumes, qui tailleraient une nouvelle vision théorique et pratique du monde, en donnant dans la forme aussi à la nouvelle idée l'importance que sa signification mérite.

Mon cher bienveillant lecteur, tu observes, et sincèrement tu as peut-être raison, que moi, j'ai à penser à tant de choses, j'ai à élaborer tant d'événements extérieurs et intérieurs qu'il ne me reste, qu'on le veuille ou non, guère de temps pour peser "l'importance" de mes "idées" qui jailliraient au passage. Et si de plus tu savais – je n'ose pas trop te l'avouer – que ce qui finit par être gravé sur le papier n'est qu'une infime partie de ce qui s'envole dans les airs au cours de conversations, de débats ou dans la rue, dans le tram. Tu sais quoi ? On s'en fiche ! Tant pis, ce n'est pas grave ! Ne me prends ni pour un propre-à-rien, ni pour un faux pudique – derrière ma légèreté il y a place aussi bien pour la plus grande vanité que pour la modestie la plus profonde. Je veux simplement dire par là qu'une pensée qui se perd sans être incluse et fixée dans un système, sans être officiellement cotée à la bourse des pensées, n'a pas mérité de perdurer : une pensée digne de ce nom survivra aussi bien sans tout le décorum – elle est comme une étincelle ardente, où qu'elle retombe elle laisse sa trace, tôt ou tard elle trouvera sa place. L'une ou l'autre de mes pensées qui valaient quelque chose, qui étaient bonnes, qui étaient justes, qui étaient vraies, qui correspondaient à la réalité, dont j'ai pu vérifier l'effet, ont germé, où que j'aie pu les semer, se sont révélées vraies en tant que constatation, en tant que pronostic – me sont revenues, vivantes et enrichies, ayant achevé leurs circonvolutions dans le cosmos bariolé des pensées, même si auparavant je les avais laissées filer sous forme d'un mot ou d'une épithète quelque part en cours de conversation. Et puis, ce qui n'était que pure spéculation, que jeu dialectique de la raison détachée de la réalité, j'ai eu ou j'aurais eu beau l'écrire dans un épais volume, cela pourrirait inconnu, lettre morte, sur les étagères poussiéreuses d'une bibliothèque quelconque. *Scripta manent, verba volant* ? Ce n'est pas toujours vrai. Voyez le Christ qui ne nous a pas laissé une seule ligne écrite de sa main, et pourtant nous voyons plus clairement sa vision du monde que par exemple celle de Spengler. Mon excellent prédécesseur dans les savoureuses conversations de café, Socrate, n'a pas publié non plus sa philosophie chez l'éditeur Cotta sous le titre de *Grundriss des Idealbegriffes in objektiver und subjektiver Anschauung*[57] - non, il n'a pas écrit le moindre billet dans le *Journal d'Athènes*, lui ; il n'a pas breveté son invention dans le monde des idées – pire, il n'a même jamais veillé dans ses entretiens à ce que le disciple qu'il enseignait *distingue* ses propres observations de celles du maître : souvent il le guidait vers la vérité de façon que le disciple pouvait croire l'avoir découverte lui-même (pour Socrate la vérité l'emportait sur la personne de son découvreur) – et pourtant c'est grâce à ses pensées que nous savons qu'il y a deux mille cinq cents ans déjà vivait et voyait et observait et prévoyait la Pensée.

Eh bien, mon cher lecteur, qu'après cette conversation à la manière de Platon je nommerai en toute simplicité mon ami Lectoros, viens faire avec moi une promenade au bord du Danube, ou bien asseyons-nous là dans les jardins du Gundelos[58] ou à la terrasse ensoleillée de l'hôtel Gellért – et ne te soucie même pas de savoir s'il y aura ou non quelqu'un à part toi pour savoir de quoi nous aurons parlé !

Bref – où en étions-nous la dernière fois, Lectoros ? Dans les pages suivantes de ta lettre tu me dis que tu as été vivement intéressé par mes récentes causeries sur la *métaphysique de l'image mobile* et sur la *nouvelle immortalité du jeu des comédiens*. Tu as réfléchi et tu es d'avis que je peux avoir raison quand j'affirme que le Film, la découverte de l'*événement extérieur pérennisé* est d'une importance aussi grande dans l'histoire de la culture humaine qu'était il y a six mille ans l'Écriture, la

57 Coupe horizontale du concept d'idéal dans une approche objective et subjective
58 Allusion déformée au célèbre restaurant Gundel à Budapest

découverte de l'*événement intérieur pérennisé*. J'affirme que le culte du Mouvement domestiqué, immortalisé, représente le début d'une nouvelle ère. Car tout comme la Lettre conservant la pensée a créé par interaction tout un monde de la pensée et de l'action qui en découle, c'est-à-dire de l'événement, de même la Pellicule Cinématographique transformant miraculeusement en réalité présente, vivante, le Passé qui jusque-là nous hantait uniquement *en images souvenirs*, *à l'intérieur de l'âme*, doit créer, également par interaction, le nouveau monde de l'action et de la pensée qui en découle. Ce sera un monde différent du nôtre – un monde différent dans lequel ce qui jusqu'ici s'est *simplement produit* se mettra à parler – et ce qui jusqu'alors n'était que discours, fleur de rhétorique, expression imagée, métaphore, se produira, deviendra réalité.

Elle t'a fait un fort effet suggestif, m'écris-tu – utopie fantastique – mon idée sur le livre du millénaire à venir, sur cette petite boîte rectangulaire sur le dessus de laquelle, comme dans un miroir, se déroule dans la réalité, devant toi, le *roman*, grâce à une pellicule de cinéma mince comme un cheveu courant à l'intérieur de la boîte, de la même façon qu'aujourd'hui les minces alignements de lettres d'un livre le projettent devant toi – sachant que la pellicule de cinéma ne sera en réalité qu'une solution directe et plus parfaite du même objectif qu'est *indirectement* l'alignement des lettres, pour te représenter images à travers *ton imagination*. Tu as tout à fait raison dans la suite de ton raisonnement quand tu dis que *l'imagination* ainsi servie risque de devenir paresseuse et de dégénérer, puisqu'elle reçoit tout fait ce que jusque-là elle devait créer pour elle-même – mais comment peux-tu savoir quelle nouvelle force, nouvel élan recevra la Pensée, en profitant du surplus d'énergie qui lui parvient ainsi ? D'ores et déjà j'ai observé sur moi-même qu'*en lisant un roman je voyais défiler devant moi de magnifiques images* – mais le déroulement du roman cinématographique dans l'obscurité de la salle a *aussi éveillé en moi des pensées et des émotions* merveilleuses.

Car la lettre engendre l'image, mais l'image aussi engendre des pensées.

Bien sûr, tout cela de nos jours n'est que rêve et tâtonnement. Si tu demandes au forgeron éveilleur de la culture humaine, à l'artiste, quelle est la place de la pellicule de cinéma dans l'histoire de la culture, il te répondra la conscience tranquille qu'elle n'en a aucune. De son point de vue il n'a pas tort car dans son glossaire à lui, culture et art sont une et même chose, et ne manque pas de bien retenir cela : dans l'industrie cinématographique récemment née il n'y a pas encore et ne peut pas y avoir de l'art déclaré – il est normal que l'artiste avec ses nerfs sensibles n'y voie que la *technicité*, tout comme le musicien n'entend que du tapage quand des mains ignorantes frappent le piano.

Tu t'étonnes, Lectoros – des mains ignorantes, demandes-tu, les grands réalisateurs, producteurs, comédiens du monde ? Tout le gigantesque appareil avec lequel l'Amérique et l'Allemagne, sans épargner la matière inerte et la matière vivante, fabriquent et sélectionnent le serpent cinématographique éclos et choyé dans la serre chaude d'une magnificence prodigue ?

Et pourtant c'est ainsi.

De cette nouvelle philosophie admettons en tout cas pour vérité et enseignement l'idée que la culture et la civilisation sont des notions très différentes et souvent contraires. L'industrie cinématographique (que justement pour cela nous appelons pour le moment industrie et non pas art cinématographique) est un exemple évident de cette opposition. Tant que la pellicule de cinéma sort des usines et des fabriques, et des mains des industriels et des réalisateurs de masse et du monde technique des Babylone rebâties et des Moyen-Âge et des antiquités reconstruits, afin d'agir sur l'imagination des masses indifférenciées, aussi longtemps tout cela ne représentera à la rigueur qu'une avancée de la civilisation, mais n'a et n'aura rien à voir avec ce dont nous avons parlé précédemment. Or jusqu'à présent nous n'avons vu rien d'autre – nous pouvons donc tranquillement affirmer qu'une technique de cinéma est déjà née, mais qu'il n'y a encore aucun art cinématographique à l'horizon.

Mais quand donc naîtra-t-il ?

Dès qu'un premier poète du cinéma aura vu le jour.

Mais comment le reconnaîtrons-nous ? Puisqu'il y en a qui aujourd'hui déjà se déclarent l'être.

Nous le saurons *sans qu'il le sache lui-même* que c'est lui.

Ce n'est pas l'industrie cinématographique qui accouchera du premier poète du cinéma. Celui-ci jaillira quelque part, de l'obscurité d'une pénombre inconnue – d'une ville inconnue ou d'un village inconnu où, ce qui est également important, on n'a encore jamais vu du cinéma. Ce poète n'aura jamais entendu parler de Hollywood ni de Pola Negri[59], ni de Lubitsch[60] – il ignorera totalement qu'il convient d'écrire un scénario – d'autant plus que la première condition de son devenir artiste sera justement le fait de *ne pas savoir lire ni écrire*. Il n'a jamais rien lu, en revanche il mettra par hasard sa main *sur une caméra*, une simple petite boîte, il la bricolera peut-être lui-même, et une fois terminée, il se mettra à en jouer le cœur palpitant, avec une joie enfantine, avec un Œil vivant nouveau, qui rendra possible de relier, mettre en forme les images souvenir. Et il se mettra en route avec son joujou, et il créera le premier abécédaire et la première gamme sonore de l'Événement – et il se mettra à jouer dessus comme jadis quelqu'un avait joué sur un premier instrument de musique primitif, notant les premières paroles de sa chanson. Il partira en sifflotant, avec un regard naïf et heureux, serrant sur sa poitrine l'Œil Vivant – et chaque fois qu'il verra quelque chose, l'envol d'un oiseau, un paysage, un torrent, un soleil couchant déformé de douleur ou de joie, une jeune fille rougissante aux yeux baissés ou au sourire provoquant – quelque chose *de familier à son âme*, faisant vibrer quelque chose en lui, quelque chose qu'il aime, qui l'attire, *qu'il serait dommage de laisser périr sans traces* – il le notera sur une pellicule de cinéma, et il rentrera chez lui et il rassemblera les images pour lui, et de ces images naîtra le premier *poème cinématographique*, puis aussi la première *épopée cinématographique*, et ainsi de suite.

Mais d'ici-là les maisons décors en papier mâché de Hollywood se seront écroulées, et les chacals hurleront sur les squelettes des studios couverts de poussière, comme aujourd'hui au pied de la pyramide de Kheops.

2 octobre 1927

---

59 Pola Negri (1894-1987). Actrice polonaise puis américaine du cinéma muet.
60 Ernst Lubitsch (1892-1947). Réalisateur américain d'origine allemande.

CHAÎNONS

Il y a en tout cas un point décisif, proclamai-je dans le feu de la discussion - (une fois de plus il s'agissait de ces vagues cycliques : oui ou non le monde évolue-t-il dans un sens ou tout n'est-il que jeu de rythmes récurrents, renouveau de *Cequiatoujoursété* ?) – je ne sais pas trop comment vous l'expliquer, je n'aime pas me répéter. Peut-être ainsi : le Globe terrestre n'a jamais été aussi *minuscule* qu'il est devenu ces temps-ci – relativement, j'entends. L'accélération de la communication orale et physique a rapetissé le monde – je veux bien croire que ceci aussi a déjà été vu, cela aussi a déjà été vu, il a déjà été question de tout, mais il n'a jamais été dit que ce que je pense et ce que je fais, ce que je veux ou ce que j'aimerais, la population entière de la Terre, si elle ou moi le souhaitons, l'apprend en quelques minutes – et si cela me chante de m'en assurer en personne, en quelques jours, hop-là, je suis là où je veux. Le Royaume des fées, en ce qui concerne les bottes de sept lieues, est descendu dans ce monde-ci – il n'a causé une déception que dans la mesure où ce Royaume s'est avéré être un pays beaucoup plus petit que le Pays de la Réalité n'a jamais été. Chesterton écrit quelque part qu'il ne comprend pas pourquoi les métaphysiciens veulent à tout prix imaginer le cosmos comme quelque chose de *très grand* – quant à lui, l'idée d'un univers tout petit, minuscule, mignon et intime lui est beaucoup plus chère. Au siècle de la communication, je trouve cette idée très pertinente – plus pertinente que spirituelle ou juste, et ceci justement parce que c'est ce Chesterton réactionnaire, négateur de la science et de la technique, anti-évolutionniste, qui a été contraint de reconnaître par là que ce Royaume des fées qu'il a si souvent évoqué est tout de même sorti du chapeau de cette même évolution "scientifique". Évidemment, tout revient et tout se renouvelle – mais ne remarquez-vous pas que c'est le *rythme* de ce retour et de ce renouvellement qui s'accélère dans l'espace et dans le temps, dans une mesure encore inconnue ? En quelques minutes ma pensée fait le tour du globe – les phases de l'histoire universelle, nous les rabâchons en quelques années comme une leçon ânonnée – cela signifie quand même quelque chose, mais qu'est-ce que cela signifie ? (Il me semble que j'ai déjà failli le savoir – puis je l'ai encore oublié. J'ai été pris de doutes – peut-être justement parce que j'étais *trop près* de la vérité. Au voisinage du Pôle, l'aiguille aimantée se met à osciller, vous le savez – probablement est-ce près de Dieu que nous sommes comme cela avec la foi.)

Au demeurant, ce débat se transforma en un petit jeu. Afin de prouver que les habitants du Globe terrestre sont de tous points de vue beaucoup plus proches les uns des autres qu'ils n'ont jamais été, un membre de la société suggéra un test. Il nous proposa de désigner un quelconque individu définissable parmi le milliard et demi d'habitants de la Terre sur un point quelconque de celle-ci – il proposa de parier qu'à travers *au plus cinq* autres individus, parmi lesquels une de ses *connaissances personnelles*, il était en mesure d'établir une relation avec l'individu choisi sur la base d'un enchaînement de connaissances personnelles directes, comme on dit d'habitude : « Écoute, tu connais X.Y., dis-lui de passer un mot à Z.V. qui est de ses connaissances… etc.

- Ah, j'aimerais bien voir ça, dit quelqu'un, alors supposons que l'individu soit… Selma Lagerlöf[61].

- Selma Lagerlöf, répondit notre ami, rien n'est plus facile.

Il réfléchit deux minutes et déjà il était prêt.

- Alors voilà, en tant que lauréate du prix Nobel, elle connaît forcément personnellement Gustav, le roi de Suède, puisque selon le règlement, c'est ce dernier qui a dû lui remettre son prix. Or chacun sait que Gustav, le roi de Suède, est un joueur de tennis passionné, ayant participé à des compétitions internationales, il a même joué contre Kehrling[62] qu'il connaît bien et qui jouit de ses faveurs – moi-même je connais bien Kehrling (notre ami est également un tennisman émérite). La boucle est bouclée, il nous a suffi de deux chaînons sur les cinq autorisés au maximum, ce qui est naturel puisqu'il est plus facile de trouver des liens vers des célébrités ou des personnalités connues et populaires du grand monde que vers des individus insignifiants, vu que les premiers possèdent des relations étendues. Posez-moi une colle plus difficile.

La colle suivante, plus difficile, un ouvrier riveur d'un atelier des usines Ford, c'est à moi qu'elle incomba, j'eus la chance de la résoudre

61 Romancière suédoise (1858-1940), prix Nobel de littérature en 1909.

62 Champion hongrois de tennis, titulaire de la coupe Davis en 1891.

en quatre chaînons. L'ouvrier connaît son chef d'atelier, celui-ci peut être en contact avec Ford lui-même, Ford fréquente le directeur général du groupe de presse Hearst[63], or Monsieur Árpád Pásztor[64] est pour moi, j'irais jusqu'à dire un excellent ami, il a l'année dernière fait par hasard la connaissance du directeur général des journaux Hearst – par conséquent, à tout moment je peux demander à Árpád Pásztor d'envoyer une dépêche au directeur général pour demander à Ford que ce dernier dise un mot au chef d'atelier afin que l'ouvrier riveur rivette pour moi une auto en urgence car j'en aurais le plus grand besoin.

Le jeu se poursuivit ainsi et l'affirmation de notre ami se révéla juste – jamais plus de cinq maillons ne furent nécessaires pour établir un lien via des connaissances personnelles entre un membre quelconque de la société et n'importe quel habitant du Globe terrestre. Alors je pose la question – y a-t-il eu une époque antérieure dans l'histoire où c'eut été possible ? Jules César était un homme puissant, mais s'il avait eu l'idée de se faire pistonner, en l'espace de quelques heures ou de quelques jours, par un prêtre aztèque ou maya de l'Amérique d'alors – il n'aurait pas pu réaliser ce projet, non par cinq, ni même trois cents maillons, surtout parce que de l'Amérique et de ses habitants potentiels ou impossibles, on en savait moins à l'époque que ce que nous connaissons aujourd'hui de Mars et des Martiens.

Alors il existe quelque chose, une sorte de *processus*, au-delà de rythmes et de cycles – un rétrécissement et une extension. Quelque chose se rétrécit, devient plus petit, et quelque chose se répand et s'agrandit. Est-il possible – serait-il tout de même possible – que ce rétrécissement et ce rapetissement – que ce monde physique et cette Extension et cet Agrandissement aient commencé par cette étincelle vacillante qui s'est allumée, il y a de nombreux millions d'années dans la gelée cervicale de l'animal homme – pour que, se répandant et s'étendant et en brûlant tout sur son passage, cette étincelle embrase, et rapetisse et mette en cendres, le monde physique tout entier ? Est-il possible – serait-il tout de même possible que la force vainque la matière – que l'esprit soit une vérité plus

63 William Randolph Hearst (1863 – 1951). Homme d'affaires américain, magnat de la presse écrite.

64 Árpád Pásztor (1877-1940). Écrivain, journaliste traducteur.

forte et plus vraie que le corps – que la vie ait un sens qui survive à la vie – que le bien survive au mal, la vie survive à la mort – que Dieu soit quand même plus puissant que le diable ?

Car voyez-vous – j'ai honte de l'avouer, je vous demande de m'en excuser, et je proteste si l'on me prend pour cette raison pour un fou – il m'arrive encore souvent de me surprendre à ce jeu du piston, non seulement en relation avec des gens, mais aussi en relation avec des choses. Chez moi malheureusement ça va tout seul, comme de tousser. C'est un jeu inutile, il ne me permet nullement d'influer sur le cours du monde – mais c'est plus fort que moi, je ressemble là au joueur invétéré qui a déjà tout perdu dans la caverne des jeux : il préfère continuer de jouer pour des haricots, ou pour rien, sans espoir de gain, pourvu qu'il puisse voir les quatre couleurs des cartes. Le jeu étrange de la Pensée cliquette en moi sans espérance – avec deux chaînons, avec trois chaînons, avec au plus cinq chaînons, comment bâtir une relation, trouver un lien, entre les petites choses, les futilités de la vie, qui se présentent à moi – comment relier un phénomène à l'autre – comment mettre en relation le relatif, l'éphémère, avec le non relatif et le durable – comment rattacher la partie à l'ensemble ? Il serait préférable de vivre, de jouir, de se réjouir, prendre les choses *uniquement* dans la mesure où elles procurent de la joie ou du chagrin – peine perdue ! Le jeu m'excite, dans les yeux rieurs, ou le poing prêt à cogner, au lieu de les attirer à moi ou de m'en protéger, je veux chercher plus qu'il n'en faudrait. Quelqu'un m'aime bien – quelqu'un m'en veut – pourquoi m'aime-t-il, pourquoi m'en veut-il ? Deux personnes ne s'entendent pas – je dois les comprendre toutes les deux – mais comment ? On vend du raisin dans la rue ; mon petit garçon pleure dans la pièce voisine. Un homme de mes connaissances a été trompé par sa femme ; au match de Dempsey cent cinquante mille gorges ont hurlé ; personne n'a voulu du nouveau livre de Romain Rolland ; mon ami X. a changé d'avis à propos de Y. ; chaîne, chaîne, cours la chaîne, comment pourrait-on trouver un lien conducteur dans tout ce fatras ? Qui plus est, vite et directement, pas à travers trente volumes de philosophie ! Tout au plus avec des déductions, et de telle façon que la chaîne qui part des choses, conduise par son dernier chaînon à la source de toutes les choses, moi-même. Tiens, comme…

Tiens, comme ce monsieur… Ce monsieur qui s'est approché de ma table… Où j'écris ceci, il s'est approché et il m'a dérangé pour une futile broutille le concernant : il m'a fait sortir de l'esprit ce que je comptais vous dire. Pourquoi est-il venu, comment a-t-il osé me déranger ? Premier chaînon : tout ce scribouillage n'a pas grande valeur à ses yeux. Mais pourquoi ? Deuxième chaînon : le scribouillage a beaucoup perdu de l'aura qu'il avait universellement, mettons il y a seulement un quart de siècle. La raison en est à chercher dans le tremblement mondial qui a compromis l'Esprit – si c'est tout ce qui a pu en sortir, alors le fameux courant spirituel, "vision du monde" de la fin du siècle ne valait pas grand-chose. Troisième chaînon : c'est la raison pour laquelle règnent sur l'Europe la Peur et la Violence, hystérie déchaînée ; l'Ordre s'est disloqué – quatrième chaînon !

Que vienne donc l'Ordre nouveau, vienne le nouveau rédempteur du monde, que se montre de nouveau le Dieu du monde dans le buisson-ardent, qu'advienne la paix, qu'advienne la guerre, qu'advienne la révolution pour que – oh, cinquième chaînon ! – ne puissent pas se reproduire que quelqu'un ose me déranger pendant que je joue, quand je laisse courir mon imagination, pendant que je pense !

15 octobre 1927

Frigyes Karinthy

NOMBRES

Tous ces nombres que l'on est obligé de connaître pour se retrouver dans une grande métropole, pour y trouver sa place, pour se faire trouver par quelqu'un qui nous cherche – que de données chiffrées on doit faire enregistrer pour être au minimum à la mesure (mesure ! Encore des chiffres !) des hommes ordinaires pris à la douzaine (douzaine ! Encore des chiffres !), pour qu'on soit compté (compté ! Encore des chiffres !) au rang des gens normaux. Souvent, gonflés de suffisance, nous raillons et méprisons le mathématicien avec son obstination pédantesque d'additionner, soustraire, diviser et multiplier perpétuellement, comme s'il était persuadé qu'on peut additionner une vie à une autre, soustraire la souffrance de la joie, diviser le bonheur, multiplier une de mes minutes par une autre – pourtant, non seulement de grands savants, mais même des poètes ont déjà affirmé que les mathématiques constituent l'image la plus fidèle, la plus homogène du monde, qu'elles sont supérieures à toute philosophie, sources de toute religion, elles montrent l'unique voie (y compris d'après Isaac Newton) pour approcher (par l'abstraction, autrement dit par une opération de soustraction), pour approcher le Grand Coefficient, l'inconnue de toutes les équations, que le langage commun appelle l'Omnipuissant.

Une chose est certaine, c'est qu'à l'époque où, pendant un temps, bien que superficiellement et à la va-vite, je commençais à feuilleter l'histoire de la pensée humaine, la première chose qui m'a intrigué a été une découverte que j'ai trouvée étrange. La philosophie, au sens actuel du terme, comme il est avéré, s'est constituée à partir de cosmogonies, visions du monde, et ces dernières à partir de cosmologies, symboles et légendes du monde – et enfin ces cosmogonies et cosmologies elles-mêmes ont jailli de la source d'un jeu confus et embrouillé, aujourd'hui considéré comme une sorte de calcul insensé et arbitraire, appelé *art cabalistique.* Autant de cabales numériques fantastiques et échevelées, vestiges de l'âge archaïque de la pensée humaine, résultats terminaux de calculs incompréhensibles dont les explications et les déductions sont perdues – mais moi je ne peux plus en sourire depuis que j'ai appris que, par exemple, notre image tridimensionnelle du monde sans laquelle nous ne pourrions ni penser ni parler s'est créée et s'est transformée en un système et une science à partir d'une mystérieuse *cabale du chiffre trois*, qui par hasard s'est glissée et est restée oubliée dans la philosophie grecque.

Pour mon compte (tiens, tiens, à chaque instant je fais une nouvelle découverte quand j'opère dans les éléments et les facteurs du langage : si je suis un "compte", cela signifie que moi, le centre du monde, je ne suis qu'un *nombre* comme les autres) – bref, pour mon compte, définir mon existence en un petit point du système de coordonnées est une condition aussi indispensable pour moi que pour quiconque.

C'est pourquoi je dois connaître tant de nombres depuis ma venue au monde.

Non seulement je dois les connaître, mais je dois y prêter attention, je dois tenir le compte des nombres, suivre, vérifier leurs modifications.

Le premier nombre dont je me souviens est une date, une année : mille huit cent quatre-vingt-seize, ma première prise de conscience de ma situation dans le temps.

Puis le numéro de la maison que nous habitions alors, à l'âge de sept ans, le numéro dix-huit de la rue Bezerédy. Et combien d'autres numéros depuis qui, à peu d'exceptions près, sons tous restés gravés en moi, que de fardeaux inutiles (bien que, qui sait ? – si j'additionnais tous ces numéros de maison, cela donnerait peut-être quelque chose).

Et si j'essaye simplement d'énumérer à la hâte tous les nombres que je dois savoir et dont je pourrais avoir besoin à propos de moi-même ou des choses me concernant, pour qu'on me prenne pour une personne normale et qu'on ne me rie pas au nez si je suis incapable de répondre à une question des plus simples – je dois me prendre pour un vrai Móric Frankl[65].

Penser seulement ce qui se passerait à la plus simple audience où l'on voudrait enregistrer mon état civil si je n'arrivais pas à proférer du tac au tac, sans réfléchir, l'année, le mois et le jour de ma naissance, la date de ma scolarisation, de mon incorporation, de mon mariage, où j'habite, à quel étage, combien j'ai de pièces et combien d'enfants, à combien se montent mes revenus.

---

65 Virtuose slovaque de calcul mental (1860-1914)

Je ne parle même pas des numéros de téléphone – c'est une science à part. Il fut un temps, je m'en souviens encore, où il n'existait pas d'annuaire – la demoiselle du téléphone était censée connaître tous les numéros par cœur ; elle y avait été formée à un stage de six mois. Aujourd'hui tout citadin ordinaire possède en tête au moins autant de numéros de téléphone que ces demoiselles de naguère devaient en posséder.

Par ailleurs chez le chapelier on trouve naturel que je connaisse mon tour de tête et le cordonnier serait étonné si je n'étais pas en mesure de l'informer sur la pointure de mes pieds.

Je dois connaître mon tour de cou, retenir le numéro de mon billet de loterie. Si on décide de faire un petit voyage, on est obligé de garder en tête un nombre invraisemblable de chiffres – le numéro du wagon, la date du départ et de l'arrivée à la minute près, le numéro des bagages à main, celui du compartiment, celui de la chambre d'hôtel, celui du porteur, celui de mes tickets de repas, le numéro de notre passeport, le numéro de la page où j'ai interrompu ma lecture – ajoutons à cela les calculs incessants, sans un instant de répit, pour savoir combien il me reste d'argent, combien il en manque, combien coûte ceci, combien je peux dépenser pour cela.

Mes poches sont remplies de chiffres. Toutes sortes de tickets de tram, de factures, des numéros de rues sur des enveloppes. Quand il s'agit de la santé, je dois me frayer un chemin à travers un labyrinthe de chiffres, franchir une montagneuse bouillie de chiffres – ma tension artérielle, mon pouls, mes globules rouges, il faudra tenir compte de tout cela.

Je suis introduit dans mille sortes de listes, de registres, de dossiers, je dois connaître les numéros qui m'ont été attribués, attribués à mes gestes, à mon attitude, toutes les nuances de mes contacts avec les gens sont déterminées par le rang qui me classe à leurs yeux, où, à qui, à quoi j'appartiens, *combien* je vaux dans l'univers des quantités – le numéro est une question de vie ou de mort puisque je peux me tirer une balle dans la tête s'il s'avère que *je ne compte plus*, je suis un zéro, une quantité négligeable, je suis le Grand Néant qu'il ne faut plus compter au rang des vivants.

Oui, au rang des vivants. Parce que j'ai beau essayer de me rassurer que tout cela n'a rien à voir avec la vie, que tous ces chiffres ne sont qu'un vade-mecum d'orientation – les nombres sont une invention humaine, pour faire régner l'ordre, la nature n'a rien à y voir.

Grave erreur.

Les sciences naturelles qui s'efforcent de connaître de plus en plus pertinemment les conditions de la vie et de l'existence, se voient obligées de reconnaître avec effarement que la nature travaille avec certains nombres mystérieux, je pourrais presque dire cabalistiques.

La formation des cristaux, toute forme archaïque de la genèse des substances se fait suivant la contrainte de certains systèmes de chiffres : sous les formes de trois ou quatre axes. On dirait que les numéros atomiques des éléments ont été calculés par un mathématicien, tellement ils forment une série régulière – des éléments inconnus ont été découverts, simplement parce que leur existence avait été prévue par le calcul. Mais ces drôles de cabales existent aussi dans le monde des vivants. La température du corps humain c'est trente-sept – pile trente-sept, ni plus ni moins. Si c'est plus ou moins, il n'y a plus de vie humaine – comme il n'y a aucune vie en dessous ou au-dessus d'une certaine température : de quelque façon que l'esprit renâcle, méprisant la nature, la nature ne démord pas d'un quarante-huit, une fois qu'elle l'a déclaré.

Si quiconque prend ce que je viens de dire pour des explications arbitraires que l'on imputerait à la nature – j'attirerai son attention sur l'une des plus merveilleuses recherches biologiques des dernières décennies, le *mendélisme*. Selon cette découverte on a trouvé certains corpuscules dans les cellules, éléments de construction des êtres vivants. Après une coloration de la substance cellulaire, après une comparaison numérique de ces corpuscules, les chromosomes, il s'est avéré que leur nombre *est caractéristique de l'être vivant* dans les cellules duquel ils se trouvent. Il y en a tant et tant dans les cellules du chien, deux de plus ou deux de moins dans celles de l'écureuil – toute espèce a son nombre chromosomique particulier. Et maintenant vient la bombe, le grand boum, la logique merveilleusement mystérieuse et merveilleusement simple, honte de tous les mathématiciens, la logique de la nature accusée d'être illogique : il s'est avéré que, dans la société cellulaire comptant des milliards de cellules et constituant le corps d'un être vivant, il n'existe qu'un seul type, ou deux types chez les bisexués, dont le nombre chromosomique n'est pas égal à celui des autres, mais il en est *exactement la moitié*. Ces deux cellules-là sont l'ovule et le spermatozoïde, le pistil et le pollen, ces deux-là parmi les myriades d'autres, dont la fusion, autrement dit l'addition des deux nombres, génère les autres, génère la vie, justifiant le calcul précis et pertinent du créateur du monde.

23 octobre 1927

LE RIRE

Dans la rue je suis arrêté par une affiche surprenante. En haut on lit : « Le rieur sage ». Il propose des livres à acheter. Au milieu un visage de profil – celui d'un homme bien rasé, au regard méditatif, passablement morne – il ne rappelle outre mesure ni Socrate, ni Democrite. Il rappellerait plutôt ma personne. Tiens, mais c'est vrai. En effet, c'est moi.

Je le fixe avec émotion.

Bon, bon, je sais, c'est une réclame – il ne s'agit pas de moi ici, c'est une affaire entre la maison d'édition et le public ; entre eux ils parlent de moi comme il leur plaît, ils prennent des positions concernant ma Modeste Personne comme ils l'entendent. On a du mal à s'en mêler. N'écoute pas à la porte quand on parle de toi, c'est un bon vieux conseil – tu n'entendrais que ta honte. Tant pis, il y a tant d'affiches partout, fallait-il que je m'arrête juste devant celle-ci qui parle à tous sauf à moi, qui veut dire quelque chose, qui a besoin de tous sauf de moi. Le sage rieur au visage morne se détourne nerveusement, avec impatience, quand il me voit, d'un geste furieux de sa main il me fait signe de déguerpir :

- Qu'est-ce que tu as à reluquer, petit imbécile ? Tu n'achèteras certainement pas ces livres. Dégage ! Fais place au public sérieux et méritant !

Bon, d'accord, sage rieur, c'est entendu, je me tire, je déguerpis, avec au cœur un sentiment étrange. Néanmoins tu ne peux pas m'interdire de méditer sur les deux mots par lesquels tu t'es désigné. Tu es un gars culotté, c'est certain – où as-tu puisé ton courage ? En modeste retrait, au coin de la place du marché où tu rameutes les curieux avec battements de tambour braillards, tu te pâmes pour ta gaîté et pour ta sagesse, je te regarde, je hoche la tête, j'aimerais revenir vers toi sur la pointe des pieds, en rasant les murs, te souffler quelques mots à l'oreille. Juste quelques mots, les mots de ce jeune homme que, t'en souviens-tu ? Tu as déjà rencontré et que, souviens-toi, tu as oublié plus profondément qu'avant votre première rencontre.

Mais cela est tout de même ton affaire privée. Et de toute façon, je n'ai nulle envie de faire le sentimental, je voudrais seulement te prévenir…

Es-tu sûr d'avoir bien choisi ces deux mots ? Même de ton point de vue à toi, vulgaire et simpliste.

Sais-tu ce qu'est un sage ? Sais-tu ce qu'est rire ?

N'insistons pas sur le premier. Nous devrions l'être, toi ou moi, être sage, afin de délimiter ce mot : c'est la loi de la relativité des âmes, il vaut mieux ne pas y penser.

Mais le second…

Sais-tu ce qu'est rire ? Sais-tu ce qu'est faire rire ? Sais-tu ce qu'est le rire ?

Tu n'as aucune raison de t'étonner de mes questions naïves. Voici moi dont tu as revêtu la panoplie sur ce marché, je suis arrêté ici et je t'avoue franchement que c'est la première fois que je réfléchis : que signifie vraiment ce terme ?

Ce qu'en général nous supposons être son contraire, je pourrais en parler plus longuement. À l'âge de vingt ans j'ai écrit une étude sur les larmes, les pleurs. J'ai tenté d'y prouver que les pleurs sont une des formes la plus intense, je dirai presque la plus perverse de l'ivresse psychique et physique – les larmes, bien-être berçant, plaisir grisant, dangereuse passion, luxure que nous commettons avec les yeux, d'une volonté inconsciente, cherchant avec ruse l'accomplissement de la jouissance au paroxysme duquel elle jaillit de nos yeux enflés.

Mais si les pleurs sont une ivresse voulue et recherchée, un presque bonheur – qu'est alors le rire ?

Oui, qu'est le rire, demandé-je pour la première fois, à l'âge de quarante ans, quand j'ai deux fois l'âge que j'avais au moment où j'ai découvert la source des larmes.

Parce que la chose n'est pas aussi simple qu'on pourrait le croire de prime abord. *Sur ce dont* nous avons coutume de rire, *sur le comique*, les esthètes, les explorateurs de l'âme et même les naturalistes, physiologistes, biologistes ont beaucoup parlé et beaucoup écrit. Les lois du comique sont à peu près connues – nous connaissons grosso modo ce qui enclenche le rire de l'homme – de l'homme *seulement*, parce que l'homme est le seul de tous les animaux qui sait rire, tout comme c'est l'homme seul, parmi tous les animaux, qui sait se suicider. (Chose mystérieuse ! Un jour peut-être on en connaîtra la raison !

Nous savons *ce que c'est qui* nous fait rire – mais pourquoi rions-nous ? Qu'est-ce que cela signifie ? Qu'est-ce qui se passe en nous quand nous rions ? Personne n'a encore fourni de réponses rigoureuses à ces questions. Le livre célèbre de Bergson "Sur le rire", malgré son titre, n'apporte une fois de plus qu'une théorie du comique, sans aborder l'état physique et psychique dans lequel nous nous trouvons *pendant le rire*.

Voilà un terrain vierge, une page blanche dans l'encyclopédie des définitions, des notions. Cela mériterait qu'on y consacre des livres, mais si je m'y prends bien, quelques allusions ad hoc en diront peut-être autant. Voyons un peu :

Je commence par la fin, par le soupçon paradoxal qui s'est fait jour en moi tout à l'heure, quand je songeais à analyser les pleurs. On prend en général les pleurs pour une expression de la douleur, et le rire pour celle de la joie, cela en partant de l'expérience qu'un dommage subi nous fait pleurer et un bénéfice nous fait rire ! Bien sûr, mais nous avons négligé quelque chose. Le dommage ne suscite pas *directement* les larmes. D'abord il *attriste*, et les pleurs atténuent la tristesse. Ce qu'est la tristesse, j'ai essayé de répondre plus haut à cette question, maintenant j'ajoute simplement que dans son expression extérieure le visage de l'homme qui pleure, avec ses pupilles dilatées brillant dans le brouillard, les lèvres à demi ouvertes, évoque aussi l'extase transfigurée nageant dans le plaisir, presque dans la béatification que les peintres et les sculpteurs aiment placer sur la figure des saints et des anges dans la proximité du paradis.

En revanche, qu'est-ce que je vois vraiment si je scrute objectivement (donc sans rire avec lui) le visage de l'homme qui rit ?

Une bouche péniblement tendue, des gencives qui se contractent en une crampe. Des yeux dissimulés derrière des paupières convergentes, enflées, des tempes ridées des deux côtés.

Si je cherche les similitudes, que m'évoque cette expression, je suis forcé d'admettre que cela me rappelle surtout un visage tordu sous l'emprise d'une forte douleur physique. Lors de graves interventions chirurgicales, le malade qui se maîtrise affiche des grimaces de la sorte, grinçant des dents entre des gencives comprimées, les yeux contractés. Il est étonnant que personne encore n'ait découvert à quel point l'expression de la victime soufrant sur le banc de torture rappelle celle que nous connaissons comme celle du rire ou du rictus, alors qu'elle est l'expression typique d'un homme à l'agonie, aux affres de la mort – ce qu'on appelle *le faciès hippocratique* attire notre attention sur cette ressemblance. Enfin, je cite encore une image pour terminer, le symbole final de toute horreur et toute panique, l'emblème de la mort irrévocable – *la tête de mort*, avec sur son visage le large rictus manifeste, reconnaissable, ferme, explicite – définitif, figé pour l'éternité.

C'est terrible, n'est-ce pas ? C'est pourtant comme ça. Ajoutons maintenant *le bruit du rire*, les hoquets haletants, rapides, éructés de la gorge – et le paradoxe est là :

À l'opposé du plaisir des pleurs, on est acculé *au supplice du rire*.

C'était jusqu'ici une image extérieure ; ce que nous en avons déduit, pourrait sembler pure impression, idée arbitraire ! Voyons ce qui se déroule *à l'intérieur* de l'homme qui rit.

D'un point de vue *physique*, le rire est physiologiquement facile à définir. Le diaphragme se contracte, il essaye par ses spasmes d'inverser la direction normale des *mouvements* dits *péristaltiques* de l'estomac. Les poumons contrebalancent les hoquets ainsi provoqués par des expirations rapides.

Qu'est-ce que cela rappelle ?

Hélas nous ne pouvons pas éviter de le dire : cela rappelle manifestement un *vomissement* modéré – le pénible état physique où l'estomac, n'arrivant pas à digérer des substances impropres ingurgitées, tâche de s'en libérer par la voie la plus courte, en retournant par la bouche ce que cette bouche n'aurait jamais dû avaler. Ce processus, surtout chez des sujets nerveux, *démarre* même si la substance indigeste n'est pas *effectivement* entrée dans l'estomac, c'est seulement *son image* qui s'est projetée dans notre conscience, avec la crainte *qu'elle pourrait* éventuellement y entrer – ou éventuellement même pas son image, ou seulement *son évocation* : cela peut suffire pour nous faire vomir ou au moins nous retourner l'estomac. Cette nausée, ce haut-le-cœur, cette réaction à l'évocation désagréable parvenue à la conscience, nous l'appelons vulgairement *écœurement*.

Voici donc le premier résultat accablant, le premier lien qu'offre une analyse comparative du rire ; elle conduit à creuser davantage, à viser ce qui est substantiel.

Par son origine végétale et animale l'instinct humain approche tout objet du monde avec tendance à l'engloutir – à l'instar de son ancêtre commun, le protozoaire unicellulaire qui tout simplement s'aplanit et entoure, ingurgite les corpuscules rencontrés sur son chemin. Physiquement cette tendance se réalise dans le manger et le boire – et psychiquement dans l'effort de vouloir *connaître*, autrement dit annexer dans sa conscience, tout phénomène, toute relation, tous les tenants et aboutissants du monde extérieur, *comme une réalité absorbable*.

Ayant compris au cours de l'évolution qu'une partie des objets engloutis est cause de malheur et de mort, un appareil de défense s'est formé pour le tri et la *sélection*. Le fonctionnement physique de cet appareil est réglé par *l'écœurement* et son fonctionnement psychique par la *peur*. Nous sommes dégoûtés des substances nuisibles à notre corps, nous craignons les notions nuisibles à notre psychisme – la peur et le dégoût nous retiennent de les absorber : de digérer le poison ou accepter pour réalité l'invraisemblable.

Pour l'heure, sur ce point, comme ce n'est pas un livre que nous comptons écrire, nous pouvons arrêter la sonde engagée vers la racine des choses. Nous avons trouvé une continuité directe entre deux émotions purement animales, le dégoût et la peur, et une manifestation carrément humaine. Dégoût et peur – c'est de ces deux émotions désagréables qu'est né, après évolution et raffinement, jusqu'à devenir méconnaissable, l'état d'âme qui nous conduit au rire. (Il nous y conduit – car nous *voulons* pleurer, mais nous sommes *forcés de* rire.) Durant son évolution cet emportement a reçu des signes contraires, tout au moins pour un observateur superficiel – d'un sentiment désagréable il est devenu apparemment agréable.

Le rire, nous le souhaitons et l'exigeons alors que nous haïssons et refusons les pleurs.

Pourtant, encore une fois, quelle est donc la substance du rire ?

Nous sommes désormais en mesure de répondre.

Notre conscience affamée étale au grand jour tous les orifices des organes sensoriels vers le monde extérieur. Elle s'efforce avidement de ramasser, connaître, comprendre et lier logiquement (absorber, digérer) tout ce qu'elle trouve sur son chemin. Transformer le mal en bien, le laid en beau, l'insensé en raisonnable.

Alors intervient une chose qui est fondamentalement inapte à une telle transformation. Une chose, un événement, un symptôme, n'importe quoi qui tenacement et obstinément résiste à l'ambition d'en faire un composant organique de la raison humaine – tenacement et obstinément il veut rester ce qu'il était, ce qu'il était initialement dans le monde extérieur, il refuse de participer à l'ordre du monde anthropocentrique, il ne veut pas se disloquer, il ne veut pas perdre sa substance.

Et le rire éclate – la protestation d'origine crispée, pénible – refus et rejet. Au prix du court supplice de la crampe du rire nous nous libérons, nous éjectons de nous l'image que notre raison a jugée absurde. Plus la chose est absurde, plus elle a du mal à s'éjecter – plus fort, plus long sera le rire. Après vient un apaisement, mais pas l'apaisement, berçant, reposant qui ordinairement suit les pleurs. Observez-le : après des heures de rigolade, restés seuls, nous portons alentour un regard morne, insatisfait (déjà Bergson a démontré que pour bien rire il faut de la *compagnie* – seul un fou rit tout seul), le monde nous déplaît, nous aspirons à le changer, à mieux nous y positionner, à en transformer les conditions. Une de mes connaissances ayant essuyé une longue peine de prison m'a un jour reproché de lui avoir envoyé pour lecture un livre humoristique. « Comment pourrais-tu savoir, ainsi m'a-t-il apostrophé, à quel point il est épouvantable de rigoler un bon coup dans sa cellule, puis jeter le livre, prendre conscience du lieu où on se trouve – et avoir honte d'avoir ri ! »

Car les pleurs, c'est paix, apaisement, résignation, mort, nirvana, bonheur – le rire, c'est combat, résistance, souffrance, vie.

C'est pourquoi nous dénions la béatitude aux pleurs – c'est pourquoi nous exigeons la souffrance du rire.

Voilà ce que j'avais envie de te souffler à l'oreille, sage qui rit, avec ta tête renfrognée. Tu devrais rejeter de ton dictionnaire ou le rire ou le sage. Tout au moins quand je suis présent.

Au demeurant je te souhaite un bon succès commercial !

20 novembre 1927

À PROPOS DES MANIFESTATIONS ÉTUDIANTES

La dernière fois que j'ai manifesté à l'université c'était il y a vingt et un ans. J'étais étudiant en première année, au premier semestre. Je m'étais inscrit en mathématiques et en physique, cependant je suivais la chirurgie chez Dollinger[66], et à la bibliothèque je lisais Schopenhauer, Taine et Mommsen jusqu'à neuf heures du soir. Tout cela ne m'a pas empêché de tenir une lecture, un essai sérieux sur Gyula Reviczky au cours de stylistique du très raffiné Négyesy, que même le professeur a beaucoup apprécié, et il n'excluait pas qu'avec le temps j'accède à de véritables mérites dans le domaine de la littérature de Reviczky.

Quant aux manifestations, un jour j'étais justement en train d'écouter Kürschák à l'Université Polytechnique (j'y ai aussi fait de fréquentes excursions), quand la porte s'est sauvagement ouverte et un beau jeune homme au visage enthousiaste agrémenté de favoris a fait irruption – il a écarté le professeur interloqué, sauté sur son bureau et d'une belle voix de baryton riche en trémolos s'est mis à déclamer quelque chose comme : « Citoyens de l'université ! »

Ce qu'il a déclamé, je ne m'en souviens pas (vraiment pas !), je me rappelle seulement que j'ai ressenti un coup de foudre – il rappelait d'une part Byron et Werther, et d'autre part c'est ainsi que je m'imaginais Zoltán Kárpáthy[67] (à cette époque-là, même par hasard, je comparais des hommes de chair et d'os exclusivement à des héros de romans). Ce jeune homme s'appelait Armand Melha, aujourd'hui c'est un respectable médecin.

À partir de ce jour nous avons vécu dans une fièvre permanente pendant des semaines. J'en garde des images très nettes mais ponctuelles, sans relations entre elles ; j'essaye de les remémorer :

Réunion dans la salle d'honneur. Melha fait un discours, puis un jeune homme maigre hurle. Dans sa colère il brise sa canne en deux et lance les morceaux dans la foule où je me trouve.

---

66 Gyula Dollinger (1849-1937. Chirurgien, orthopédiste ; Theodor Mommsen (1817-1903). Historien, juriste, homme politique allemand ; Gyula Reviczky (1855-1889) Écrivain ; László Négyesy (1861-1933). Professeur de littérature ; József Kürschák (1864-1933). Mathématicien.

67 Héros du roman éponyme de Mór Jókai

Un soir je hurle dans une foule au jardin de l'Université Polytechnique, un gars nommé Zajcsek agite un drapeau. Des gendarmes à cheval se ruent sur nous. Ils essayent d'arracher le drapeau des mains de Zajcsek. Zajcsek résiste, alors ils l'emmènent avec le drapeau. Nous courons le long des rues, quelqu'un s'écrie : « Les socialistes ! ». Gros tumulte, bagarre.

Je trotte en haletant dans une rue latérale, dans les débris de la foule dispersée. Je débouche sur le Boulevard. Un défilé morne, silencieux. Qui cela peut être ? Je me joins à eux à tout hasard. Après un tournant le ton change, des cris jaillissent, des cailloux sortent des poches, en une minute ils brisent tous les carreaux. Je m'arrête étonné, le défilé se disperse en une fraction de seconde. Et déjà étincellent des épées nues – une charge de police ! Deux coups de plat sur mon dos, je cours à toutes jambes – au coucher je tâte les bleus de mon dos en gémissant.

La rédaction d'un quotidien. Nous sommes une cinquantaine. Quelqu'un distribue des gourdins, des revolvers et des cervelas : je fourre le revolver dans ma poche, je saisis le gourdin, je mords une grosse bouchée de cervelas. État de siège. L'ennemi a assiégé le bâtiment – le combat pourrait durer jusqu'au matin. C'est pour cela qu'ils ont distribué aussi de quoi manger.

Le matin nous défilons en chantant, en criant, le long des couloirs de l'université, nous faisons irruption dans toutes les salles. « Pas de cours ici aujourd'hui ! ».

Voilà les images – des images nettes, pures, enthousiastes, chargées de colorations sentimentales, de fierté juvénile. Mais – aucun rapport entre elles.

Il faut savoir en effet – allons, je révèle la chute de l'histoire – je n'ai pas l'ombre d'une idée *de quoi il s'agissait*. Pourquoi nous avons manifesté, contre qui, pour qui, dans quel but ? – j'ai beau me torturer la cervelle, rien ne me vient.

Pardon – oublions cette incapacité. Ce n'est pas là que le bât blesse. Le fait est que – hum, comment le dire, comment circonscrire la chose sans être obligé de me sentir honteux aujourd'hui, vingt ans plus tard. Le fait est que – j'ai l'horrible soupçon que *déjà à l'époque* je n'avais pas le moindre début d'idée, oui, de quoi il pouvait bien s'agir.

Mais puisque j'en suis arrivé là, je vais plus loin. J'en garde encore une autre image souvenir – elle se blottit gauchement, étrangement, honteusement quelque part. Nous fonçons insolemment, en hurlant, dans les couloirs. Un doux professeur au visage triste apparaît en face – il est ceint d'une barbe blanche, chaussé de lunettes, je ne sais plus qui c'était. Il gesticule, il a manifestement quelque chose à nous dire, il demande la parole. Nous finissons par nous taire, nous l'encourageons avec une supériorité narquoise. Alors doucement, en chuchotant, poliment, il dit simplement : « Messieurs, s'il vous plaît, un de vous aurait-il l'obligeance de m'expliquer brièvement ce que vous souhaitez en fait ? » Silence. Nous nous regardons. Certains bafouillent des syllabes, d'autres se mettent à rigoler. Les visages affichent des grimaces de ricanement idiot. Le professeur attend, étonné, trois longues minutes. Puis il hausse les épaules, il a honte lui aussi, il s'éloigne en rasant les murs. Nous gardons encore un peu le silence, puis quelqu'un s'écrie : « Tous à la direction ! » Hurlements. « Allons-y ! » On se précipite.

Nous devions être une cinquantaine de manifestants – et j'ose affirmer que nous n'avions pas la moindre idée, nous ne savions pas pourquoi nous manifestions.

Et pourtant il se trompe gravement celui qui attend après cela de moi la sagesse d'un geste dédaigneux et souriant de la main – quelque chose comme : jeunesse, folie, le jeune sang aime gigoter, peu importe – que les manifestations universitaires de la sorte se ressemblent toutes, un geste apaisant suffit toujours par les régler.

Oh non, non, et mille fois non !

Nos manifestations sans savoir exactement à quelles fins – même aujourd'hui je ne peux pas les considérer comme de l'inconscience, du bavardage immature. Bien au contraire ! La base de ce charmant comique était la très profonde et très tragique réalité qu'elle était garantie non par *trop peu* mais au contraire *trop* de contenu idéologique et philosophique, générant courage, combativité et promptitude. Que nous importait, que pouvait bien nous faire de savoir quel tournant de la situation politique ou sociale du moment rendait actuel notre combat ! Nous ne pouvions peut-être pas préciser nos exigences du moment – mais où nous aboutirions *en fin de compte*, quel était le slogan final, quelle était la vérité, quelle était l'exigence pour la réalisation desquelles il convenait de saisir toutes les opportunités, quand nous revendiquions fièrement notre place dans l'orientation du destin de la société, du pays, de la nation, de l'humanité – nous sentions cela si évident, si naturel, qu'il ne valait même pas la peine d'en parler, qu'il était inutile de s'y référer, superflu de le présenter ni de le justifier. Il était évident et naturel que ce contenu idéologique, cette pensée et cette profession de foi étaient identiques et équivalents au contenu des idéaux les plus divers et les plus généraux et les plus élevés et les plus nobles – il était évident et naturel que nous, en fin de compte, luttions pour la patrie, la liberté, le progrès, l'avenir, pour les droits les plus sacrés de l'homme, au nom des désirs les plus sacrés de l'âme humaine – pour quel autre objectif pouvions-nous lutter, nous, étudiants de vingt ans, porte-drapeaux de cette Liberté Universelle au nom de laquelle Petőfi et les autres jeunes ont non seulement lutté, mais *ont livré* la guerre d'indépendance de 1848 ; pour quel autre objectif nous autres, chevaliers de la raison, du cœur, de l'esprit et du courage, héritiers et exécuteurs du testament qu'ont déposé solennellement justement entre nos mains un Socrate, un Christ, un Rousseau et un Petőfi, ayant reconnu l'étrange paradoxe selon lequel il existe des idéaux, les idéaux les plus sacrés, pour lesquels ce ne sont pas les vieux mais les jeunes qui ont vocation de lutter le plus efficacement, précisément à cause de leur jeunesse, leur situation particulière selon laquelle ils n'ont pas encore développé d'intérêts individuels, ils n'ont pas encore gâté l'enthousiasme sincère et généreux pour la Vérité qui naît avec nous, et que la lutte pour la vie ne fait dégénérer en nous que plus tard en un égoïsme philistin.

Ce credo qui était le nôtre était si simple et si allant de soi, une certitude si universelle de tous les temps – il était si inimaginable que des jeunes gens *de vingt ans* pussent combattre pour autre chose que la Vérité Absolue, que ce fût dans la Grèce antique, que ce soit aujourd'hui, que ce soit au vingt-cinquième siècle ! – nous étions vraiment dispensés de nous préoccuper de questions de détail : qui aurait osé nous soupçonner d'être partisans, partiaux, opportunistes, même dans nos erreurs ?

Et voici que –

Et voici pourtant…

Que ne fallait-il pas qu'il arrive ?

Si j'entrais aujourd'hui dans l'université fiévreuse et échauffée, et si j'étais moi-même ce professeur, je serais obligé d'avoir honte non *parce que* la jeunesse ne sait pas pourquoi elle manifeste – mais parce qu'elle le sait fort bien, et pourtant elle manifeste.[68]

Elle le sait – tout au moins elle croit le savoir.

Mais peut-être ne le sait-elle quand même pas. Impossible. Je ne peux pas me l'imaginer.

Il serait peut-être quand même utile d'y aller et de le leur expliquer. Leur "contenu idéologique" au nom duquel ils se battent, c'est-à-dire ce machin, je dois l'avouer, est effectivement un peu plus compliqué que n'était le nôtre. Notre idéal à nous ne nécessitait pas beaucoup d'intelligence et de compréhension – il suffisait d'un peu de cœur, d'un peu de bouderies, un peu de mépris de ce qui est injuste, inhumain, le mépris de tout ce qui a été inventé par "les adultes" pour défendre leurs misérables intérêts – bref : il suffisait pour cela d'être jeune. Patrie, liberté, égalité – des idéaux vraiment pas trop compliqués. On n'avait pas besoin des "adultes" pour nous les enseigner – c'est plutôt *nous* qui les enseignions aux adultes, nous les leur avons enseignés, nous les leur avons rappelés, nous les leur avons rabâchés constatant qu'ils les avaient oubliés.

Ces manifestants d'aujourd'hui ont une tâche autrement plus ardue. Tellement plus ardue que seuls des adultes peuvent en inventer de telles. Il y a dedans des notions telles que, par exemple, biologie raciale, mentalité, affinité sanguine.

Il faudrait tout de même retourner à l'université et parler avec eux. Il n'est pas concevable qu'ils comprennent cela et que pourtant ils manifestent, et qu'ils manifestent au nom de tout cela – des étudiants, des jeunes de vingt ans, semblables à moi, à moi, un garçon de vingt ans qui ne voulais pas enseigner, mais qui voulais m'instruire jusqu'à ma mort !

Les enfants, c'est impossible, je ne peux pas croire que ces inepties de vieux, pédantesques, prétentieuses telles que la biologie raciale et la mentalité – je ne peux pas croire que vous les ayez gobés et que vous vous battiez pour cela !

Les enfants, gars de vingt ans, citoyens étudiants, mes compagnons de l'université, il est impossible que vous croyiez à cela !

---

68 Il s'agit du numérus clausus, loi antisémite du régime Horthy qui limitait l'accès des Juifs à l'enseignement supérieur

Les enfants, gars de vingt ans, vous devriez être meilleurs que nous, vous qui devez servir à nous rappeler l'idéal oublié – étudiants *universitaires*, qui devez lutter pour la vérité *universelle*, il est impossible que par instinct et par volonté vous entriez dans un tel combat mesquin, il est impossible que vous soyez plus égoïstes et plus mesquins que les adultes luttant pour leur vie !

Non, non, tout simplement vous n'y voyez pas clair - n'est-ce pas ?

Vous ne comprenez pas, vous n'avez pas entrevu l'erreur, vous vous êtes perdu dans le labyrinthe des notions complexes – vous n'avez pas compris que ce ne sont que des notions et non des idéaux, vous prenez des notions confuses pour des idéaux !

Vous vous êtes emmêlés dans des notions – écoutez-moi !

La mentalité juive – ce n'est qu'une notion, les enfants. Une notion avec laquelle on peut jouer – je vais vous montrer comment. Lorsque vous poursuivez un Juif pour sa race – par cette poursuite vous tombez dans l'esclavage de la pensée juive la plus archaïque ; vous donnez raison à ce Jéhovah cruel, injuste, qui châtie le crime des pères dans les fils – vous tombez dans le crime inhumain du fanatisme ; en quoi parole enjolivée, raisonnement compliqué, pourraient-ils vous aider ?

Ne luttez pas pour des notions, les enfants, luttez pour des idéaux ! Pour des idéaux bons, justes et vrais ! Aimez le bon, le juste et le vrai – haïssez le mauvais et le faux ! Ignoble Juif, brave Chrétien – brave Juif, traître Chrétien ; qu'avez-vous à faire avec ça ? Ce que vous recherchez c'est que vive le juste et vive le brave – que périsse l'ignoble et que périsse le faux ! Tant pis pour celui, d'où qu'il vienne, qui se révèle être ignoble et faux !

Jetez à terre tout votre dictionnaire – non, ce n'est pas impossible – autrement je ne vous reconnais pas !

Un seul soupçon me console – la moralité de cette fameuse légende de Barrabas que je vous ai contée voilà une dizaine d'années : séparément, un à un, vous comprenez cela parfaitement – séparément, un à un, vous me donnez raison ; c'est seulement quand vous vous retrouvez en foule que l'on entend au lieu des "Christ" enthousiastes, comme un hurlement maudit : « Barabbas ».

27 novembre 1927.

LA SOCIÉTÉ

Gulliver de Swift raconte qu'au pays des nains son attention a été attirée par un étrange livre des lois, complément de notre code, que l'on trouve dans ce pays si naturel que sans lui on ne pourrait pas imaginer l'autre non plus. Nous ne connaissons que la loi pénale, mais eux, les Lilliputiens (peut-être est-ce pourquoi ils sont si petits) ont également édifié une sorte de *code de récompenses*. Quelqu'un qui se rend coupable, la loi le punit – mais quelqu'un qui fait une bonne action mérite une récompense selon la même logique que la punition pour le méchant : on lui offre une joie, un bénéfice de même valeur que de souffrance ou de dommages à celui qui a causé par son acte souffrances et dégâts.

Dans ce pays il est moins besoin, au-delà de la terre et du corps mortel, de promesses mystérieuses et incertaines édifiées chez nous par de fumeuses théosophies, telles que celles qui ont coutume de rafistoler l'expérience désagréable de l'homme qui lutte et se bat dans la vraie vie ; si là-bas faire le mal comporte des risques, le cas échéant on peut même y être perdant, tandis qu'il est aussi possible d'y gagner en faisant le bien. Chez nous une bonne action est au mieux notée seulement en haut, dans un pays inconnu, à la rubrique des "crédits" : ici, sur la Terre ça ne donne même pas le droit de toucher une avance. Et de cette expérience désagréable, l'homme est contraint de tirer une conclusion désagréable, celle que dans la société humaine ce ne sont pas le bien et le mal qui livrent combat, mais le faible contre le fort, de la même façon que dans la nature – et si l'on poursuit le raisonnement, il en ressort que ce que nous appelons le bien, est en langage humain une faiblesse, et que ce que nous appelons le mal cela compte pour une force.

Or, or – cette conclusion est tout à fait erronée : elle ne caractérise pas l'homme mais seulement les lois de la société, c'est là que nous les puisons. Étant donné que nous voyons son résultat et son bénéfice (dans les cas chanceux) comme de mauvaises actions réussies, et comme nous avons pris l'habitude (en appliquant à nous-même les lois mécaniques du monde de la physique) de n'investir de l'énergie que dans l'espoir d'une réussite, dans les heures faibles et mauvaises de l'abattement ou de la tristesse nous sommes enclins à supposer de la force derrière ce qui est vil et supposer derrière la bonté un manque de force, une faiblesse qui ne s'est prétendue vertu que par nécessité ou contrainte. Notre fausse évaluation se modifierait, s'amenderait aussitôt qu'il existerait aussi une loi humaine *de récompense* qui, reconnaissant que la certitude de l'opposition *du faible au fort* ne vaut que pour les animaux – l'homme, par sa vie sentimentale plus profonde et complexe, est bel et bien *bon ou mauvais*, indépendamment de sa force ou de sa faiblesse – reconnaissant que le bien n'est pas *le manque* mais le *contraire* du mal, qu'il est une force tout aussi vivante que l'autre : il considérerait la bonne action comme une réalité tout aussi concrète que la mauvaise action. Il s'avérerait ce que par pure superficialité nous avons commencé à considérer comme impossible : tout homme mauvais n'est pas forcément fort et tout homme bon n'est pas forcément faible – et même (mais c'est une autre question de savoir pourquoi, exigeant une preuve à part) il est probable que parmi les gens, contrairement aux animaux, ce sont souvent les forts qui sont aussi les bons !

C'est le cas d'un de mes amis, accusé actuellement d'un délit par la loi, qui m'a inspiré ces réflexions. Ne voulant pas interférer avec le cours de la justice, je ne vais nommer ni lui, ni le délit dont il est accusé. Disons simplement qu'un jour il a gravement insulté une ou plusieurs personnes auxquelles il appartient de corps et d'esprit, d'intérêt et de sentiment. Admettons que la loi constate le délit comme il se doit : dans ce cas il doit être puni. Mais où est la loi qui ne se contente pas d'interpréter le délit, mais s'occupe aussi *d'autre chose* ? En effet, le cas est moins simple qu'il n'y paraît. De nombreux documents sont là pour attester avec précision que ceux qu'il a, paraît-il, une fois offensés, il a déjà fait énormément de bien pour les mêmes, il s'est battu pour eux, il a agi pour eux, il s'est sacrifié pour eux, il s'est dépensé à leur bénéfice, eux et leurs associés.

Quelle est la juste décision dans ce cas ? Si on se contente de punir le seul délit sans tenir compte des bienfaits par lesquels il a manifestement procuré plus de bénéfice que les dégâts causés – il en résultera un sentiment étrange dans l'âme du délictueux et des observateurs avec l'arrière-goût conscient ou inconscient qu'il était dommage de faire le mal, mais qu'il ne valait pas la peine de faire le bien. Ou bien faut-il accepter la moralité de l'anecdote grotesque dans laquelle un capitaine décore d'une médaille son barreur qui vient de sauver son navire mais aussitôt le fait exécuter d'une balle dans la tête parce que pendant le sauvetage il avait enfreint les règlements de la navigation ?

S'il existait aussi une loi de récompense, il y aurait un moyen pour le bien et le mal en tant que forces contraires de s'équilibrer, créant ainsi une harmonie dans le monde.

Car il est plus important d'avoir parmi nous des hommes bons et utiles que d'éliminer les mauvais et les nuisibles.

Je ne préconise pas, ô âmes clémentes et emplies de foi, de ne pas pardonner à vos ennemis. J'aimerais seulement que vous puissiez, une fois exceptionnellement, pardonner aussi à vos amis.

18 décembre 1927

Frigyes Karinthy

SAINT SYLVESTRE

Occasion.

Les gens cherchent des occasions pour secouer, chasser de soi, suer tous les ennuis et toutes les joies, toutes les passions et emportements coincés en eux – c'est tout. Anniversaires, jour de l'an, Saint Sylvestre, jubilé, dimanche, commémoration, repas de funérailles : autant de *titulus bibendi* et *titulus vivendi*. Ces nœuds du calendrier dans la chronologie monotone des jours ne représentent pas des limites réelles ni ne diffèrent pas des autres jours et moments, nous le savons tous bien. On a beau arrêter sa montre, le temps ne s'arrête pas pour autant – sur la gigantesque et spectaculaire partition de la voûte céleste, le Soleil et la Lune, la Grande Aiguille et la Petite Aiguille, continuent de courir, jamais personne ne les a vues s'arrêter. Mais d'accord, jouons le jeu, admettons que c'est le jour de l'an, que c'est par excellence un apogée d'où on peut voir plus loin en arrière et en avant, vers le passé et vers l'avenir – puisque l'enjeu est toujours ceci : commémorer et anticiper. Allons-y, profitons de l'occasion, remémorons pour la cent millième fois le hier immuable et prévoyons pour la cent millième fois ce demain que nous n'avons ni la force ni l'envie de traverser – il est bien plus simple et confortable de prévoir que d'agir. Un homme brave, un homme bien élevé, un gentleman ne se mêle pas des affaires de la Providence – il a appris des sciences, on lui a inculqué toutes sortes de sagesses, et s'il voit que le sommet de la tour vacille, alors lui, connaissant la loi de la gravitation, il n'hésite pas à prévoir que la tour va s'écrouler, éventuellement même sur la tête de cet autre homme insuffisamment brave et pas tout à fait bien élevé qui à l'instant fatidique se promènerait par là.

J'ai donc l'honneur de prédire pour l'année mille neuf cent vingt-huit que tout se passera de manière très belle et souhaitable : l'agneau ne dévorera pas le loup si celui-ci a un comportement convenable.

Mais le poète, fichons-lui la paix à ce pauvre en ce jour de fête sacrée. Le poète n'a pas de fête puisqu'il n'a pas de jours ordinaires. Lui, il n'a qu'une seule fête, mais celle-ci dure du moment de sa naissance jusqu'à l'instant de sa mort – et cette fête s'appelle : *l'instant présent*. C'est une unique occasion pour lui – il n'a aucune autre occasion en ce monde. Mais quelle occasion, Seigneur ! Si vous l'aviez ressentie ne serait-ce qu'un instant, vous n'auriez plus jamais envie ou besoin de célébrer des dimanches ou des anniversaires ! Instant, *maintenant*, jubilé permanent, millénaire qui ne reviendra jamais – quelle occasion merveilleuse, aventure palpitante sur la grande route, vers des paysages inconnus ! Se tenir ici sur la berge du passé, la paroi de la montagne, le bord du ravin – se tenir sur la berge, encore un pas, et c'est l'océan, l'air, la mer inconnue. C'est ce qu'a dû ressentir Christophe Colomb debout au bord de l'Océan Atlantique, les yeux rivés sur l'horizon dont il ne pouvait pas encore savoir s'il touchait un monde étranger ou directement la voûte céleste.

Derrière le poète, des paysages quittés. Il se souvient. « Il est passé près de la source des désirs enfantins – il a franchi le gué du ruisseau de la froide déception, dans le tunnel obscur il a été transporté sur les trains brinquebalants, douloureux, du désespoir. » Mais tout cela est maintenant derrière lui, de façon inaltérable. L'image mobile s'est arrêtée, les personnages se sont figés une jambe en l'air, la bouche ouverte, le bras levé. Une main qui se tendait vers lui, un mot qu'il avait attrapé, une tuile tombant du toit de la maison qu'il avait évitée en sautant de côté. Tout ceci s'est arrêté, s'est figé en l'air.

En revanche ce qui est devant lui – personne et rien n'en a encore décidé. N'importe qui peut encore *y mettre son grain de sel*, s'en mêler, ni sage raisonnement, ni science intelligente ne le régentent – personne n'y a encore mis les pieds, personne n'y a posé des rails, personne n'y a tracé des lignes, personne n'y a construit de maison, il n'y a là ni tien ni mien, n'existent là ni dossiers, ni certificats, ni cachets, ni tampons, son destin n'y figure dans aucun registre car cette contrée n'appartient encore à personne, elle n'a encore été occupée par personne, les puissants ne l'ont pas encore distribuée entre eux. Car les routes de cette contrée n'ont pas encore été balisées, on n'y a pas disposé de panneaux ni de clôtures, personne ne connaît encore ses routes – qui d'ailleurs conduisent peut-être vers les nuages ou peut-être sous la terre – là-bas peut-être est blanc ce qui ici est noir, et peut-être en haut ce qui ici est en bas, la pierre lancée en l'air ne retombe peut-être pas là-bas sur la terre. Que personne n'ose prétendre qu'elle retombe aussi sur la terre, car dans cette contrée personne n'a encore vu de pierre, et personne n'a vu ni blanc ni noir, car cette contrée est l'avenir inconnu.

Dans cette contrée-là il a peut-être encore ses chances. Ce qui se trouve là-bas, il peut y toucher, il peut le changer, il peut le déplacer. Sur un signe de lui peut faire demi-tour ce qui est parti, et peut s'élancer ce qui était inerte. Car là-bas notre compagnon taciturne, l'imagination cent fois enchaînée, cent fois bafouée, arrachera les attaches de ses poignets et les brides de ses yeux.

Quelqu'un m'a qualifié de menteur et de chafouin parce que je n'ai pas dit certaines de mes observations sur certaines choses au moment où les choses se sont produites – j'ai préféré les garder pour un autre moment car les dire sur-le-champ m'aurait paru inopportun et la situation s'y prêtait mal. J'ai médité sur la chose – serais-je vraiment un menteur ? Il est vrai que je ne me suis pas contenté d'un simple silence : par quelques affirmations innocentes et néanmoins inexactes j'ai essayé de faire passer la chose, de gagner du temps.

Toutefois, dans mon for intérieur l'intention de dire sans cesse, dès que le lieu et le moment s'y prêteraient, dès que *je pourrais escompter que mon observation soit comprise et bien comprise par celui à qui je la destinais*, était toujours là.

Je ne crois pas qu'en matière de sincérité on puisse aller plus loin. La sincérité a ses conditions, non seulement quant à la personne qui confesse, mais aussi concernant la personne qui reçoit l'aveu. Du point de vue de la vérité, un innocent mensonge est chose plus belle, plus noble qu'être sincère, si l'on sait de façon sûre que de ce qu'on a dit, le confesseur se trouvant dans un état d'âme impropre, bouleversé, comprendra justement l'exact contraire de la vérité.

Défaut masculin : confondre la sincérité et la vérité.

Péché féminin : confondre la sincérité et l'exhibitionnisme.

La fatuité de l'homme qui m'a qualifié de menteur, se frappant la poitrine, disant que lui, il n'hésite pas à dire ouvertement ce qu'il pense, m'a fait sourire : où va-t-il chercher l'outrecuidance de supposer qu'il pense juste ?

À la femme qui m'a accusé de cachotterie j'ai simplement répondu : Madame, courir tout nu dans la rue n'est pas forcément une noble sincérité ou le rejet des chaînes de conventions mensongères – cela peut aussi n'être qu'une simple impudeur conventionnelle. En ce qui concerne la dissimulation, permettez-moi, mais j'attends quand même une occasion plus particulière que celle-ci pour dévoiler une autre partie de moi-même que ma figure.

J'ai rencontré l'homme aux rayons X, le sondeur des reins, devant lequel il n'y a pas de secret. Celui qui sonde la profondeur, qui perce les surfaces de son regard et qui te dit en face ce que tu ignorais ou niais à toi-même, ou en tout cas dissimulais à autrui. Que ton omoplate est tordue, que l'os de ton bassin manque de chic, que tes deux mâchoires ricanent largement et déplaisamment, et qu'à travers l'orifice arrière de l'orbite de tes yeux on aperçoit le spectre qui s'y blottit.

Au début ça me fascinait, ça me donnait des frissons dans le dos, que l'Invisible soit devenu visible sur la plaque scintillante dans la lumière bleue de ses yeux profonds – le cabinet obscur, les instruments mystérieusement scintillants ne faisaient que renforcer l'effet.

C'était il y a longtemps. Aujourd'hui ça ne m'emballe plus de voir mon squelette – je me suis habitué à l'idée que ce n'est pas de l'extérieur que menace le grand faucheur, mais il habite là, installé confortablement, patiemment en moi, attendant le soir où gentiment je me déshabillerai de moi-même – j'ôterai ma pelisse d'une pièce, le chapeau fourré de ma tignasse, la doublure grasse de ma pelisse, la chemise de mes muscles, la sensible chaîne de montre de mes nerfs, pour qu'ensuite il puisse s'allonger aussi. L'homme aux rayons X ne m'ensorcellera plus non plus – j'ai découvert en lui certaine déficience qui n'est ni plus petite ni plus grande que la mienne. Peut-être que mes yeux ne sont pas parfaits parce que je ne vois pas dans la profondeur – mais lui – je l'ai découvert à la longue avec étonnement – il a une maladie des yeux qui est peut-être un défaut plus grave que mon imperfection. C'est en vain que je lui lançais mon plus charmant sourire, il ne voyait que la grimace de mes os – il me sondait les reins mais ne remarquait pas mon pardessus. L'invisible était devenu pour lui visible, mais le visible avait disparu – il a appris à lire dans le noir, mais le rayon du soleil a quitté son champ visuel.

Les secrets de l'Existence…

Pour l'instant il y a la vie, et cette petite partie de l'existence offre suffisamment de choses à voir et à concevoir pour une vie : manifestement afin que je voie et que je comprenne. Si une sorte d'existence existe *pour moi* avant et après – j'aurai le temps de comprendre et de concevoir, en possession des moyens adéquats, ce qui existe avant et après et autour.

Or le sceptre doit être dans la main de celui qui, s'il frappe, frappe au moins là où il regarde…

1er janvier 1928

QUELQUES BAGATELLES

L'homme parcourt le journal au petit-déjeuner, en bâillant. Il a d'abord tiqué, puis il a haussé les épaules. (« Ce qui hier m'a fait dresser le poing, mérite à peine ce matin un haussement d'épaules… », soupire Ignotus[69].)

Une bagatelle.

Sur la place de l'Hospice un artisan cordonnier a mordu jusqu'à la racine et arraché la langue de sa belle et jeune épouse.

Tâchons d'oublier l'humour macabre du fait divers ("que cherchait la langue de la petite femme en instance de divorce dans la bouche du mari furieux ?") et voyons pourquoi, du point de vue du "retentissement général", le cas fait tellement sensation. Car le succès est énorme – pendant une demi-journée tout Budapest ne parle que de cela, les dames ont des frissons glacés dans la langue.

Un journaliste expérimenté découvre en un tour de main le secret de ce succès. Le succès réside dans les mots "belle et jeune". Si on avait mordu la langue d'une belle-mère ou d'une quelconque vieille ogresse, il serait évident qu'on aurait affaire à un simple droit commun, un acte isolé – manifestement il n'y avait pas d'autre moyen d'arrêter la langue de vipère en question et en bouche. (Les mauvaises langues prétendent qu'elle a continué à fonctionner, cette malfaisante, dans la bouche du héros, mais il a eu peur et fini par la cracher.)

Mais – belle et jeune.

L'arrachement de la langue suscite dans le cas présent la notion d'une extase amoureuse, et toutes les langues non encore arrachées claquent voluptueusement aux quatre coins de la ville.

Eh bien, dis donc !

Il lui a arraché la langue.

Aux quatre coins de la ville, ces dames soupirent rêveusement.

« Comme il l'aimait ! »

Oui. Et à quel point l'aurait-il aimée s'il lui avait arraché toute la tête, hein ?

---

69 Pál Ignotus (1901-1978). Écrivain

Après tout, nous avons tendance à présumer qu'un vrai grand amour ne peut se trouver que sur les îles de Nouvelle-Zélande. Là-bas, si on aime quelqu'un on le mange entièrement.

Il serait utile en revanche de trouver un mot nouveau pour la passion sans mordre et arracher la langue de la belle et jeune femme, compte tenu du fait que le mot amour est ainsi réservé pour le cas où on l'arrache. À moins que j'appelle brièvement haine ce genre d'attitude trop réservé.

Bagatelle !

On colloque en Amérique sur la paix dans le monde. On propose des méthodes, des expériences.

L'Europe affiche un sourire ironique.

Sages et vieux savants du monde que nous sommes, nous savons déjà que cette façon de l'Amérique de se ridiculiser, dévoilant son inculture inouïe, n'est que caprice infantile, "position dépassée", imagination d'adolescents.

Pacifisme !

C'est vrai, l'Europe a découvert l'avion et la radio – n'oublions pas en revanche que c'est l'Europe qui a découvert le darwinisme aussi. Allons, arrêtez, les enfants ! Faites-nous confiance, nous avons calculé et déterminé la nature de l'homme, nous sommes allés au fond de ce qui est substantiel, nous avons décrit l'anatomie du corps et de l'âme ; et nous avons déterminé, une fois pour toutes, définitivement, aussi définitivement que Archimède et Newton ont définitivement déterminé certaines lois physiques – aussi définitivement que Kant a déterminé certaines lois morales et cognitives – que la contrainte et donc la condition et la cause du bellicisme sont des composantes tout aussi substantielles, immuables et définitives de la composition de notre âme que le foie et les reins par exemple sont des composantes définitives et incontournables de la composition de notre corps – qu'il est donc inutile de faire le malin, il y aura toujours des guerres, tout comme le corps produit toujours certaines sécrétions – que parler de paix dans le monde est une chose tout aussi infantile, inculte, indigne d'un authentique humaniste que de parler à un vrai savant de perpetuum mobile ou d'homoncule.

Étant Européen, je me sens presque comme un traître quand, tel un adolescent agité et obstiné, une envie me tourmente : la main devant la bouche, chuchoter jusque vers l'autre côté de l'Océan – hé, vous, lycéens de là-bas, continuez, surtout continuez ! Les gars, vous savez, moi, j'ai fréquenté les écoles ici, je connais nos vieux professeurs barbus qui affichent un sourire sage et triste et, pris de hochements de tête condescendants, clament la science de la renonciation à tout comprendre. Vous savez, je vais vous dire : moi, je les ai déjà vus se fourrer le doigt dans l'œil, ces messieurs les professeurs – je les ai déjà vus rater l'expérience qu'ils avaient préparée pour prouver la Thèse – et j'ai aussi vu réussir l'expérience qui a renversé la Thèse ! En quatrième A on m'a expliqué que jamais un corps plus lourd que l'air ne saurait voler avec un homme à son bord car c'est impossible *par principe* – moi, j'ai vu changer ce *principe* quand un mauvais élève qui le jour où on lui aurait expliqué ce principe avait séché la classe, et qui s'est tout simplement élevé en l'air.

Loi éternelle, principe immuable ? Pas plus immuable qu'éternelle. Les conditions de la guerre éternelle parmi les éléments de l'âme humaine ? Un jour quelqu'un viendra qui trouvera, au même endroit, les conditions de la paix éternelle aussi – c'est à nous de laisser l'une ou l'autre prendre le dessus.

On peut traverser les Alpes, Napoléon ignorait qu'on ne pouvait pas les traverser – et il les a traversées.

Napoléon, à propos.

J'ai vu cette semaine deux films – *Le Roi des Rois*, tragédie dramatisée sur le Christ, et un drame sur Napoléon.

Si je ne tiens pas compte du mystère divin, tous les deux relatent le destin d'un homme, ils seraient donc commensurables.

La vie de deux combattants, de deux soldats – tous les deux se sont battus pour leur patrie. L'un avait "son royaume qui n'était pas de ce monde" – et pour adversaire la coalition de la méchanceté humaine, de la bêtise et de la misère. Le royaume de l'autre était sur cette Terre – il avait pour nom la France, il avait pour ennemis toutes les nations qui se prétendaient supérieures. L'un sacrifie sa vie pour la paix, l'autre sacrifie la paix pour sa vie – mais les deux sont très liés à la paix, à la vie, au combat. Napoléon, le combattant, proclame à Moscou la paix dans le monde – le Christ, le conciliateur, lève la cravache sur les marchands du temple à Jérusalem.

L'un termine sa vie d'homme sur la croix, l'autre en exil.

Mais l'un des deux seulement est un martyr – l'autre n'est qu'un héros déchu. Le Christ, par sa mort, gagne sa guerre – Napoléon perd la sienne. Les deux vies étaient des *actions* – celle du Christ victorieuse, celle de Napoléon perdue, l'un a vaincu, l'autre a été vaincu.

Vu d'ici, de la distance du Temps, la question est restée ouverte – n'étaient-ils pas adversaires l'un de l'autre ?

En tout cas leur exemple est la conclusion pérenne de deux types de combats, sous la bannière de deux devises – l'une était : *Renforce-toi* en âme, en foi, en volonté, et tu vaincras tes ennemis – celle de l'autre : affaiblis tes ennemis, détruis-les, tue-les, même si tu péris toi-même. Les deux s'appliquent jusqu'à la dernière goutte de sang – mais le sang du Christ fertilise et épanouit, est profitable pour les deux parties, de même que ce combat que la science naturelle appelle *struggle for life*, et qu'elle reconnaît comme la condition du progrès.

Le brillant parcours de Napoléon illustre en fin de compte l'échec d'une action ratée, erronée – le calvaire de sueur et de sang du Christ représente la victoire de l'action juste, intelligente.

Au cours d'une conversation décontractée, quelqu'un a posé la question : si Madách était vivant, insérerait-il aussi, entre la scène de la "Tour de Londres" et celle du Phalanstère, le drame de notre temps (ce serait absolument nécessaire, parce que nous sommes aussi loin du temps de Imre Madách que nous sommes près ou loin du phalanstère bolchevique) – qui parmi les héros de notre temps aurait-il choisi pour les rôles symboliques de ses trois personnages permanents, Adam, Ève et Lucifer ?

Résultat du vote :

Adam – Dempsey ou Lindbergh.

Lucifer – Voronoff[70].

Ève – Joséphine Baker.

Bagatelle.

---

70 Serge Voronoff. (1866-1951). Chirurgien français. Il a tenté la greffe de tissus de testicules de singe sur des testicules d'homme.

Pendant que j'écris cela l'éclairage public de la rue faiblit – un échafaudage monte devant ma fenêtre du troisième étage, deux ouvriers peintres me regardent et me saluent poliment.

Voici les Diables Boiteux de notre temps. Dans combien d'appartements, combien de chambres et salles de bains ils jettent leur regard chaque jour, dans l'intimité des vies dans lesquelles personne d'autre ne peut avoir accès ?

C'est l'*Enfer* de Barbusse qui me vient à l'esprit, les mystères d'une chambre d'hôtel par le trou de la serrure. Je ne saurais pas proposer à un écrivain ou un journaliste naturaliste une aventure plus tentante que de se déguiser et de participer au ravalement d'un immeuble.

22 janvier 1928

Frigyes Karinthy

L'HONNEUR DE L'ÉCRIVAIN

Évidemment, dès qu'on ne se contente pas de déchiffrer ce genre de problème dans les cornues de la spéculation, ou de lâcher un de ces aphorismes plaisants que nous aimons répondre à ce genre de questionnement collectif, mais qu'on tâte là où le bât blesse, à la place du reflet théorique du phénomène, dans la direction de la réalité vivante – tout d'un coup il s'avère que tout ce qu'on pensait savoir ou superficiellement même penser parfois, sous la pression de l'opinion publique, n'est que pur dogmes et conventions, des notions périmées qui demandent d'être rafraîchies, puisque la vie et l'expérience ne les justifient plus. Or ce rafraîchissement n'est pas possible sans titiller un peu les notions fondamentales.

Par exemple quelqu'un devrait enfin un jour éclairer le cher lecteur sur la vraie nature farfelue ou divine ou je ne sais quoi de l'écrivain ou du poète, créateur des soi-disant œuvres "intellectuelles", en plus d'être Cher-Maître-comment-ça-va-le-travail-et-comment-vous-portez-vous-dans-ce-monde-de-chacals ? (La tâche devrait incomber au bon critique, mais malheureusement les critiques de nos jours préfèrent assouvir dans leurs travaux leurs propres ambitions d'écrivains frustrés, plutôt que s'occuper de ce qui est leur affaire : chercher les lois de l'art.)

Il faudrait enfin faire comprendre, faire comprendre de nouveau car l'ancienne explication est déjà usée, devenue poncif et lieu commun, ce que tout le monde prend pour une métaphore au lieu d'une réalité incandescente : faire comprendre, expliquer que ce qu'on appelle une création intellectuelle, à l'instar de toute autre production de la main et de l'esprit de l'homme, du corps et de l'âme humains, est une *réalité créée*, une substance active produite par l'imagination de l'homme – et que l'imagination humaine, parmi les forces génératrices et formatrices du monde toujours renaissantes et changeantes joue un rôle tout aussi prédominant que la chaleur ou la lumière, que la force vitale ou l'instinct de conservation et de survie.

Bref : dans ses aspects sociaux une œuvre intellectuelle est tout autant réalité vivante que l'homme lui-même.

Une fois qu'on a reconnu cela, alors nous pouvons vaillamment et gaillardement recourir à la méthode de la "métaphore littérale" - en employant des images archaïques pour peser les choses.

Des images archaïques et des métaphores parlent de la "conception" et de la "naissance" de l'œuvre.

Un écrivain, aussi comique que cela puisse paraître au sens quotidien des termes, est bel et bien fécondé, il est en gésine et il accouche.

Il serait maintenant facile de tirer une conclusion apparente de cette métaphore à l'instar des décadents qui l'ont bien tirée, eux, induisant eux-mêmes et le monde en erreur, donnant à l'opinion publique une fausse image, qui est en même temps nuisible comme on va le voir. Cette conclusion confortable, la voici : dans l'écrivain il y a donc des traits féminins.

Immense erreur.

L'écrivain est l'homme le plus viril au monde puisqu'il exécute le travail le plus viril : *il engendre et il crée*. De plus, il a besoin d'un ensemble de caractères humains qui définissent l'homme authentique : une forte imagination associée à une logique tranchante, l'ardeur au travail, l'endurance, une bonne mémoire, de la clairvoyance, une force expressive !

Évidemment, à première vue nous nous cognons ainsi au mur d'une contradiction – mais impossible de faire demi-tour, ce mur doit être brisé.

On raconte, hypothèse amusante, que Nobel aurait offert un prix à l'attention de l'homme qui le premier mettrait un enfant au monde.

Si l'on admet l'impossibilité que quelqu'un un jour concoure pour ce prix, et que par le plus grand des hasards ils seraient *plusieurs* à concourir, il est évident n'est-ce pas que l'homme qui répondrait le mieux aux conditions de la candidature serait celui qui *par ailleurs* est le plus viril parmi les candidats, puisque d'après les définitions les candidats doivent être *des hommes* – les êtres intermédiaires, les hermaphrodites verraient leurs chances passablement amoindries dans la compétition.

Nous pouvons donc tranquillement utiliser la métaphore inconfortable que l'écrivain est un homme qui accouche – son trait spécifique et particulier concerne seul et exclusivement *le fait d'accoucher*, par ailleurs il n'a aucune autre ressemblance avec les femmes, je dirais même que sa nature et son caractère en sont même l'opposé le plus naturel – c'est un être qui a la vocation de créer, de mener, de gouverner : en somme, un homme.

Cette situation paradoxale est la principale source de la confusion des notions. C'est la raison pour laquelle, à certaines époques troubles où l'on ne reconnaissait pas suffisamment l'importance de la création intellectuelle, l'écrivain était contraint de renier sa virilité – *dans l'intérêt de l'œuvre*, afin de la sauver, de la créer, il était contraint de recourir à des moyens féminins, de ruser, mentir, flatter les puissants, faire le clown, *se montrer lâche*, courber l'échine. Il recevait en échange, en aumône, la *courtoisie* et l'indulgence qui généralement sont dues aux femmes – il avait besoin de cette aumône.

Mais dans son for intérieur, le vrai écrivain a toujours su *qu'il n'était pas un lâche – tout comme n'est pas lâche une femme enceinte, future mère qui recule devant un danger auquel dans d'autres circonstances la femme fait face* : elle ne se protège pas elle-même, elle protège une autre vie, impuissante et désarmée pour le moment. Ne mets pas en danger le fœtus que celui-là porte en son sein sous forme de rêve informé – tu verras que tu as affaire à un homme ! Ou bien attends qu'il mette son œuvre au monde entièrement, et essaie alors de l'offenser *cette œuvre* – tu verras que tu as affaire à un homme !

Comment pourrait-on y remédier – comment pourrait-on solutionner la situation étrange de l'écrivain ?

Inutile de projeter une utopie fantastique pour chercher une réponse. L'histoire recèle un exemple magnifique d'une telle solution. Qui plus est, ce n'est même pas l'histoire du passé proche "éclairé" mais c'est le Moyen Âge "obscur" qui sert l'exemple.

Il est bien connu que les créations les plus splendides et les plus parfaites de l'architecture sont les gigantesques *cathédrales* du Moyen Âge. Un travail spirituel et physique colossal s'est investi dans les murs de ces cathédrales – elles ont été dessinées et bâties par des artistes. La durée de la vie d'un homme ne suffisait d'ailleurs pas pour l'achever – l'artiste constructeur éduquait son fils ou son disciple pour qu'il devienne un artiste semblable à lui et qu'il continue l'œuvre quand il n'y serait plus.

Mais comment ont-ils pu le faire ?

La foi religieuse propre au Moyen Âge a instinctivement trouvé la seule voie possible.

Si aujourd'hui tu prononces le terme "franc-maçon", Monsieur Kovács hélera la police et évoquera les Juifs accapareurs. Car Monsieur Kovács ignore l'origine de ce terme. Nous l'informons qu'on appelait francs-maçons les maîtres constructeurs de ces cathédrales qui, afin de bâtir une de ces œuvres, se groupaient et s'installaient avec la détermination de ne pas quitter les lieux avant d'avoir construit l'œuvre, même si cela devait durer cent ans. Et les puissants de l'obscur Moyen Âge qui opprimaient tous les droits de l'homme, *accordaient* à ces maîtres une *autonomie* – le mot "franc" devant le mot maçon signifie que les maîtres constructeurs des cathédrales n'étaient soumis à aucune autorité, ni a aucune loi administrative, ils avaient des lois et une constitution à part, correspondant à leurs objectifs, c'est seulement devant elles qu'ils étaient responsables ainsi que devant les juges cooptés parmi eux, en qui ils avaient confiance, qui les comprenaient, devant personne d'autre. Ils étaient donc francs, libres, et ils n'ont pas abusé de cette liberté, les cathédrales en témoignent – *en effet, si tu libères un artiste, il n'utilisera pas sa liberté pour détruire, mais pour construire.* Pour construire, pour œuvrer virilement – ces maîtres, ces artistes, n'étaient-ils peut-être pas des hommes ? Ils étaient bel et bien des hommes, et les meilleurs, les plus courageux : pour achever leur œuvre ils travaillaient là-haut, dans la hauteur vertigineuse de la pointe des clochers !

C'est peut-être de *ce genre de* privilège dont devrait jouir tout créateur d'œuvre intellectuelle, pas de la politesse sirupeuse et de la tendresse indulgente contenue dans ce "cher maître" qui essayent de rabaisser l'écrivain au niveau des femmes dans la bouche des puissants possesseurs des biens terrestres, condescendants "protecteurs de la littérature".

Ou bien…

Ou bien, s'il ne peut en être question, si l'écrivain, l'élu de l'esprit, doit se contenter de n'être qu'un objet de plaisir amusant de la société, tel une jolie femme ou son harem pour le sultan, au lieu de lui faire une place parmi les hommes qui dirigent et qui gouvernent la société – soyons *là au moins* conséquents. Si, compte tenu des conditions misérables, vous êtes souvent obligés de lui refuser son amour-propre d'homme, son honneur d'homme, donnez-lui au moins un *honneur d'artiste* à part et défendez-le, tout comme une loi à part défend et protège *l'honneur des femmes*. Cette loi à part selon laquelle, quand il s'agit de l'honneur d'une femme, on ne permet aucune instruction, mais on condamne tout simplement le calomniateur, cette loi est nécessaire car la femme a besoin d'être protégée, la femme est enceinte, elle met au monde un enfant, et l'enfant est plus important que tout le reste, il est peut-être plus important que l'honneur de la femme.

L'honneur de l'écrivain… Cherche-le dans son œuvre.

5 février 1928

AUJOURD'HUI JE SUIS TRISTE

Je suis triste, en proie à des doutes, des angoisses.

Je prends un stylo à la main : le stylo s'arrête – il prend sur lui ce doute angoissant, il hésite.

Au demeurant, a-t-on le droit *d'écrire* quand on est triste ?

Par instinct j'ai toujours rechigné à écrire dans cet état. Par pudeur ? – lorsque je suis gai et allègre, je ne suis pas pudique : à ces moments je sens et je sais que c'est la bienveillance et l'amour du beau qui rient et se réjouissent et sifflotent au fond de moi, je n'ai pas de quoi avoir honte, je suis pur donc je peux être impudique, je n'offense personne. Au contraire, c'est une bonne action – mon allégresse se communique à autrui, je rends peut-être la noirceur d'une nuance moins sombre.

Mais ainsi…

J'ai de bonnes raisons de me soucier – si la gaîté est contagieuse, est-ce que la tristesse n'est pas contagieuse elle aussi ?

Et ai-je le droit de la transmettre ?

Je l'aurais. Si je communiquais la vérité.

Mais est-ce que *je peux* avoir raison quand je suis triste ? Je ne le crois pas.

Bien sûr, je sais que la tristesse, la douleur, le pessimisme ont généré des chefs-d'œuvre. Mais j'ai toujours eu le sentiment qu'ils n'ont pas été écrits dans la tristesse, dans la douleur, mais *après* la douleur éprouvée, à la force féconde, heureuse, de la joie de vivre retrouvée, *en retournant le regard* sur le paysage sombre qui se montre ainsi sous une couleur dramatique, globalement, dans sa totalité. Dans ces chefs-d'œuvre on trouve toujours un sentier, une indication de direction vers *le sublime* où il y a soleil et clarté – en fin de compte ils élèvent et ils sont profondément consolateurs. Je songe là au pessimisme de Madách, de Goethe, et encore plus à celui de Shakespeare, à cette douleur débordante, majestueuse, pleine de vie et d'humour. Pour qu'un homme en chair et en os écrive l'Enfer, il faut qu'il en soit revenu ayant révélé le tunnel caché par lequel il a pu s'en dépêtrer.

Les poèmes sur la mort, de Leopardi[71], les verbes désespérés de Schopenhauer, la plainte de Jérémie, le hurlement de Job – autant de vies et de fois et de confiances. Je me suis observé un jour de rage de dents. Au paroxysme de la douleur je me suis tu, les lèvres serrées et les yeux fermés – je ne commençais à gémir et à me plaindre que quand, toujours pulsante et lancinante, la souffrance se mettait à *s'atténuer*, me permettait de respirer et de constater *à quel point* j'avais souffert précédemment.

Ne connaissez-vous pas le merveilleux "fragment" de János Arany ? Il l'a écrit après la mort de sa fille. Le voici :

> Alors qu'encore je sacrifiais, ô ma Patrie, sur tes autels en ruines
> Avec les larmes les plus sacrées du fils patriote
> Tel un Jérémie, geignant mon chagrin
> Le cœur brisé, mais loin d'être aussi libre…

Suivi d'un dernier vers laconique, presque profane.

> *« Cela fait trop mal, je ne peux pas. »*

Même le Christ, ce n'est pas au Golgotha qu'il a prononcé son discours sur la montagne.

Mais il y a toujours quelque chose que l'on peut faire. Ce que fait celui qui se réveille d'un mauvais rêve.

Je dois savoir que je ne peux pas avoir raison d'être triste. La tristesse est rêve, sommeil – la joie est veille, réveil. La tristesse "a envie de passer", la joie "veut rester toujours". Ce que je sens, crois et pense dans un rêve, et surtout dans un rêve angoissé, je dois être sûr que c'est une erreur, une image de rêve, un fantôme confus. Cela ne doit pas faire peur. Il faut s'en approcher, le comprendre, le regarder dans les yeux – il se disloque et on se réveille. La seule chose à surtout ne pas faire, c'est appliquer *sur l'état de veille* les images angoissée du rêve – surtout *ne généralise pas, ne prononce aucune sentence, ne te prends pas pour Dieu* dans ces moments-là, parce que ça peut être source de *faux* pessimisme et

---

71 Giacomo **Leopardi**, (1798-1837). Moraliste, poète et philosophe italien.

autres ismes, de comportements partisans, de théories imbéciles, de haines de toutes sortes, de misanthropie, de misogynie, c'est ainsi que l'obscurité des mauvais rêves se répand dans le monde. Car *le rêve est contagieux* comme le bâillement – prends garde, on risque de s'endormir autour de toi comme dans le palais de la Belle au Bois Dormant, et on rêve la même chose que toi !

En revanche on peut et on doit observer.

On doit connaître les images de nos rêves.

On doit s'approcher des choses qui font peur, qui rendent triste. Regarde-les bien, de tout près. Il n'est pas impossible que tu éclates de rire une fois que tu les as vus de près, tu as découvert ce que tu as pris pour des fantômes – un coin de drap, un morceau de papier de soie collé à ton doigt.

Et on peut aussi écrire.

Écrire – c'est s'efforcer de sortir de l'obscurité et tendre vers la clarté.

Et même si tu te trouves encore dans une nappe de brouillard, toi, le pilote transatlantique, tu peux toujours émettre des signaux, te débattre, chercher une issue.

Brouillard…

- Messieurs, dit glorieusement le professeur de physique dans la salle de classe assombrie après l'explosion, nous voyons, n'est-ce pas, que nous ne voyons rien. Pourquoi ne voyons-nous rien ? C'est ce que nous allons voir.

Cela fait rire le profane de bon cœur aux dépens du professeur de physique – mais celui qui se connaît ne serait-ce qu'un peu à la physique et à la psychologie, admettra que d'un point de vue cognitif ces brouillards valent parfois la clarté la plus céleste. Les protubérances du soleil aussi ont été découvertes à l'occasion d'éclipses solaires.

Il existe des choses que je ne comprends pas et que je ne peux pas prouver, et qui pourtant me semblent plus sûres que deux et deux font quatre.

Le rêveur qui sait qu'il ne fait que rêver est déjà à demi éveillé.

Et moi je ne suis plus triste.

12 février 1928

Frigyes Karinthy

GENTLEMAN

La discussion portait aujourd'hui sur le duel. Le mot *gentleman* avait été prononcé par quelqu'un à propos d'une histoire de duel. La compagnie s'est scindée aussitôt en deux groupes, les "intelligents" répétaient sans hésiter des lieux communs : le duel est une survivance ridicule du Moyen Âge, un anachronisme. L'autre partie affichait un sourire ironique, avant de déclarer péremptoirement que les réfractaires au duel sont tout simplement des lâches et des sous-hommes sans honneur, car les lois "modernes" protégeant l'honneur sont incapables de donner satisfaction à des violations sensibles et raffinées de l'honneur : il ne se lave que dans le sang.

En marchant vers la maison nous sommes restés deux, le héros du duel et moi, il s'était plutôt tu pendant la dispute, haussant les épaules. Écoute, m'a-t-il dit en s'arrêtant brusquement, j'ai l'impression que tous ces gens ne disaient que des inepties. Que le duel en général et dans tous les cas soit une survivance barbare – c'est aussi peu vrai qu'il est faux qu'on combat en duel pour laver son honneur. Regarde mon duel par exemple. C'était une réussite, n'est-ce pas, il m'avait insulté insolemment, alors nous nous sommes battus, je lui ai un peu écorché la peau, il m'a fait ses excuses, et on s'est séparés en excellents termes. Or, si je repense à cette affaire – celle à cause de laquelle tout est arrivé, tu comprends – nous sommes actuellement en bien meilleurs termes qu'auparavant. Il n'a jamais été question de mon honneur. Je vais te dire quelque chose. Que tu le croies ou non, je me suis battu en duel pour son honneur à lui, pas pour le mien. Ce Sándor, avec qui je me suis battu, m'était sympathique depuis longtemps ; si ce n'était pas un de mes proches, je l'ai toujours considéré comme un homme honnête de grande valeur, que j'aurais volontiers compté parmi mes amis. Dieu sait pourquoi c'est lui qui avait du mal à m'accorder sa confiance – j'ai senti qu'il se faisait une fausse image de moi, c'est pourquoi il ne m'aimait pas. Ça m'intriguait, me fâchait et me rendait tendu en sa présence. C'est moi qui ai provoqué l'insulte. Je voulais me battre en duel avec lui. Si quelqu'un, un de tes amis *modernes*, opposé au duel, avait empêché celui-ci, aucun de nous deux n'aurait jamais pu oublier l'insulte – nous aurions nourri une haine réciproque jusqu'à la fin des temps.

Heureusement personne n'a réussi à l'empêcher. Alors là, dans la salle d'escrime, en étalant notre poitrine nue face à l'autre, nous avons pu nous regarder au fond des yeux, entre hommes. Après mon premier toucher je l'ai vu esquisser un sourire – il a aimé me voir en colère contre lui. Il m'avait imaginé être un homme affecté, orgueilleux, menteur (tu sais que c'est faux), alors j'ai vu qu'il avait changé d'avis. Il a levé sur moi des yeux curieux, il m'a taquiné, lui qui était meilleur escrimeur – il en est résulté qu'il a loupé une botte franche, je lui ai balafré la figure. Il en voulait un peu, mais pas tellement à moi, plutôt à sa propre maladresse – il m'a de lui-même tendu la main pendant qu'on le suturait. Nous riions ensemble. Il m'a invité dans sa propriété, je ne l'ai même pas dit aux autres. Tu comprends, je suis convaincu que nous sommes lui et moi des hommes bons, sensibles mais un peu pudiques et réservés, je dirais même que là-dessus nous nous ressemblons, c'est pourquoi pendant des années nous ne nous sommes pas compris, pourtant nous combattons pour des idéaux communs. C'est le duel qui nous a permis de nous comprendre et de faire la paix. Je crois au demeurant que c'est le but véritable du duel moderne. Deux gentlemans qui s'en veulent à la suite d'un quelconque malentendu, se tendent la main par le biais d'une épée. En se battant l'un contre l'autre, ils reconnaissent mutuellement être dignes de cet honneur. Il se sent insulté – moi je suis prêt à risquer mon intégrité corporelle, voire ma vie, pour l'aider à effacer de son âme ce sentiment douloureux de l'insulte. Moi je me sens insulté – il est prêt de même. N'est-ce pas bizarre ? Il est parfaitement vrai que je ne me suis pas battu pour mon honneur mais pour le sien. Il est difficile d'imaginer une considération plus sacrificielle entre deux hommes, signe de l'estime que nous nous portons. Nous risquons mutuellement notre vie pour l'honneur de l'autre ! Il est naturel que cela entraîne une réconciliation – le sang versé du corps a cicatrisé la blessure de l'âme causée par l'orgueil outragé. Et inutile de t'expliquer qu'échanger une blessure de l'âme contre une blessure du corps est une très bonne affaire – nous savons parfaitement que celui-ci guérit bien plus vite que celle-là.

J'ignore si cet homme plaisantait ou non. Mais en quelque sorte il me semble qu'il a mis un soupçon de lumière sur l'origine de la notion de gentleman. (Jamais encore on n'a donné autant d'interprétations confuses et contradictoires à cette notion que de nos jours.) Elle fait remonter à l'une des sources du comportement de gentleman, la *chevalerie*, en évoquant un ancêtre noble et ancien (même si ce n'est pas le plus ancien) de la généalogie du gentleman : le chevalier. Le noble chevalier du Moyen-Âge qui se battait toujours *pour l'honneur d'autrui*, et jamais pour le sien – dans la défense des veuves, des orphelins ou des pauvres. Et il désignait par là le premier critère de la notion de chevalier – ne peut être un gentleman qu'une âme altruiste et humble – celui qui retrouverait cette notion dans le brandissement arrogant du mouchoir de fine batiste d'un amour-propre sensible et vulnérable, ne connaîtrait qu'un descendant caricatural, avorté et dégénéré du gentleman. Il prendrait le duelliste "à l'honneur pointilleux" pour le noble chevalier de la Manche – pourtant en vérité il n'est qu'un sot et vaniteux Sancho Panza ayant revêtu la cotte de maille de son maître.

Aussi est-il difficile de les distinguer – il existe des époques où Don Quichotte l'exalté et son valet au solide sens pratique échangent leurs vêtements. Don Quichotte est Sancho Panza et Sancho Panza est Don Quichotte : c'est ainsi qu'ils traversent l'histoire.

Comment faire pour reconnaître le maître ?

Le terme hongrois "eau séparatrice", désigne bien l'eau-forte, la solution dont le métal noble sort intact. Un maître reste maître même en enfer – testons les deux personnages dans l'infortune, dans la misère. Sancho Panza se mettra à hurler et à miauler, ou tout au moins à pousser des jurons dès que les flammes jailliront autour de lui : Mucius Scævola dresse les bras les dents serrées. Un maître reste maître même en enfer – Socrate était un maître, Confucius l'était aussi tout comme Bouddha et le Nazaréen et tous ceux dont nous savons qu'ils ont traversé l'enfer des tortures et en sont sortis indemnes.

Comment les reconnaître ?

Un gentilhomme est pétri de deux choses : de noblesse et d'humanité.

Le surhomme de Nietzsche ne l'est pas : au sommet de son pouvoir il n'est que maître, mais il n'est pas homme – les héros de la renonciation sont des humains, mais ne sont pas des seigneurs.

Seigneur et homme. Force et pouvoir : l'une des conditions est de ne pas en abuser, la seconde c'est en user pour le bien. Un monarque peut être gentilhomme, un tyran ne peut pas.

Qui plus est : un gentleman est aussi un homme.

C'est une épreuve plus difficile.

Sancho Panza, *l'homme galant* – âme servile mendiant l'aumône amoureuse, a minaudé pendant cent ans en tenue de chevalier : c'est là l'une des caricatures du gentleman. L'autre est celle de Nietzsche – si tu vas voir une femme, emporte un fouet. Aucun des deux ne s'est avéré être un gentleman dans l'enfer de l'amour. Tout comme ne l'était pas le personnage que nous avons vu récemment au théâtre, en héros d'une comédie, qui punit la femme orgueilleuse par la nuit qu'elle devra passer avec lui – le chevalier de Schiller qui bien que récupérant le gant de la gueule des lions n'accepte pas d'être récompensé par celle qui n'avait pas hésité à l'exiger, est en revanche un véritable gentleman.

Car quant à l'amour en tant que critère d'être ou non un gentleman…
- Il y a quelque chose qui cloche.

Ne peut pas être un gentleman quelqu'un qui n'est pas un homme. Mais être un homme ne suffit pas pour être un gentleman.

Car : est-ce que Don Juan par exemple était un gentleman ?

Il l'était peut-être – mais le problème est qu'il n'a pas eu affaire à des *gentlewomen*, sinon on n'aurait jamais appris qu'il était Don Juan.

11 mars 1928

Frigyes Karinthy

CE QUI ME VIENT A L'ESPRIT

Ce qui me vient à l'esprit…

Ah oui, ce serait vraiment beau.

Penser, parler, écrire un jour, sans avoir décidé à l'avance de quoi – sans peser si ça vaut la peine, si c'est utile, si c'est correct, si c'est bien du point de vue *de la personne à qui* je parle ou j'écris, même si la personne en question c'est moi-même (pour la pensée) – sans veiller à me modeler et à me limiter à ce qu'il ou elle puisse comprendre, qu'il ou elle ne le comprenne pas trop ni de travers. Sans réfléchir à l'avance comment insérer la pensée naissante, l'enfant naissant de mon esprit entre les autres pensées déjà nées, comme je le fais d'habitude. Mille pensées, mille enfants, beaucoup sont de moi, d'autres que "je me suis appropriées", que j'ai adoptées. Chaque fois qu'une nouvelle pensée veut naître, je balaie les autres d'un regard soucieux – pourvu que ça ne devienne pas un œuf de coucou capable de chasser les autres du nid (c'est pressenti par l'âme exercée).

Ce qui me vient à l'esprit…

Comme il paraît simple et naturel de le penser et de le dire. Pourtant, s'il arrive une fois tous les cent ans que quelqu'un le fasse, et même si celui-là ne le fait pas parce qu'il le veut, mais c'est l'esprit de l'époque qui l'y contraint. En cent ans l'enchaînement de pensées si bien commencé devient totalement confus.

> …vous les tallez, aiguisez, raffinez
> Et tortillez si bien que, pour finir,
> Vous en tirez esclavage ou folie…[72]

N'importe quel cerveau sensible et sain renonce, il est saisi de scrupules, et, constatant que l'Idée court à une impasse, qu'elle s'est détachée de la réalité, il préfère en assumer la responsabilité, individuellement, pour les frais du voyage déjà effectué – il retourne à la ligne de départ, d'où tout était parti.

---

72 "Tragédie de l'homme" de Imre Madách, septième tableau (traduction de Jean Rousselot)

C'est pourtant ainsi que naît par exemple le *Discours de la méthode* de Descartes : cet instant intrépide et révolutionnaire quand quelqu'un stoppe le régime effréné, cliquetant à toute vapeur, de la fabrique de pensées qui livre des idées, des slogans à l'usage de ceux qui agissent. Il le stoppe, et il décide : ce que j'avais toujours pensé et cru jusqu'à il y a un instant, toute ma vie durant, doit être invalidé – je brise le maillon, le cordon ombilical par lequel l'un de mes sentiments, pensées, éveils se reliait jusqu'à présent à l'autre ; voyons, que se passera-t-il ? L'une des pensées générait l'autre, à l'instar de la cellule qui naît de la dissociation de l'autre – voyons, "une âme" à l'existence originelle de laquelle je pouvais jusqu'ici au moins croire, peut-elle générer une pensée ou au moins un sentiment, une idée, n'importe quoi ? Parce que si non, alors l'âme n'existe pas, alors ce que jusqu'ici j'appelais ainsi n'est qu'un système compliqué composé d'excitations nerveuses, que résultat de diverses interactions d'origines corporelles.

Descartes ferme donc les yeux aux sollicitations et il attend de voir si quelque chose va bouger. Et depuis le vide et depuis le noir qui ressemblent à ce Néant et à ce Chaos précédant la création, résonne un sourd silence. C'est le Néant, en effet – mais au-delà, comme si pointait une petite lueur de Souvenir : ce silence est passablement profond, comme s'il voulait *taire* quelque chose. Ce n'est pas une authentique *Absence* – c'est plutôt l'absence d'une *Présence* : il y avait ici quelque chose qui n'est plus. Il manque quelque chose – mais à quoi ? Il ne peut manquer quelque chose qu'à quelque chose qui existe – on ne peut rien ôter du néant, on ne peut qu'y ajouter. Voici les deux premières Formes pâles auxquelles il est possible de s'ajuster, les deux premiers axes du nouveau monde naissant. Il y a quelque chose – et à ce quelque chose il manque quelque chose.

Il convient donc de leur donner des noms, de baptiser les premiers jumeaux, conçus sans Expérimentation et sans Déduction. Le nom peut être choisi au hasard, une lettre ou un mot, comme nous désignons les termes en algèbre. Cette Chose qui Existe, Descartes la nomme arbitrairement *Moi*, et l'autre, celle qui y manque, le contenu qui jusqu'alors remplissait le *Moi* en tant que partie de celui-ci, mais qu'il vient de rejeter, il le nomme Existence ou Monde. (Il aurait pu tout inverser comme les panthéistes, les Ptolémée du système solaire du

Monde-Moi – peu importe la désignation, puisque du point de vue des mathématiques pures il est effectivement indifférent de savoir si c'est le Soleil qui tourne autour de la Terre ou l'inverse.) De la chose ici en question il sait uniquement qu'elle manque – elle manque parce qu'il l'a découpée de lui-même, il l'a refusée, il ne l'a pas acceptée.

Les deux cellules jumelles de la première génération spontanée directe, Force et Existence, il pouvait désormais les accoupler pour que puisse naître la première Pensée : *dubito ergo sum*, je doute donc je suis – et par la suite tout le monde de la méthode qui transforme et recrée la réalité, de l'Analyse, qui depuis le dix-huitième siècle jusqu'à nos jours est source de toute connaissance et de tout savoir.

De toute connaissance et de tout savoir – et aussi de toute folie et de toute superstition : les éléments démontés, mélangés à des morceaux d'anciens systèmes disloqués, se sont agrégés en grumeaux d'avortons fantastiques – ils ont pris la forme de la Religion pure et la forme de la Science pure : Science des religions, Sacro Egoismo[73], Patriotisme International, Biologie des Races, Bottier et gaz hilarant ou grand-mère mort-née. Le résultat final de tout cela peut être, une fois de plus, reconduit en ligne directe là où les encyclopédistes du dix-huitième siècle s'apprêtaient à dire ce qui leur venait à l'esprit dans les moments où rien ne leur venait à l'esprit.

Nous n'avons pas perdu le fil d'Ariane de la pensée qui nous conduira pour sortir du Labyrinthe – simplement le fil s'est un peu embrouillé. Il s'est embrouillé et il s'est coincé – et il faut retourner au point de départ.

Ou plus loin encore.

Car il est tout à fait naturel que celui qui aujourd'hui souhaiterait refaire l'expérience de Descartes, devrait oublier tout ce qu'il sait de Descartes et de ce qui s'est ensuivi. C'est la vieille histoire de la fabrication de l'or qui recommencerait, la quadrature du cercle bouclerait sa boucle – chercher le point de départ avec la méthode de Descartes, mais sans penser à cette méthode.

---

73 Formule irrédentiste italienne concernant le Trentin-Haut-Adige, pendant la première guerre mondiale.

Mais que les penseurs de nos jours soient frileux devant cette méthode a aussi d'autres raisons.

Nous n'avons que trop souffert des conséquences de cette Analyse mal comprise, altérée, incohérente, délirante. Guerre mondiale et révolutions, faillite de civilisations, armes de la culture retournées contre soi, nous ont fait savoir trop manifestement et trop ostensiblement que quelque part nous avons raté le calcul, que l'incantation faiseuse d'or de l'Analyse s'est quelque part trompée dans la composition chimique. Le chaudron de la décoction en ébullition au-dessus duquel nous nous penchions les yeux avides, a brusquement explosé – et nous, nouveaux Berthold Schwarz[74] de ce monde, sommes pour le moment un peu trop sonnés pour démonter tout le chaudron et chercher la source de l'erreur. Il est déjà assez remarquable que nous ayons reconnu notre erreur – il convient hélas de se contenter de cela, il faut même s'en réjouir, puisque nombre d'entre nous, à l'instant de l'explosion, à la place d'une bonne petite peur saine, de panique ont simplement perdu l'esprit et se sont mis à tourner en hurlant la danse des derviches autour du chaudron, affirmant haut et fort, sous serment, que nous n'avons toujours cherché qu'à inventer la poudre, nous, géniaux Berthold Schwarz, héros exemplaires de l'avenir – la poudre et non pas l'or, car c'est la poudre à canon qui conduit à la vérité et à la vie !

Ce qui me vient à l'esprit…

Non, pour le moment je n'aimerais pas le risquer, même si la situation est passablement pressante.

Il convient d'abord de laisser passer l'hébétude. L'explosion nous a lancés loin. J'entends les mots d'Adam au moment où il retombe quand l'esprit de la Terre tiraille sa laisse.

La chose qu'il faut oublier, sur la réalité, sur la légitimité, sur la justesse de laquelle il faudrait émettre des doutes, pour que je retrouve d'emblée la simple vérité – la Douleur (Nietzsche a beau prétendre qu'il veut lui aussi son propre dépérissement) est encore trop proche.

---

74 Moine chimiste allemand du XIVe siècle à qui on a attribué l'invention de la poudre à canon.

Je crains que ma première pensée ne soit pas une pensée – elle ne serait qu'un sentiment sourd et atroce comme celui du malade qui a été opéré sous chloroforme et à son réveil il n'est pas encore hors de danger.

Et la Chose que je trouverais, je n'oserais pas d'un mot nouveau l'appeler Moi – j'ai trop peur que la première phrase d'un nouveau Descartes de notre temps serait : je *souffre* donc je suis – et on ne peut tout de même pas commencer ce plus nouveau testament par une contradiction évidente.

20 mars 1928

POLITIQUE

Eh bien, que pensez-vous de la situation politique, m'a demandé pour finir le journaliste. Sur ma réponse évasive – (j'ai dû faire un geste gêné en râpant mon index sur le dessus de mon bureau comme Lui, quand on l'interrogeait sur la femme adultère) – a suivi toute une rafale de questions sarcastiques. Comment se fait-il que vous ne vous soyez jamais intéressé à la politique ? N'avez-vous aucune conviction politique ? Ou peut-être, hum, n'osez-vous pas, hum, l'exprimer ? Ou encore auriez-vous du mal à vous identifier à la conception politique dominante ? Et alors ?! Dans ce cas ce serait justement votre devoir de parler, de vous révolter, de lutter. Bernard Shaw que vos critiques évoquent souvent, n'a pas tant de réserve, lui, cela fait quarante ans qu'il attaque et fustige le gouvernement anglais, le gouvernement mondial, tout et tout le monde, non seulement indirectement, par le biais d'images ironiques, mais aussi directement, en mots très durs, intervenant sur des questions d'actualité.

Là-dessus j'ai levé la tête. Comment avez-vous dit, depuis combien d'années ?

Quarante ans.

Eh bien, vous voyez mon ami, nous y sommes, cette fois j'ai enfin quelque chose à dire.

D'autant plus que pas plus tard que la nuit dernière j'ai lu l'excellente préface de "En remontant à Mathusalem" dans laquelle le génial Bernard Shaw résume quasiment ses diverses révoltes et protestations contre les folles lois sociales et politiques qui pèsent depuis quarante ans sur son âme.

Le texte est excellent, les protestations et griefs jaillissent de la plus noble source de la philanthropie et de la bonne volonté, avec feu et lumière flamboyants – les arguments sont vifs, intelligents et justes, je signerais volontiers quasiment chacun d'eux.

Et pourtant – tout l'argumentaire, dans sa globalité, me dissuade plutôt de faire de la politique même entre amis, plus qu'il ne m'y incite.

Vous allez mieux me comprendre si en bon mathématicien je simplifie le cas, je le présente sous forme de formule.

Admettons que voilà quarante ans un tel Bernard Shaw trouve un article de loi pondu par la voie politique dans lequel il reconnaît comme dans la cellule d'une tumeur maligne la source de nombreux malheurs et indignités. Bernard Shaw est écrivain, un écrivain magnifique, un écrivain populaire – rien ne l'empêche d'entreprendre un combat contre ce dangereux article de loi. Il s'y attelle – chauffé par la conviction il aligne tout un arsenal d'arguments et de preuves. Les arguments et les preuves sont excellents, le monde applaudit, toute personne intelligente et de bonne volonté approuve… quarante ans plus tard, car c'est à peu près le laps de temps nécessaire pour qu'un idéal dans sa pureté se répande, devienne connu.

Et alors, me dites-vous, qu'est-ce que je veux dire par là ? Cela est vrai, c'est dans l'ordre des choses, qu'y a-t-il de si déprimant ?

Ce qu'il y a de déprimant, cher ami, c'est que tout homme intelligent donne raison à Bernard Shaw, ses livres s'arrachent, ses pièces sont ovationnées – mais l'article de loi en question existe toujours, comme il y a quarante ans, plus fort et plus musclé que jamais comme nourri par sa propre incohérence et sa bêtise, ou justement par la rafale des arguments et des objections. Cette loi à la gueule bête telle un avaleur de sabres dans le Bois de la Ville engloutit en rigolant les bombes lancées contre elle, elle les mâche et les avale savoureusement comme des boules de profiteroles au chocolat, puis se caresse allègrement la panse bien repue.

Bien sûr, dites-vous de concert avec Bernard Shaw, cela signifie seulement que les lois sont fabriquées et maintenues par des gens stupides et égoïstes (les deux vont de pair) – et elles sont justement nécessaires pour donner matière à protestation aux personnes braves et intelligentes.

Et moi je dis holà ! Restons-en à la comparaison précédente. On trouve d'un côté la Loi comme machine à gifler, de l'autre l'Écrivain enthousiaste en armure de combattant – et sur le côté, vous qui observez le grand match. Au début vous saluez les coups au but avec des bravos et des hourras chaque fois que les bombes éclatent dans la bouche de la machine à gifler. Mais ensuite, quand vous êtes lassé, les bravos s'étiolent, et vous entrez en méditation. Durant quarante ans l'Écrivain a bombardé la Mauvaise Loi avec les boulets de la vérité et de la supériorité. La Mauvaise Loi giflée et bombardée est toujours là debout à sa place, et l'Écrivain de plus en plus ardent continue toujours de bombarder, crépiter et trépigner. N'êtes-vous pas taquiné par le soupçon, même inconsciemment, que pour l'Écrivain ce petit jeu d'artillerie est plus important que le but apparent d'abattre l'idole ? Que la virile et brillante attaque qui lui permet de faire valoir sa force et son talent lui est aussi nécessaire qu'est la bombe pour la Mauvaise Loi. Ils ne peuvent pas se passer l'un de l'autre, ils ont besoin l'un de l'autre. Si ce n'était pas le cas, en autant de temps l'Écrivain aurait déjà compris que toute attaque *venue de l'extérieur* ne fait que nourrir et renforcer la Mauvaise Loi.

Ce que je veux dire par là ? C'est clair ce que je veux. Je veux dire que celui qui n'aime pas du tout une loi créée par la voie politique et souhaite sincèrement la supprimer ou la modifier – s'il veut participer à ce travail, entrera certainement en politique. Il s'efforcera de se procurer du pouvoir politique, le plus grand possible, assez grand pour qu'il lui permette de supprimer ou de modifier cette loi. Si donc à l'époque, en découvrant la Mauvaise Loi, Bernard Shaw était au fond de lui-même sincèrement révolté contre elle, il aurait dû cesser d'écrire, il aurait dû se faire élire député, il aurait dû acquérir du pouvoir, fonder un parti, renverser le gouvernement, occuper sa place et parler *alors* de la Mauvaise Loi. Cela peut sonner bizarrement mais il est plus facile de parcourir une telle carrière que celle d'écrivain – ou si ce n'est pas plus facile, elle est au moins plus certaine et mieux appropriée pour mener au but. Shaw a attaqué pendant quarante ans sa Mauvaise Loi – depuis lors une douzaine de Mussolinis ont supprimé tout un tas de Bonnes Lois qu'ils considéraient comme mauvaises, et même en cinq ans, et même en trois ans, et même en un an.

Mais Bernard Shaw méprise les hommes politiques et les puissants législateurs. En même temps il considère les lois qu'ils promulguent comme dangereuses, donc il ne les méprise pas, au contraire il les étudie sérieusement et à fond, il les analyse et les examine pour mieux démontrer leur nature nuisible. Il règle d'un geste de la main l'affaire de l'homme politique qui fait la loi, il le traite d'imbécile – mais il consacre beaucoup de sérieux au travail de cet imbécile. Cela fait penser à un savant qui tout au long de sa vie rechercherait la nature de la tumeur causée par un microbe, sans se préoccuper de la nature du microbe. Un savant peut à la rigueur agir ainsi sous prétexte que l'étude du microbe ressortit à la zoologie, or lui, il est histologiste et non entomologiste – mais *le médecin, s'il veut guérir*, doit prendre les deux au sérieux.

(Et prendre le microbe plus au sérieux encore que la tumeur, car il y a d'abord le microbe et seulement ensuite une tumeur.)

Écoutez, je vais dire une grosse bêtise.

Comment se fait-il que les lois anglaises déplaisent à Bernard Shaw depuis quarante ans, et pas une seule fois il n'a pensé changer ces lois, ou quitter ce pays si mal gouverné ? La raison en est probablement que, même s'il ne se l'avoue pas, il pense en secret des bêtises et des bassesses politiciennes tout comme Goethe :

Qu'on ne se plaigne
De l'abjection,
Quoi qu'on fasse ou dise
C'est la réalité du pouvoir.[75]

N'oublions pas – vous m'avez posé deux questions. Si la politique *m'intéressait* et *si j'avais une opinion* politique.

À la première question je réponds sans hésitation par un oui claironnant. Et comment elle m'intéresse ! Puisque le destin de chacun de nous en dépend davantage que de notre propre caractère par lequel la science et l'art nous déterminent. Sur ce point Napoléon et Goethe étaient de mèche. Mais je dois vous avouer quelque chose qui vous étonnera. En politique je ne lis jamais que les discours politiques qui pourtant sont généralement ineptes car dits pas des politiciens. Je ne lis jamais les éditoriaux ou les exégèses, pourtant généralement intelligents puisque écrits par des écrivains. Parce que je souhaite savoir *ce qui est* – ce qui *pourrait être*, je suis capable de me l'imaginer tout seul, merci beaucoup.

À la seconde question, si j'ai une opinion politique, vous aurez ma réponse le jour où je me ferai élire député : mais vous en apprendrez tout au plus que oui, j'en ai une. Quant à savoir *laquelle* – je vous le dirai seulement quand je serai au moins premier ministre.

D'ici là…

Disposez de moi pour une interview sur Roméo et Juliette.

25 mars 1928

---

75 De West-östlicher Divan : *Le Repos du voyageur.*

DICTATURE

Ma main droite est blessée, depuis quelques jours je la porte en écharpe. Ce n'est pas la main qui écrit cette présente note, pas ce système bien rodé à travers pensée, nerfs et muscles, cet appareil d'État parfait dont rêvent les socialistes. Je dicte ce qui me vient à l'esprit et, non habitué à dicter, j'observe les symptômes répercutés d'un processus nouveau et inhabituel, et notamment comment la conscience de ce nouvel état de choses réagit sur mes pensées.

J'ai du mal à me faire croire qu'il n'y a pas de différence : que la main étrangère qui écrit à ma place ne fait pas autre chose que par exemple quelqu'un qui boutonnerait mon manteau à ma place. La main n'est pas une machine, et tout ce qui en moi se transforme en parole et discours est forcément filtré par les pensées de la personne vivante à qui je dicte. Et le filtrat ne peut pas me laisser indifférent. Quelle que soit cette personne, une dactylo, un écolier, un confrère écrivain ou un profane, il est certain que sa seule présence modifie le verbe d'une façon ou d'une autre. Cette personne est ma première lectrice et, qui plus est, dans une qualité toute particulière. Plus qu'une lectrice, un collaborateur. Je ne peux pas ne pas compter avec elle ou lui car il est présent, je vois son visage interrogateur et déjà j'ai l'impression que bien plus que l'objet en question, je suis intéressé par l'opinion qu'il se fait de mon opinion sur le sujet. À cet instant je sens clairement la différence substantielle qui sépare le penseur et le communicateur, le concepteur et le réalisateur, le savant et l'enseignant. Penseur ou concepteur se trouve seul avec son objet : nous sommes deux (*subjectum* et *objectum* comme les appelle la psychologie ancienne), l'un est celui, impuissant et amorphe, qui simplement existe, et l'autre celui qui crée forme et expression.

La forme et l'expression ne sont ni plus ni moins que ce que vaut le contenu. Quand j'ai défini une table avec son plan et ses quatre pieds ou oralement ou par écrit ou même avec l'aide de la géométrie descriptive, j'ai pérennisé par là sans réserve et rendu consciente la notion de table. Mais la situation change aussitôt si entre les deux parties, l'objet et le savant, s'immisce une troisième : une tierce personne qui ne connaît pas la table. Il convient de changer de formulation à son intention. Ainsi naît la nécessité de la communication au-delà de l'expression. Il ne suffit plus d'exprimer mon objet, je dois l'exprimer de façon telle que cette tierce personne, n'ayant jamais vu l'objet, puisse s'en faire une image. Ni la définition, ni les traits enchevêtrés de la géométrie descriptive ne lui sont un secours pour imaginer comment se présente véritablement cette table. Je dois recourir à l'art qui, avec ses différents tours de passe-passe et sa prestidigitation produit la table par enchantement ici, sur cette feuille de papier comme si c'était la réalité : là gît l'énorme différence. Cette tierce personne, appelons-la disciple, lecteur, public, utilisateur, le monde entier, vers qui on se tourne, nous est une grande inconnue : voilà ce qui intéresse l'artiste. Sans cela le monde ne serait que savoir et connaissance vides, l'éden d'un Adam solitaire, une existence déserte et une formule. L'instinct inquiet qu'il existe quelqu'un qui ignore ce que tu sais et qui sans toi n'aurait jamais la chance de le savoir, te force à te contraindre de te renier et à parler autrement que tu ne parlerais à toi-même, à emprunter son vocabulaire à lui. – Observons bien le bon instituteur et le bon artiste : seuls eux deux savent bien faire ce qui est le plus difficile, ce que ni savant ni concepteur ne savent, c'est-à-dire exprimer leur propre pensée avec les paroles de celui à qui ils la destinent : les paroles de l'enfant.

Et déjà l'explication s'offre, la raison pour laquelle nous sentons spontanément des traits de parenté entre chef de guerre, artiste et dictateur. Les grands chercheurs de la destinée de l'homme ou des lois de la société se trouvaient seuls dans leur chambre pour formuler leurs lois d'une voix parfaite et totalement inutilisable. La vraie vie qui obstinément et intarissablement verse à flots des visionnaires découvreurs de la réalité, des savants créateurs des lois et des enfants ignorants, ne peut pas s'en contenter. Les célèbres appels de Napoléon sont simples et naïfs comme les rédactions des abécédaires des écoles communales.

Marx et Napoléon – tous deux rêvaient de dictature, mais Marx n'a fait qu'écrire et Napoléon n'a fait que dicter.

Ibsen prétend qu'écrire c'est prononcer une sentence sur soi-même. Dicter c'est peut-être faire appel de cette sentence, rejeter la responsabilité sur autrui.

Parce que la création c'est bien beau – mais il est certain qu'un bon tyran vaut mieux qu'un mauvais révolutionnaire. Le monde n'est pas gouverné par la connaissance et la compréhension mais par l'imagination

– c'est une grande chance pour le monde si celui qui tient le gouvernail est capable d'inspirer des images belles et heureuses. Une telle chance, les gens ne la lâchent pas volontiers – parmi les absurdités de l'histoire, l'une des plus frappantes est que le peuple s'est souvent attaché davantage au tyran dispensateur de jeux qu'au monarque distributeur de pain. Si des Césars ont survécu aux Ides de Mars ce n'était pas toujours à défaut de Brutus. Cela peut paraître bizarre et contraire à toute logique – l'expérience montre *qu'au moins autant d'hommes ont péri pour eux, par enthousiasme, par sacrifice de soi, que par eux, pour insoumission ou révolte* – qu'au moins autant sur le champ de bataille que sur l'échafaud ou en exil. Il n'est pas nécessaire de vivre, mais naviguer oui, disait le grand amiral – pendant que l'âme simple du commun des mortels pensait : Il n'est pas nécessaire de vivre, mais être heureux oui. Et seule l'imagination peut procurer le bonheur – il vaut mieux mourir pour la dernière minute et dans les dernières minutes de l'illusion du bonheur que de vivre sans illusion.

Et si quand même la direction du progrès montre un déclin des dictatures, c'est parce que l'âme humaine arrive de moins en moins à créer des illusions. Le puits archaïque des illusions est en train de se tarir et nous n'avons pas encore pu déceler en nous de nouvelles sources (nous sommes seulement quelques-uns à soupçonner qu'il en existe, et même plus abondantes et plus fournies que les anciennes).

Le dernier livre de Sigmund Freud, *L'avenir d'une illusion*, fait l'effet d'un quasi-testament, il règle son compte à l'une de ces illusions les plus euphorisantes. Il démontre en effet par son analyse que Dieu, nous nous le sommes créé nous-même, pour notre appareil psychique par son nécessaire travail, indépendant de notre volonté et de notre conscience, pour nous-même – dans une extase de notre infantile amour de nous-même, nous avons pris notre reflet gigantesque projeté sur la voûte céleste pour la réalité.

Dans le fond c'est tout à fait indifférent. Cette façon de dire les choses ainsi n'est absolument pas sacrilège pour *le vrai croyant*. Cela a la même portée que pour un mathématicien de passer d'un mode de calcul à un autre, du système de Ptolémée à celui de Copernic : ce que nous voulons savoir, la voie du salut et de la rédemption, il est aussi bien possible de la désigner dans ce système-là. Dieu est le concepteur et le réalisateur – par conséquent si Dieu a été conçu et réalisé par l'Âme Humaine, alors appelons désormais l'âme humaine Dieu : il n'est pas moins inconnu et invisible que Jéhovah ou Allah. Au lieu d'une Certitude Extérieure, une Certitude Intérieure – l'important c'est d'avoir une certitude. Comprenons enfin, ô philosophes, prêtres, athées, savants et poètes, penseurs et croyants – *tout* enseignement qui reconnaît, qui prend pour base que *Quelque Chose Existe*, est religieux et déiste – il n'existe qu'une seule thèse impie et areligieuse, celle de celui qui affirme que *Rien n'Existe*.

En conséquence une critique du credo freudien ne peut prendre pour point de départ que la question : est-ce que, oui ou non, il résume pour nous mieux, plus facilement, plus concisément plus clairement et plus simplement le Grand Existant que les religions dominantes ? Peu importe si c'est l'âme qui a créé Dieu ou Dieu qui a créé l'âme – le problème est de savoir où nous nous sentons mieux en sécurité : dans le monde extérieur nommé réalité qui nous pénètre à flots par la fenêtre de nos yeux, que Dieu a créé on ne sait comment – ou bien les yeux fermés, en observant les remuements de notre âme.

Eh bien, pour le moment, les yeux fermés ne donnent pas apparemment ce sentiment de plus grande sécurité – nous vacillons et nous tâtonnons. La psychanalyse n'est pas encore parvenue à reconstruire ce qu'elle a démonté : or sans cela tout n'est que dissection de cadavres, recherche, tentative, et non une réalité vivante conceptrice et créatrice.

On ne peut rien entreprendre avec une âme démontée. Si l'Homme Surhumain, le Dieu Homme, apparaissait maintenant du fond des temps et se présentait devant moi comme le Dieu de Moïse dans le buisson-ardent pour me demander : qu'est-ce que tu sais de l'âme humaine, mon fils ? Je devrais lui répondre : Seigneur, je me suis entretenu avec un grand nombre de mes congénères "à l'âme analysée", tes prêtres, et je leur ai demandé qui je suis – mais, avec un sourire mystérieux, ils n'ont su me répondre que : tu ne penses pas ce que tu veux, tu ne dis pas ce que tu penses, tu ne fais pas ce que tu dis. C'est la trinité de l'Âme.

Ce dieu est un peu trop confus pour moi. Un dieu qui ne croit pas en lui-même – comment pourrais-je y croire, moi ?

8 avril 1928

LE MONDE RUMINANT

Viendra-t-il enfin le savant, ou même le métaphysicien qui prendra au sérieux la métaphore selon laquelle tout se renouvelle, tout recommence, atteint un but, puis revient – qui prendra cela au sérieux et se mettra *réellement* à réfléchir *sur le temps*, sur ce qu'il représente – aussi réellement et aussi efficacement que l'on a cherché réellement et efficacement la loi de l'Espace de Pythagore à Newton, de Newton à Rutherford ? Car les dissertations de Bergson et d'Einstein à propos du temps, aussi belles et géniales soient-elles, restent pourtant pure poésie, tant qu'elles ne génèrent pas des thèses aussi claires et éclairantes que d'autres sur la base desquelles de nouvelles expériences et de nouvelles découvertes et inventions deviennent possibles.

Deux corps ne peuvent pas se trouver au même endroit en même temps. C'était une thèse, on pouvait construire dessus. Mais elle ne concernait que l'espace. À propos *du temps* on n'a même pas osé affirmer jusqu'à présent que, par exemple, au même endroit, au même moment, un seul événement est possible.

Le savant de la cognition affirme obstinément qu'il n'est pas possible d'expérimenter directement le temps, comme nous expérimentons directement l'espace et la matière grâce à nos sens. C'est pourquoi nous ne pouvons pas en formuler une notion réaliste.

Pure excuse. Nous n'expérimentons pas directement l'espace et la matière non plus. Ou alors vraiment si peu. Nos sens sont des instruments très faibles. Le microscope a révélé tout un monde de la réalité dont nos sens n'auraient jamais pris connaissance sans lui. Oui, mais si le microscope est devenu possible, c'est *parce que* nous *croyions* en la réalité de la matière, étant donné que grâce à notre héritage grec nous avions une formulation claire et précise de la matière. Sans lui pas de microscope et pas de bombardement d'électrons. (Pourquoi le microscope n'a-t-il pas été inventé en Asie, pourquoi l'a-t-il été en Europe ? Parce que Bouddha et Confucius et Lao-Tseu ont mal et obscurément décrit la notion de matière, tandis que les Grecs l'ont fait bien et avec clarté.)

Nous attendons une définition de la notion de Temps, capable d'engendrer des thèses aussi simples que celles de l'espace physique. Alors nous pourrons espérer trouver les moyens d'expérimenter le temps, ne serait-ce qu'indirectement. Et si nous pouvons l'expérimenter réellement – pourquoi ne pourrions-nous pas en faire des expériences ?

Nous possédons déjà presque un microscope du temps – nous pouvons vaillamment appeler ainsi la cinématographie accélérée.

Il resterait encore à trouver la Machine du temps. Le rêve farfelu de H.G. Wells nous permettant de voyager dans le temps vers l'avant et vers l'arrière. Car le temps en tant que tel n'est pas stationnaire, il suit une sorte de mouvement, seulement on ne peut pas savoir lequel. Que ce mouvement suive une allure régulière, ce sont les dispositions récurrentes des rythmes naturels, des astres et des soleils, qui nous l'ont fait croire – une connaissance plus approfondie de la psychologie éveille déjà quelques doutes : en effet, le rythme du mouvement dépend de notre capacité de perception et non l'inverse. Nous mesurons le temps en heures, mais l'heure se mesure elle-même avec nos notions temporelles arbitraires : nous ne saurons jamais si deux minutes ont oui ou non la même longueur de temps en valeur absolue aussi.

Il est plus intéressant de remarquer que la *flèche* du temps est imaginée par tous sans exception comme donnée et immuable : depuis le passé, vers l'avenir en passant par le présent.

Aux poètes, il arrive de dire des choses telles que : le temps a déraillé, il a fait demi-tour, il s'est suspendu comme le Soleil devant Josué – mais qui est-ce qui prend les poètes au sérieux ? D'après Bergson le temps est irréversible. Ce philosophe de la nature se réfère simplement à des images qui défilent à nos yeux les unes derrière les autres, selon un système défini : le bourgeon génère immanquablement une fleur et la fleur toujours un fruit. Il baptise cela *évolution*, et il considère par là même comme prouvé que le temps va toujours vers l'avant comme les rectangles de l'image au cinéma. Toutefois il nous est déjà arrivé de voir des images de cinéma à l'envers où le fruit devient fleur et la fleur bourgeon, mais c'est considéré tout au plus comme une plaisanterie par les mêmes sages qui perçoivent la vie réelle aussi comme le théâtre d'une sorte de succession de séries d'images.

Or la vérité est que non seulement dans la cinématographie, mais aussi dans la réalité, le temps progresse tantôt vers l'avant, tantôt vers l'arrière. Dans la réalité aussi le fruit devient fleur et devient bourgeon et devient graine de nouveau.

Et le passé devient quelquefois le présent.

Ces temps-ci j'ai souvent l'impression de voyager sur la machine du temps de H.G. Wells. Mon état d'âme, mon humeur, est souvent déterminé par le fameux sentiment du "déjà-vu", du "comme si cela m'était déjà arrivé" - s'agit-il dans chaque cas d'une illusion des sens ?

Ce matin par exemple.

Je lis : attentat à la bombe à Milan. Machine infernale dans un lampadaire, dix-huit morts, on n'a pas réussi à arrêter les anarchistes pour l'instant.

Je consulte le calendrier, je regarde l'année, le mois et l'heure – en vain, tout reste invraisemblable comme dans un rêve.

Anarchistes, attentat à la bombe, machine infernale, dictature, diplomatie, déclaration de guerre – comme tout est étrange ! Le monde des années quatre-vingt-dix, le même style – comme si rien ne s'était passé depuis.

Si je ne lisais pas sur l'autre page que le *SS Bremen*[76] fait route vers l'Amérique, et si cette communication ne me parvenait pas par la radio, je ne me rendrais pas compte que je suis éveillé.

Sur ce plan-là donc, le temps a tout de même progressé. Mais ailleurs ?

Apparemment le temps a tout de même plusieurs directions. Les utopistes, quand ils écrivent "le roman du prochain siècle", ne tiennent pas compte de cet aspect. Chez eux *tout* est en évolution, tout court vers l'avant – c'est peut-être pour cela que ces utopies sont tellement anti-artistiques, artificielles.

Les vrais artistes, à toute époque, au-delà des dogmes intraitables de la science, même s'ils n'osaient pas l'avouer, ont toujours senti cet étrange balancement du temps – c'est peut-être la raison pour laquelle le grand artiste était considéré par les poètes comme "immortel", "intemporel". Le *style* de l'art, on a l'habitude de le déduire de l'esprit de l'époque. Comment est-il possible alors que la fluctuation des styles se fiche pas mal de l'ordre arithmétique des Siècles, que l'art, la mentalité du trecento, se soit transposé en rêve dans une sorte d'époque archaïque primitive, que le quinzième siècle n'ait pas continué là où le quatorzième

76 Paquebot allemand, ruban bleu dans le trajet vers l'ouest pendant un an.

avait arrêté, mais de façon inattendue et sans raison explicable, simplement parce que ce n'était pas possible autrement, tout à coup il a commencé à voir et à penser et à sentir comme si Hellas n'était que d'hier et comme si rien ne s'était passé depuis, ni migration des peuples, ni christianisme, ni péché originel, ni rédemption.

C'est parce que c'est *l'artiste* qui sent et qui voit l'esprit de l'époque et non pas l'historien ni l'utopiste. Or l'esprit de l'époque ne connaît pas de siècles, ni ne connaît la prétendue loi du Temps et du Progrès allant du passé vers l'avenir à travers le présent. Le futuriste enthousiaste et militant a beau construire dans son esprit que Demain nous verrons et nous sentirons et nous désirerons nécessairement ceci ou cela – tout à coup intervient quelque chose, on ne sait pas ce que c'est, et malgré toute logique et tout progrès et toute prévision le lendemain deviendra un hier bizarre, bâtard. Tout ce qu'on a soigneusement préparé et conservé sous vide, toutes les images et statues et utopies et théories sociales et conceptions politiques et stratégies militaires et nouvelles religions futuristes et militantes deviennent soudain des torses comiques, et les gens se remettent à lire *Gartenlaube*[77] et les *Fliegende Blätter*[78], et les peintres et les écrivains reprennent là où Daumier et Dickens avaient levé leur plume, et les anarchistes se remettent à fabriquer une machine infernale avec de la dynamite, et tout reste comme s'il n'y avait pas eu *aujourd'hui*, et Dieu lui-même n'y comprend plus rien.

Car aujourd'hui par exemple il n'y a pas d'aujourd'hui mais il n'y a pas de demain non plus, en revanche tout à l'air de se passer avant-hier.

Avant-hier et pas hier parce que, je m'en souviens, hier il était encore chose courante d'écrire par exemple des drames historiques dans lesquels on présentait Jules César, le Christ et Napoléon comme s'ils étaient des hommes d'aujourd'hui. La mode au théâtre a changé à présent. Dans les pièces actuelles, c'est moi et toi et lui qui enfilons des costumes historiques et jouons notre tragédie au goût historique de jadis et des comédies.

Le monde rumine.

15 avril 1928

---

77 Almanach allemand des années 1850-1870.

78 Périodique allemand humoristique et anticlérical qui a paru de 1844 à 1944.

UN JOUR

Film d'histoire de l'évolution en guise de recueillement dominical. Production allemande, il passe actuellement dans quelques salles de Pest. J'ignore si les encarts hongrois sont une traduction de l'allemand original mais je le suppose, je n'aimerais pas ressentir ce style et cette présentation comme d'un hongrois. Cela commence par une longue recommandation de l'auteur envers son très honoré public, dans laquelle il avance des excuses. Il dit qu'il ne veut offenser le sentiment religieux de personne avec ce qui va suivre, et personne ne doit le prendre pour soi – lui, il ne fait que relater le cas, loin de lui toute intention de s'identifier à une quelconque idéologie mécréante à l'origine desquelles ces choses ont pu être évoquées. Après de telles implorations on s'attend à des messes noires, à la destruction de Sodome et Gomorrhe, et autres horreurs. Eh bien figurez-vous, après tout ce tralala et cette parabole apparaît sur l'écran l'ignoble cochonnerie pornographique que voici à laquelle il a fallu préparer les cœurs sensibles et pieux : une cellule initiale apparaît sous le microscope et se divise en deux. C'est suivi par le schéma bien connu de l'histoire de l'évolution que l'on retrouve dans tous les manuels scolaires. Les animaux primitifs, les invertébrés, les vertébrés, et enfin l'homme préhistorique avec des dents grinçantes – directement après l'homme préhistorique, deux acteurs connus bâtisseurs de pilotis. Grâce à Dieu, me dis-je, on a trouvé le "missing link" tant cherché, ce type qui fait la jointure entre l'homme singe, Néandertal et Darwin... Ai-je dit Darwin ? Dieu m'en garde, je voulais dire l'auteur ! Bref, comment ça marche ? Cellule initiale, infusoire, invertébré, mammifère, homme singe, acteur de cinéma, Darwin – la chaîne s'arrête là. Après arrive directement l'auteur qui ne s'identifie surtout pas à tout cela, qu'on ne le mêle pas à ce paquet de cartes, il se peut que son papa qui était encore un darwinien mécréant descendît, lui, du singe, mais lui, de même que son très honoré public ne vont pas entrer dans une histoire de si mauvais goût. L'auteur réitère ses excuses tout au long du film, et il souligne que c'est bel et bien Dieu qui a créé le monde, et que Dieu garde quiconque de ne pas prendre la Bible au pied de la lettre, de toute façon "des recherches récentes" ont prouvé que ça ne marche pas comme ça, comme ce type-là dont le nom salirait l'ambiance de fête (je crois qu'il fait allusion à Darwin) le prétendait, mais c'est comme chacun de nous séparément l'a appris à son catéchisme personnel. C'est tout juste s'il ne termine pas en invitant chacun à prendre un bon bain, puis jeûner trois jours.

Eh ben !

Moi je suis un darwinien et je suis aussi un croyant. (Au demeurant Darwin lui aussi était croyant.) En tant que tel je constate que le film est aussi très joli, les encarts aussi sont très jolis. Mais alors pourquoi étais-je mal dans ma peau pendant cette dévote projection et toute personne de bon goût avec moi ?

Il existe une vieille blague juive dans laquelle l'élève de l'école confessionnelle raisonne ainsi : le chocolat c'est bon, l'ail c'est bon – comme ça doit être bon le chocolat à l'ail !

Cet élève de l'école confessionnelle ne jouissait que dans son imagination de ce somptueux régal – "l'éducation populaire" moderne en revanche semble vouloir réellement le servir.

La religion c'est une bonne chose, pense le brave éducateur populaire, la science c'est également une bonne chose. En outre, de nos jours les deux sont à la mode sous des formes bien tranchées. Alors, les deux à la fois, comme ça doit être bon ! Un plat somptueux qui permettra de préserver le chou de Dieu en même temps que nourrir la chèvre du désir de savoir.

Oui, honorable éducateur populaire, il existe en effet et on est en train de le cuisiner dans le chaudron spirituel des plus grands esprits du monde, un certain effort pour souder ensemble foi et savoir, pour trouver Dieu à la lumière de la Pensée et trouver la pensée dans le verbe de Dieu. Mais tant que ce plat merveilleux, le nectar et l'ambroisie de l'esprit, n'est pas achevé, l'âme pudique et fière ne peut digérer ta tambouille simplette. Cette âme voit clair en toi, elle voit bien d'où souffle le vent. Ce n'est pas Dieu que tu veux flatter, mais seulement la "conjoncture" rance et triste qui, Dieu sait comment, a fait croire aux gens que cette eau bénite mélangée à du sucre en poudre par laquelle l'hypocrisie anglo-américaine (Dayton ![79]) essaye, au début et à la fin de chaque siècle,

79 Petite ville du Tennessee où s'est tenu en 1925 un procès retentissant contre un professeur de biologie qui enseignait l'évolutionnisme.

d'arroser le monde est redevenue actuelle. Or la véritable science en progrès a toujours contenu une religiosité plus riche et plus profonde que le peu de crédit qu'on pouvait lui accorder. Laisse tranquille la foi et la science – rend à César ce qui appartient à César et à Dieu ce qui est à Dieu, mais ne fais pas avec eux *affaire commune*, car on ne peut tromper ni l'un ni l'autre. Combien de fois dois-je encore répéter que la véritable science *cherche partout* ce Dieu que tu veux immobiliser – elle *n'alterne pas* ses connaissances, mais elle les élargit ; et si de nos jours elle essaye de dépasser le darwinisme, cela ne signifie nullement qu'elle veut *autre chose,* mais qu'elle veut *quelque chose de plus, de plus complet.* Non seulement la science n'a pas honte de la perception qu'elle avait cent ans plus tôt de l'histoire de l'évolution, mais elle en est fière quand elle veut la rectifier et la développer – toi non plus, tu n'as pas à avoir honte en son nom. Dans ton zèle de flatteries envers l'église tu n'as pas besoin d'être plus papiste que le pape – crois-moi, je le connais, ça lui déplairait plutôt.

Le malade mental est condamné à mort. L'exécution de la sentence a été suspendue compte tenu de la maladie mentale du condamné. Il a été envoyé à l'asile psychiatrique pour traitement. Une fois guéri, plus rien ne s'opposera à l'exécution de la sentence.

Oui, d'accord – mais il n'est tout de même pas assez fou pour guérir ?

Microscope. C'est tout de même la découverte la plus grande, l'innovation la plus décisive jusqu'ici dans l'histoire de l'humanité. Que voler nous soit possible, on s'en est douté dès le début, et on savait aussi qu'il était possible de filer à toute vitesse comme l'orage, et on connaissait l'éclair, et on devinait l'existence de mondes lointains semblables au nôtre - mais on ignorait que le grain de poussière et la goutte d'eau *ne sont pas tels que nous les voyons*, mais tout à fait différents, une réalité mille fois plus complexe. Et à mon avis le plus important dans la découverte du microscope ne consiste pas à élucider le monde de la réalité – mais à élucider celui de l'âme humaine en démontrant *que notre raison n'est pas une source crédible des jugements, n'est pas un bilan crédible de la vérité*, pour la simple raison que les organes capteurs et contrôleurs de la réalité *fonctionnent mal.* De façon utile et salutaire, la foi aveugle accordée à la raison a été abolie le jour où il s'est avéré que nos yeux sont le miroir de l'âme (j'observe en passant qu'il est intéressant que la science du développement ait légitimé cette image-ci : les yeux en tant qu'organe se développent directement du cerveau, c'est une excroissance des cellules cervicales, deux antennes protubérantes, un périscope), un mauvais miroir qui reflète à l'envers : *de l'extérieur vers l'intérieur.*

Se rendant compte que ce miroir ne doit pas être parfait *de l'intérieur vers l'extérieur non plus*, la nouvelle psychologie s'est donnée pour vocation de corriger les connaissances erronées de la conscience.

La boxe. J'étudie sa partie la plus difficile : supporter les coups.

Une mauvaise pièce. Quel était donc le but de l'auteur ? Impossible de le savoir car il ne l'a pas atteint. On ignore vers où était orientée sa flèche car elle est tombée dans le marécage.

Alors le brave esthète déclare qu'il n'avait pas de but. C'était de l'art pour l'art.

L'avion. Je dois me trouver à haute altitude. Je le pense parce que plus personne ne me fixe d'en bas bouche bée. On ne me voit plus d'en bas.

Le bon pacifiste ne réclame pas l'absence de combats. Il réclame seulement qu'il y ait aussi la paix.

Le cadeau du mendiant. Le fait de demander.

Un petit malentendu.

- Jouez, s'il vous plaît, la belle pièce que Beethoven a dédiée à Dante.

- À Dante ? Je ne me souviens pas d'une telle œuvre.

- Allons, ne dites pas ça… Venez, regardez, je l'ai trouvée ! Celle-ci. Vous voyez ? On peut lire en haut à gauche : « *Andante* ».

6 mai 1928

MAÎTRE BOULANGER

Pourquoi en fait a-t-on enfermé Zsigmond Fischer, maître boulanger, à la maison des fous ?

Grâce au dossier de documents qui se trouve devant moi on peut clairement reconstituer le cas, sans y ajouter, ni y retrancher rien.

Mais il faut l'écrire, l'écrire tel que ça s'est passé.

Qu'il faille l'écrire, on est contraint cette fois de le souligner spécialement. Contraint parce que selon la médecine actuelle, j'ai failli dire légale, il n'y a rien de spécial à écrire ni à souligner sur ce cas : selon la médecine officielle Monsieur Zsigmond Fischer a été interné dans un asile psychiatrique parce qu'il est devenu fou – c'est un problème clinique, la démarche à suivre dans le jargon des diagnostics cliniques s'appelle *l'anamnèse*. Autrement dit, quand je ne décris pas le cas dans le jargon clinique mais dans le simple langage du commun des mortels, autrement dit *tel que le cas s'est produit*, je suis conscient de commettre un crime, tout au moins un délit, contre la médecine officielle existante.

Tous ceux qui me connaissent savent à quel point je respecte les lois de la science en vigueur avec enthousiasme, foi et fidélité. Si cette fois je fais quand même une exception, c'est parce que dans le cas justement de la maladie mentale, seuls les dispositions et les décrets de la science sont clairs, ses arguments ne le sont pas toujours. Que quelqu'un soit malade mental (à l'exception de la paralysie), on ne peut "pas encore" (comme on a coutume de le dire) le constater objectivement, en se basant sur l'altération du cerveau et du tissu nerveux – c'est impossible, même a posteriori, par l'anatomopathologie. La science est contrainte de se contenter de symptômes, de certains actes qui sont effectivement irréguliers. Elle en constitue son diagnostic. Autrement dit la science ne fait pas autre chose que *décrire* les actions bizarres et anormales observées.

Eh bien, je ne fais pas autre chose moi-même.

Voici les faits. Depuis un certain temps le maître boulanger Zsigmond Fischer paraissait anormalement inquiet. Il avait "un comportement agité", comme disait son entourage – il faisait continuellement les cent pas, il était irritable, distrait. J'ajoute qu'à mon humble avis cette agitation n'est choquante que si l'on suppose que le maître boulanger avait perdu son calme sans aucune raison. Son entourage prétendait qu'il n'y avait aucune raison puisque la boulange marchait bien, le maître boulanger était fortuné, sa famille bien portante, et le maître avait un estomac solide. Mais, dès que je suppose que le boulanger était inquiet *pour une autre raison* que l'argent, la famille et l'estomac, alors la distraction et l'irritabilité ne sont nullement contre nature. Supposons que quelque chose tourmentait ou rongeait le maître boulanger. Quand on est tourmenté et rongé, il est tout à fait naturel qu'on soit distrait – il serait contre nature de ne pas l'être.

Donc, le maître boulanger se rongeait et se tourmentait en effet, comme on l'a vu. Sa famille s'est donc inquiétée pour lui (Tiens, comme c'est curieux ! La famille aussi était inquiète mais personne n'a enfermé la famille à l'asile de fous !), elle a envoyé le maître boulanger se reposer à Purkersdorf[80]. Au retour de Purkersdorf le maître boulanger paraissait plus calme, il ne faisait plus continuellement les cent pas.

Autrement dit, il ne se tourmentait plus et il ne se rongeait plus.

Le mal devint beaucoup plus grave.

Le maître boulanger se mit à agir.

Un matin il fit imprimer une lettre circulaire qu'il adressa à la population environnante pour lui annoncer qu'il souhaitait vendre les petits pains et les croissants moins cher, substantiellement moins cher – il voulait vendre petits pains et croissants avec un manque à gagner, quasi gratuitement. Et il expliquait pourquoi : il voulait aider les gens dans leur misère.

Et pour que "la logique de la folie" soit encore plus complète : le maître boulanger prit un panier et se mit à porter et distribuer en personne les croissants.

C'est alors qu'il devint clair que le cas était mûr pour l'asile de fous.

Car, voyons un peu.

Si par exemple le maître boulanger s'était pris pour Napoléon et avait adressé un manifeste aux fascistes – il ne tenait qu'à la façon de rédiger le manifeste qu'on l'enferme (à l'asile ou en prison) ou qu'on le promeuve leader. Le diagnostic dans ce cas aurait encore permis plusieurs issues. La situation aurait basculé un peu plus dangereusement dans la

80 Sanatorium proche de Vienne, en Autriche.

direction de l'asile de fous si, par exemple, le maître boulanger s'était pris pour un maître charcutier – le métier de charcutier exige une compétence suffisamment solide pour qu'une telle idée fixe suffise aux maîtres charcutiers pour constater la folie du maître boulanger.

Or dans le cas précédent, je le répète, l'asile était une issue tout à fait certaine.

Notre maître boulanger, lui, ne s'est imaginé qu'être maître boulanger.

Il s'est imaginé être maître boulanger dans le sens authentique et complet du terme selon lequel un maître boulanger est un homme qui cuit du pain et des croissants pour des gens affamés de pain et de croissants afin d'assouvir leur faim.

C'est donc là-dessus que notre maître boulanger se rongeait et se tourmentait jusqu'à son retour de Purkersdorf. S'il s'était rongé et tourmenté davantage *au lieu de faire ce qu'il avait compris pendant qu'il se rongeait et se tourmentait,* peut-être n'aurait-on jamais découvert qu'il était dérangé.

Car aussi longtemps qu'on ne pourra pas démontrer les altérations des tissus cérébraux, nous serons contraints de définir l'aliénation comme suit : est aliéné celui qui *exécute* ce qu'il pense, même si on n'a pas *l'habitude* d'exécuter cela à l'époque et à l'endroit où on vit – est aliéné celui qui agit comme il le juge bon, même si ce faisant, à l'endroit et à l'époque donnés, il peut occasionner des ennuis à lui-même ou à autrui.

Le maître boulanger aussi pouvait sentir que quelque chose ne tournait pas rond en lui, que quelque chose de très grave lui était arrivé, lorsqu'il avait commencé à suivre le chemin que sa compréhension et sa raison et son cœur lui avait tracé.

Je lis que, lorsque les ambulanciers sont venus le chercher, il n'a pas été effarouché, il n'a pas fait de scandale, il ne s'est pas opposé. Il a acquiescé en souriant, en poussant un soupir quasi libérateur. Il a tendu la main et bientôt il s'avéra qu'il savait parfaitement où on l'emmenait, il s'y attendait, il l'avait prévu.

- Je suis très heureux que vous m'emmeniez à Lipótmező[81], a-t-il dit, c'est un endroit reposant, je pourrai bien y récupérer, car je manque beaucoup de sommeil.

Il voulait dormir, le maître boulanger, comme s'il s'était rendu compte qu'il avait raté quelque chose en voulant remédier à une autre erreur, à l'erreur de la société.

Il ne voulait pas mourir, il voulait seulement dormir.

Il a été interné un vendredi.

Je ne profite pas de la comparaison bon marché et de mauvais goût qui s'offre. La comparaison avec cet autre Maître qui était maître boulanger aussi, entre autres, quand avec cinq pains cinq mille hommes ont pu manger à leur faim, alors qu'à l'endroit et au moment donné on convenait que cinq pains ne pouvaient satisfaire que cinq personnes.

Contentons-nous de dire qu'il existe des signes qui montrent qu'au plus profond de son âme divine, le boulanger aussi a accepté l'horrible malentendu, la sentence impossible et malfaisante "qui était écrite dès le début". Car cette impossibilité et cette ineptie et ce malentendu faisaient l'ordre et la paix dans son âme où une petite et faible lueur de soupçon s'était nichée, face à lui-même, la veille, lorsque dans le frais bosquet il a dit au spectre éveillé dans son âme : « Bon, d'accord, qu'il ne soit pas fait selon ma volonté, mais qu'il soit fait selon sa volonté ».

Ce soupçon de savoir, est-ce qu'une bonne action est vraiment une bonne action toujours et partout – il n'y avait qu'une seule façon de le dissiper : dormir là-dessus. Dormir une nuit, ou trois nuits, ou trois cents ans, ou trois mille ans.

Dans l'histoire de la rédemption j'ai le sentiment que notre époque a trop souligné l'importance de la croix, au détriment de la résurrection.

29 juillet 1928

---

81 Asile d'aliénés de Budapest.

PROGRÈS

Allons donc, dit mon ami, cet adepte du progrès, comment pouvez-vous penser une chose pareille, quelle idée ! Ouvrez les yeux ! Penser qu'au vingtième siècle quelqu'un…

Il a encore dit quelque chose par la suite, mais je ne l'ai écouté que d'une oreille, il faisait terriblement chaud, le ventilateur ronflait vainement sur mon bureau. Mais qu'importe, je n'avais pas à l'écouter. Il radotait, dans un mot sur trois il répétait qu'on est au vingtième siècle et qu'aujourd'hui ce n'est plus comme ça. Aujourd'hui un homme ne peut plus faire ça et une femme ne peut plus penser comme ça et un enfant ne peut plus être élevé comme ça, et même un chien n'aboie que par erreur de la même façon que deux cents ans auparavant parce qu'il ignore qu'on est au vingtième siècle et que son aboiement a perdu son actualité et donc son objet, il est pour ainsi dire caduc. Car, n'est-ce pas, aujourd'hui il y a ces grands immeubles colossaux et il y a l'avion et la radio et les fusées et le freudisme et les cheveux des femmes.

Et pendant qu'il parle et ronfle le ventilateur, je vois l'image qui se forme dans son esprit – le monde est une grande machine à vapeur, elle tourne de plus en plus vite, ses engrenages et ses boulons et ses vannes, les soleils et les lunes et les étoiles, ils sont de plus en plus glissants et ronds et tout est de plus en plus évolué et plus parfait, et tout ce qui était petit grandit à vue d'œil, les villes deviennent métropoles, les forêts vierges deviennent de plus en plus petites, chaque personne gagne en intelligence en beauté et en courage, et à la fin le monde deviendra si grand qu'il ne rentrera plus dans le monde. Car toutes ces choses dégénérées qui subsistent encore de nos jours, ne sont plus que transitoires, ce ne sont que les maladies du progrès, dit-il, les souffrances et les problèmes, cela ne signifie rien. À un artiste, ajoute-t-il plein de reproche, qui est un vaticinateur, un visionnaire, je ne devrais pas avoir à l'expliquer – n'est-ce pas de nous peut-être, poètes et visionnaires et penseurs qu'il sait tout cela lui-même ? Ou voudrais-je peut-être me renier ?

Je me sens un peu interloqué. Non, je ne veux en aucune façon me renier. Voyons, comment ça marche ? En tant que visionnaire et penseur, bien sûr – oui, j'attends quelque chose moi-même de l'avenir, quelque chose qui change "ce honteux présent". Mais en tant qu'artiste…

Écoutez, comment pourrai-je vous expliquer cela ? Moi j'attends et je crois en cet avenir, mais je ne l'imagine pas tel *qu'il y manque* ce qui existe présentement. Cet avenir sera manifestement une chose plus riche que ce présent – mais la richesse, n'est-ce pas, *le Plus*, comprenez-moi, doit justement contenir le moins : c'est par là que le plus est meilleur que le moins, et non parce qu'il est plus grand.

Écoutez, ne répétez pas tout le temps que tout ce qui existe grandira et changera et se perfectionnera. J'avoue que ça ne me console pas du tout, cela m'inquiéterait plutôt. Merci beaucoup. Si ce qui existe n'est que souffrance et torture – dans votre système de progrès, ce qui sera ne sera qu'une souffrance et une torture encore plus grandes et plus évoluées. Moi par exemple je halète ici et je souffre de la chaleur – et vous voulez me faire avaler que cette chaleur sera encore plus parfaite et plus grande ? Merci beaucoup, alors cela est carrément la religion de l'enfer, et celle des savants sans Dieu qui se plaisent à me calculer que dans cent mille ans le Soleil engloutira la Terre et alors tout ce qui s'est difficilement solidifié et refroidi se liquéfiera et sera de nouveau chauffé à blanc.

Dieu m'en garde.

À moi, assis ici, ma seule consolation est de savoir qu'au loin, près du Spitzberg, il fait tout de même plus frais qu'ici et ce ne serait pas mal d'y aller un peu. En revanche, si je me trouvais là-bas et me mettais à frissonner, de nouveau ce qui apporterait une consolation n'est pas qu'aussi, d'après des savants sans Dieu, dans une centaine de milliers d'années la Terre se refroidirait et se figerait en un morceau de glace, mais plutôt que, grâce à Dieu, à Budapest il fasse bien chaud et si je veux je fais un saut et j'y vais.

Nous n'avons imaginé ni *trop chaud* ni *trop froid* nous, êtres vivants nés avec un cœur et une âme, quand voilà une quarantaine de milliers d'années nous avons décidé de venir rendre visite à ce monde. Concernant la température de notre corps nous nous sommes alors mis d'accord sur trente-sept degrés – ceci signifie qu'une fois pour toutes nous avons engagé note corps et notre âme à *un unique environnement* qui fluctue quelque part autour de cette température, parmi des milliers d'autres variantes de température possibles.

Nos désirs et notre imagination exhalent cette infinie variété de chauds et de froids, comme le grand se cache dans le petit, autour de ces quelques petits degrés de la Bonne Espérance.

Savez-vous ce qui me plaît dans ce monde ?

Pas le fait qu'il est grand et qu'il est promis à un grand avenir.

Ce qui me plaît c'est qu'il est riche et varié et qu'il s'enrichit encore.

Vous savez ce qui me plaît dans l'avenir ? Pas le fait qu'il ait vaincu et enterré le Passé et le Présent.

Ce qui me plaît c'est qu'il les a conservés et qu'il y a ajouté des choses.

Vous savez ce qui me plaît dans l'homme ? Pas le fait que de simple protozoaire il a pu évoluer en un mécanisme aussi immense et complexe. Ce qui me plaît est que finalement il est toujours bel et bien composé de tels protozoaires ou cellules. La cellule archaïque, le grand Adam, source de toute vie, n'est pas mort : tu le retrouves sous le microscope si tu poses sur la plaque sous l'objectif une goutte d'eau croupie paisible et tiède.

Vous savez ce qui me plaît dans les gratte-ciel ? Qu'assis au trente-septième étage je peux rêvasser sur la petite cabane du vieux quartier de Buda où hier je me suis arrêté pour méditer, et j'ai constaté qu'elle est tout aussi primitive que pouvaient l'être les vieilles huttes des premiers habitants. Avant Rome et Aquincum[82], celles des premiers habitants et des hommes préhistoriques – primitives comme une construction sur pilotis, bâties pourtant récemment, au vingtième siècle.

Vous savez ce qui me plaît dans New-York ? Qu'en temps de paix elle a toléré et préservé Venise et Florence – les a préservées et s'y rend, émerveillée, en pèlerinage.

Vous savez ce qui me plaît dans l'avion et la fusée ? Qu'en me penchant à la fenêtre je vois en bas, sur la route, je vois la brouette à deux roues qu'un paysan hellénique a poussée par-là quatre mille ans plus tôt.

Et j'aime le terrible métier à tisser car en flânant dans les rues de Buda j'ai vu une vieille femme en fichu assise à la fenêtre d'une petite masure : clignant des yeux elle levait vers la lumière le chas d'une aiguille pour mieux enfiler son fil tortillé – pour mieux viser le chas de la

82 Ville romaine à l'emplacement de Buda.

même aiguille que l'archéologue a trouvé dans des tombes de six mille ans.

Et j'aime la radio et le gramophone quand ils jouent du Mozart ou les mélodies de Rameau. Gramophone et jazz – c'est un peu *trop du même* bien – un peu insuffisant pour le même bien.

Et j'aime les femmes en jupe courte et à cheveux courts parce qu'elles me font penser à la Pompadour et à la petite Manon – et j'aime tout qui me permet de penser à autre chose.

Et j'apprécie que le monde fasse *un tout* : souffrance et plaisir et joie et peine, gratte-ciel et aiguille à coudre et passé et avenir – ça me plaît, ça me console, ça me rafraîchit dans un profond chagrin, ça me refroidit, ça me dessoûle, ça m'élève du marécage croupi du bonheur vers l'éternelle Consolation, l'éternelle Espérance – voir que tout est ensemble, que le Temps est contenu dans l'Espace, qu'il ne s'en sauve pas, qu'il ne le fuit pas, qu'il l'emporte avec lui – j'aime cet autre "Tragédie de l'Homme" à l'envers qu'un jour peut-être j'écrirai (je toucherai des honoraires !) – pas l'histoire de quarante mille ans, celle d'une heure seulement – une seule heure en dix-huit tableaux *sur différentes scènes du Globe Terrestre* – et pendant cette même heure, partout, dans le rôle du roi et de la reine, du révolutionnaire et de la révolutionnaire, du jouisseur débauché et le la cocotte, de l'homme passionné et la femme pieuse, du savant et de la Barbara oisive, de l'Übermensch et de l'esquimaude, toujours les mêmes Adam et Ève que nous avons vus dans le Temps – tel un gigantesque livre illustré dont les images montrent *côte à côte* la même diversité dont nous croyions avec notre sens temporel trompeur qu'elle se déroulait sous nos yeux les unes à la suite des autres.

12 août 1928

LIEU COMMUN

Nous devions tous sourire, pourtant la chose était tragique : apparemment le brave artisan a bel et bien commis son "acte fatal" : il l'avait préalablement annoncé à la gouvernante.

Mais il fallait bien sourire.

Évidemment, quand il commence sa lettre d'adieu ainsi : « *Quand tu liras ces lignes je ne serai plus parmi les vivants* ».

Donc il se pourrait bien que depuis, le pauvre bougre "ait rendu l'âme", "mange les pissenlits pas la racine", autrement dit "ait cassé sa pipe", après "ait passé l'arme à gauche".

La gouvernante était entourée de nombreux hommes de goût, cultivés, modernes quand, en pleurs, elle leur a montré la lettre. À qui la faute si notre premier sentiment n'a pas été la frayeur et la compassion dues au fait qu'un de nos congénères était mort, de la mort la plus tragique et la plus impensable que connaisse la nature – mais, avec la cruauté dont seuls sont capables les hommes de goût cultivés, nous avons avant tout retenu le comique dans la banalité de cette manifestation, aux oreilles des hommes de goût.

Je n'ai compris que plus tard que, bien que j'aie souri comme les autres, de cette scène j'ai finalement gardé un arrière-goût désagréable – mais pas aux dépens du pauvre artisan, à ceux de la souriante compagnie.

En fait où en sommes-nous en matière de lieu commun et de bon goût ?

Étudions de plus près ces images pitoyablement banales. Qu'ont-elles de ridicule ? Mais pour le faire nous devons les analyser *comme si nous les entendions pour la première fois*. C'est un premier critère du lieu commun : (il se pourrait que justement celui-ci s'avère être le seul) l'image est ridicule car manifestement ce n'est pas la personne qui l'a inventée sous le poids de l'émotion, elle l'a seulement emprunté toute faite et l'a appliquée à son cas.

Car s'il l'avait inventée lui-même…

Celui qui *le premier* a écrit cette phrase avant de se suicider (bien que je soupçonne que ce n'était pas un vrai suicidé mais la phrase a dû être mise par un romancier dans la bouche d'un de ses personnages), pensez-en ce que vous voulez mais à mon avis il a pérennisé une force de l'âme humaine très belle et très émouvante, un tragique quasi sublime. Quand tu liras ces lignes… Ainsi, sans les stigmates des guillemets, si je me représente l'homme déterminé à mourir, je dois admirer le courage et l'imagination qui lui restaient pour penser *la vie* après sa mort et dans laquelle son âme sans corps jouerait un rôle. Quand tu liras ces lignes… Au moment où il a écrit cela, il a presque fait un miracle : il a transformé par magie *le futur en présent* – il a *prévu* et vécu à l'avance l'instant qui pour lui ne sera qu'un néant intemporel – il vivait à la fois dans le futur et dans le présent, il a vaincu la peur et la mort.

Mais on pourrait en dire autant des autres expressions aussi. Tous ces lieux communs en eux-mêmes, sans guillemets, sont autant de belles images nobles et poétiques.

Il s'est éteint. La science a en effet attesté un soupçon ancestral de la poésie : chaque vie est une petite flamme qui couve, capable d'embraser le monde si un pompier mystérieux, dont la tâche est de prévenir l'embrasement du monde, n'arrive pas à temps pour la souffler. Chaque mort est une mort violente – nous grandirions, proliférerions, nous épanouirions, notre tête monterait peut-être jusqu'au ciel si, au nom d'un grand Ordre jaloux, *la faux de la mort* ne tranchait pas nos racines.

Rien ne peut y remédier. L'amour tâche de transgresser cette loi – recommencer tout au début, contourner la vigilance du grand pompier. Pressentant qu'une petite flammèche toute seule ne fait pas le poids, deux petites flammes se coalisent au nom du Grand Incendie, battent le briquet, répandent et dispersent des germes de flammes, des étincelles de vie *lorsque deux bouches se soudent* – en vain ! Ils sont engloutis par la profondeur juste au moment où ils pourraient gagner l'immortalité, car *l'amour est un puits sans fond.*

C'est l'école de la vie tel qu'il est écrit dans le livre du destin.

Autant de lieux communs.

Autant de belles et parfaites vérités, fruits de réflexions bien senties, vérifiées et attestées, et qui plus est, exprimées avec une perfection artistique.

Le seul problème est qu'elles sont mal placées dans la bouche de la personne qui les prononce. Quel que soit celui qui les prononce, elles ne vont bien dans aucune bouche. Elles allaient bien autrefois, jadis, dans la bouche *de la seule personne* les ayant prononcées la première – à la rigueur dans celle de quelques autres, de leurs congénères qui les citaient.

Le lieu commun est le trésor spirituel, le legs intellectuel, l'héritage d'un passé culturel. Notre rapport avec lui est le même qu'avec tout autre legs. Même s'il est riche, nous n'attendons pas de la nouvelle génération de le dépenser, le manger, le gaspiller. Il faut qu'elle y ajoute, qu'elle fasse ses preuves et qu'elle prouve de quoi elle est capable avec ou sans héritage. Qu'elle montre qu'elle est aussi grande en ancêtres qu'en descendants – qu'elle est digne père et digne fils.

Chaque nouvelle génération doit redécouvrir le monde, avec toutes ses vérités, tous ses tenants et aboutissants et toutes ses forces vitales, comme si elles n'avaient rien reçu en héritage. Une sorte d'instinct sain et souple veille à ce qu'il en soit ainsi. Cet instinct refuse et rejette toute vérité qui a trop souvent été exprimée de la même façon. Face à cela, la capacité de la raison de chercher et de trouver la notion derrière le mot s'estompe, s'émousse. Involontairement la raison n'entend plus que les mots vides qui sonnent comme des cailloux dans un grelot. J'ai dit un jour que toute vérité est morte à l'instant où elle a été nommée et proclamée. C'est peut-être une exagération – toujours est-il que nous avons constamment besoin de nouvelles définitions, non seulement parce que les anciennes étaient imparfaites, mais aussi parce qu'elles se sont usées.

Redécouvrir à tout instant la vie, chaque instant de la vie – pour nous c'est un sentiment plus important, plus vrai, plus fiable, plus rassurant que la règle mathématique la plus parfaite. Deux fois deux font quatre – elles doivent *être là devant moi*, naître sous mes yeux ces deux choses *réelles*, deux hommes, deux pommes, deux baisers, puis les deux autres – qu'il me soit permis de prononcer comme si j'étais le premier à trouver : les deux autres avec lesquels ils font quatre.

Dans la bouche d'un homme vivant je veux entendre des mots qui vivent – *le seul, l'unique mot* exigé par la *concomitance*, qui ne reviendra jamais, une constellation de circonstances fortuites quand l'homme de *cet instant* a coudoyé *ce vécu*. Il y en a déjà eu de semblables, mais jamais d'identiques. Il y a déjà eu des suicidés, mais il n'a pu y en avoir *qu'un* dans le cas duquel l'état d'âme couvrait parfaitement la somme des passions et des circonstances extérieures et intérieures, l'état d'âme dans lequel il était impossible d'écrire autre chose que : « *quand tu liras ces lignes*... ». Celui qui a écrit cette phrase une seconde fois a écrit un lieu commun – il est possible que lui-même ait profondément ressenti la phrase, il n'empêche qu'il avait tort : la seule façon dont la chose a pu se passer est qu'il *s'est imaginé* à la place de la personne qui l'a écrite pour la première fois, par conséquent il n'était plus lui-même – il était acteur et comédien sans le savoir, le pauvre, à ce moment de la mort – *il a rejoué* quelque chose qui avait déjà eu lieu, qui par conséquent ne peut jamais se reproduire dans la réalité une nouvelle fois à l'identique.

Or le théâtre et la comédie sont une forme de mensonge – et le mensonge est comique.

Pourtant je prends quand même la défense du lieu commun, pourquoi ?

Pure précaution. Apparemment je vieillis. Je méprise encore le passé – mais je commence à craindre l'avenir.

Est-ce que notre grande "simplicité", notre "naturel", notre dégoût maladif des banalités ne deviendront pas un jour lieu commun ?

Dans la société où j'évolue ces temps-ci on craint tellement les lieux communs que les gens prononcent même "bonjour" entre guillemets, avec un accent ironique, sans s'identifier au simplet qui me souhaiterait sincèrement de passer une bonne journée.

Dans cette société j'ai entendu il y a peu, au moins dix fois dans la journée, la sentence consternée du lieu commun.

J'ai enfin ressenti que ce ton méprisant est devenu une banalité ennuyeuse, dépassée, un lieu commun.

Et je me refuse désormais à prononcer ce mot banal de "*banalité*".

23 septembre 1928

ACROBA-A-TE ! DIPLOMA-A-TE ! HOP !

Tout Pest a été enchanté par ce mignon petit clown anglais qui s'est produit durant un mois à l'Orpheum. Les larmes nous coulaient des yeux tant il fallait rire. Et où que j'aille, partout où on en parle, où on y pense, tout le monde tente de l'imiter, les bras levés, les yeux exorbités de plaisir, avec sa voix d'un enchantement étourdissant, tel qu'il le fait, cet inoubliable petit Rivel[83] :

- *Acroba-a-te !... Hop !!...*

En effet, c'est son truc et son art et sa philosophie. Il est un petit clown, il sautille sur les tréteaux, dans la panoplie traditionnelle, comme les autres. Mais si pendant ce temps son partenaire lui dit par exemple : « dis, assez de galipettes, jouons de la trompette », alors à l'instant même il cesse de faire ses galipettes, il écarte les bras, ses yeux se tournent vers le ciel et envahi d'un bonheur inouï, extraterrestre, comme qui voit accomplir son désir et son ambition et son but les plus profonds, les plus secrets, dans la vie, marmonne en larmes une action de grâce à Dieu qui a permis son salut, il chuchote, attendri, hochant la tête dans l'ivresse de la béatitude :

- *Trompeter !... Hop !...*

Et il se lance, il souffle effroyablement dans sa trompette. Et il trompette, et alors au milieu d'une gamme ascendante son partenaire lui dit : « dis, sautons plutôt sur la tête l'un de l'autre comme des acrobates » et Rivel jette sa trompette, ses yeux s'exorbitent, il écarte les bras (voir plus haut).

- *Acroba-a-te !... Hop !!...*

Et pendant ce temps n'importe quoi qu'on lui propose, jouer du violon, quelque chose de triste et émouvant, ou plutôt chanter cocorico, ou plutôt faire le pont, ou démonter le pont, ou plutôt être un père sérieux, ou plutôt faire la sauterelle, ou plutôt l'éléphant, Rivel cesse sur le champ l'exercice précédent et avec tout l'enthousiasme et l'élan flamboyant de son cœur, il est prêt à devenir sauterelle et éléphant et père sérieux et

83 Charlie Rivel (1896-1983). Clown d'origine espagnole, internationalement connu dans le monde du cirque. (Devenu hélas par la suite raciste et ami personnel d'Adolf Hitler.)

ingénieur bâtisseur de pont et révolutionnaire destructeur de ponts : il est à tel point convaincu de la magnificence de sa vocation que l'explosion continuelle de son ravissement le gêne dans l'exercice de sa vocation – par exemple il fait l'acrobate et il tient son partenaire debout sur sa tête et tout à coup il écarte les bras. « *Acroba-a-te !... Oh !!...* », marmonne-t-il et le partenaire debout sur sa tête se retrouve par terre.

J'ai bien l'impression que cette fois nous n'avons pas ri de la difformité, du grotesque, de l'extraordinaire, mais nous avons ri de quelque chose qui est un trait humain ordinaire et général, quelque chose qui est plus que la satisfaction de nous reconnaître – nous n'avons pas ri d'avoir reconnu que *nous étions comme ça*, disons, pendant l'enfance, nous avons ri parce que nous avons reconnu que *nous sommes toujours comme ça* – je vais même plus loin : pas parce que nous sommes aussi comme ça, mais parce que nous sommes *uniquement* comme ça.

Parce que, n'est-ce pas, il est inutile d'expliquer que la production de Rivel représente l'état de l'âme que prétentieusement nous appelons *l'enfance*. Pour un enfant – seulement pour les enfants – tout est jeu ; tous les rôles dans lesquels il peut s'imaginer s'élargissent à l'infini, paraissent l'unique possibilité, tant que dure ce rôle – une infidélité parfaite à soi-même en cent variations.

Mais pourquoi est-ce aussi comique ? Parce que c'est stupide ?

Et si oui, est-ce parce que *l'enfant* est stupide ? Ou plutôt...

Dans la salle de l'horloge, en la présence de Stresemann[84] et des autres ministres des affaires étrangères, Briand donne lecture solennelle du pacte de paix de Kellogg selon lequel... Vous savez tout cela. Et maintenant, Messieurs, nous allons le signer, d'accord ? – dit Briand, et les ministres défilent derrière la table et signent solennellement le pacte... La main tremblante ils saisissent le stylo, et avant de signer, à l'instar de Briand, leurs yeux s'exorbitent pour un instant et leurs bras s'écartent sous l'effet de l'émotion.

- Apôtre de la paix !!... Hop !!

84 Gustav Streseman (1878-1929). Homme politique allemand.

Et au même moment des milliers et des centaines de milliers d'hommes politiques, de journalistes, de soldats, d'anciens soldats, de gens ordinaires dans toute l'Europe, disent et écrivent avec eux :

- Paix !!... Compréhension !... Hop !!

Et ils s'emploient très sérieusement à vouloir maintenant faire la paix.

Une heure plus tard dans un aparté, Briand et le ministre anglais signent un pacte de guerre contre l'Allemagne et l'Amérique. Ils se regardent en face avec enthousiasme.

- Patriotisme ! Défense de la nation !... Hop !!

Et en Angleterre et en France d'une part, et en Allemagne et en Amérique d'autre part, d'ailleurs les mêmes hommes politiques et journalistes et soldats et anciens soldats et même les gens ordinaires crieraient avec enthousiasme :

- Défense de la nation !... Vaillance ! Courage !... Hop !!

Qui est le clown ici ? Et qui est le public ? Est-ce l'Europe ? Est-ce Briand ? La question est de savoir qui rit de l'autre. Mais ça, on ne peut jamais le savoir avec certitude.

Je suis tombé sur un livre français, son auteur est Charles Richet[85], son titre : *L'homme stupide*. C'est un ouvrage philosophique, il traite et atteste avec sérieux sa découverte selon laquelle l'homme se distingue de toute autre espèce animale et végétale par sa bêtise sans limite. Ceci en partant des notions exactes de l'intelligence et de la stupidité. Selon lui l'intelligence suppose que, dans l'intérêt de son individu et de son espèce, un être vivant juge correctement les circonstances et agit correctement, et la stupidité est exactement le contraire. Il démontre que jamais et nulle part aucune espèce animale ou végétale ne juge aussi mal les conditions et ne commet en conséquence autant de bêtises que l'homme.

Il est certain, dit-il, que ni avec un chien, ni même avec un rat on ne pourrait plaisanter en présentant sous son nez tantôt un bout de pain tantôt une allumette enflammée sans qu'il trouve immédiatement l'attitude adéquate. Il serait impensable de faire croire à un troupeau de

85 Charles Richet (1850-1935) médecin, écrivain et philosophe, prix Nobel de médecine (1913). *L'homme stupide* (1919)

bovins ou même à un essaim de guêpes que suite à certaines réflexions de principe, pour fuir les dangers des prairies, il vaut mieux chercher refuge dans les étables incendiées. Il est bizarre aussi que les gens pensent souvent aux bêtes pour établir certaines notions, alors que les animaux ne pensent jamais à l'homme jusqu'à l'instant où elles se trouvent confrontées à lui un jour de malchance. L'idéal du courage ou de la lâcheté par exemple, nous ne les comprenons qu'en pensant au lion et au lapin – et comme, tout à fait à tort, nous qualifions toujours le courage de beau et vertueux, nous nous efforçons d'imiter le lion même quand il serait justement plus beau et préférable de ressembler au lapin. Un lion ne prétendrait jamais être aussi courageux que Mussolini. Un lion est courageux tout simplement parce que vu ses conditions et ses particularités c'est pour lui l'attitude la plus adéquate – il est courageux suivant une réflexion aussi juste et aussi pertinente que le lapin est poltron. Je soupçonne que si le lion a un idéal qu'il respecte, ce n'est pas Mussolini, c'est plutôt le lapin qui ose être suffisamment courageux pour le fuir lui.

À l'exception des cas où l'animal est encore très jeune.

Celui qui a un jour joué avec un lionceau ou un chaton ou un lapereau ou un bébé hirondelle a pu découvrir en ce petit un trait qui apparemment disparaît au cours de l'évolution : l'imagination.

Le chaton griffe et mord comme un lion – le lionceau gesticule pour attraper la pelote comme un chat.

Ils oublient ce qu'ils sont.

Tout à l'heure j'ai dit : les animaux n'imitent ni l'un l'autre ni l'homme. Un seul animal fait exception : le singe. Ce n'est peut-être pas la ressemblance extérieure, mais plutôt *la ressemblance intérieure* qui nous a fait supposer qu'il s'agit d'un possible parent.

L'homme est un enfant du singe – et de tous les autres animaux.

Ce livre français, peut-être qu'il exagère quand même.

Il est simplement trop tôt pour déterminer si l'homme est intelligent ou stupide. C'est une espèce qui n'est pas encore mûre ! C'est une espèce qui vit son enfance. Il est trop tôt pour savoir ce qu'elle deviendra. Il n'a pas encore de propriété, depuis six mille ans il ne fait qu'imaginer, jouer.

Son partenaire, la nature, lui chuchote : oh toi, petit singe ! Et lui répond enchanté :

- Singe !!... Hop !!

Ainsi de suite.

- Lion !!... Hop !!
- Héros !!... Hop !!
- Sage !!... Hop !!
- Chrétien !!... Hop !!
- Païen !!... Hop !!
- Paix !!... Hop !!
- Guerre !!... Hop !!

Cher Rivel ! Cher frère de Socrate, de Napoléon, de Kellogg – seul le poète peut te comprendre vraiment, il est le seul qui s'est forgé une maturité de sobre sagesse dans ce cirque ivre appelé Europe.

30 septembre 1928

Frigyes Karinthy

JE VOUS PLAIS ?

Je vous réponds par cette voie, chère Madame.

En effet, si la question n'était pas inattendue, elle ne s'est pas prêtée à une réponse à chaud. Tout au moins pas pour moi, qui avais à ce propos...

Un avis personnel ?

Un avis personnel, sur la beauté. Plaire ou ne pas plaire ?

Eh bien, pas tout à fait. Un avis, disons, *plus rationnel.*

En tout cas je vous demande pardon pour ma gaucherie. Mais ne vous imaginez pas pour autant que j'étais pris au dépourvu. Au contraire. Si je ne vous ai pas répondu aussitôt c'est peut-être parce que j'attendais trop la question.

J'ai eu la chance de faire votre connaissance, Madame, trois minutes auparavant, et je reconnais que pendant ces trois minutes je n'ai pas cessé d'observer attentivement votre visage – je sais que cette action se traduit dans votre dictionnaire : je vous ai fixée, je suis resté baba devant vous, vous m'avez subjugué, je voulais vous séduire, je vous ai demandé votre main, je n'ai pas pu vous résister, je voulais vous enlever et vous brandir au-dessus de ma tête comme une oriflamme ravie à l'ennemi, je voulais me hisser avec vous, Madame, tel un fauve, au premier lampadaire.

Il faut dire, Madame, que, vu de mon côté, tout cela s'est limité, comme je vous le dis, à ce que j'ai observé votre visage attentivement et pourtant distraitement, mais, je le répète, je n'étais pas étonné lorsque vous avez brandi la question ci-dessus, non sans ironie, en tout cas avec l'accent d'une résistance guerrière, mais manifestement avec la certitude victorieuse que la réponse ne pouvait être que favorable. C'est-à-dire favorable pour vous.

Comment ne pourrait-elle pas l'être !

Comme si un millionnaire participant à un riche banquet demandait au pauvre mendiant attardé sous la fenêtre qu'il a surpris à reluquer les agapes – alors, mon petit, ça vous plairait, une petite cuisse ?

Bref, vous étiez plus que certaine, à ce moment-là, que vous me plaisiez, autrement dit que vous étiez belle à ce moment-là.

Mais ce n'était pas la question à laquelle vous attendiez une réponse.

Bien sûr. Naturellement. Cela n'est pas douteux.

Bien sûr que vous êtes belle.

Pourquoi ne seriez-vous pas belle ?

Belle comment ?

Ben – disons, comme... comme Juci Lábass[86]. Ou bien comme Dolorès del Rio[87] dans le journal. Elle est si belle, elle est plus belle encore d'un – d'un quoi déjà ? D'un centimètre ? Tiens, je viens de m'apercevoir que la beauté n'a pas d'unité de mesure dans un système décimal. Il serait vraiment temps qu'on ne soit plus obligé de tant parler quand les dames nous interrogent pour savoir laquelle est la plus belle – on pourrait répondre en toute simplicité : vous êtes belle trente-deux litres et demi alors que votre amie, la Miss Monde de l'année dernière, ne fait que vingt-sept.

Allons, vieux cynique !

Cynique, moi ?

Ne pensez-vous pas, Madame, que c'est peut-être votre question qui était cynique ?

Nous ne pouvons pas nous comprendre, Madame, nous n'avons pas la même notion de la beauté. La mienne – la mienne... Ma notion de la beauté... c'est... elle est un peu *plus ancienne* que la vôtre...

Reconnaissez juste cela ! Elle est un peu plus ancienne.

La vision de la beauté féminine m'a troublé, m'a fait frissonner une première fois il y a environ six mille ans... Je l'ai rencontrée au fond de la forêt, elle était accroupie au bord d'un ruisseau... Elle se démenait pour attraper une libellule... Sa petite bouche d'enfant arrondie en une moue de colère que l'insecte ait filé entre ses doigts agités, elle n'avait pas remarqué que je l'observais.

Vous, Madame, en revanche, vous avez découvert voilà environ trois mois dans les illustrations de *Dame* que Pampa-Mamba, la star fêtée du cinéma, portait désormais sur le front la mèche qui auparavant était collée à la tempe. Vous avez examiné la chose sous toutes les coutures en un clin d'œil. Mon visage, vous êtes-vous dit, est régulier, je suis bien faite, mes yeux sont aussi grands que ceux de Lillian Gish[88]. Pour l'instant il

---

86 Juci Lábass (1866-1932). Actrice hongroise.

87 Dolorès del Rio (1905-1983). Actrice américaine d'origine mexicaine.

88 Lillian Gish (1893-1993). Actrice américaine.

n'y a encore aucune expression dedans, mais ça pourra s'arranger. On ne porte plus cette année mes sourcils, il faudra les descendre légèrement en les prolongeant en arrière et en les amincissant au maximum, comme un trait. Le teint du visage : un tantinet plus foncé. Un regard mou, celui d'une panthère, m'ira bien – un peu plus de crayon sous les cils inférieurs, les pupilles un peu dilatées, relâchées – où il est ce miroir ? Oui, c'est mieux dans cet éclairage. Trois kilos en moins, ici aux hanches. Mes dents sont assez blanches, on peut reprendre le rire de l'année dernière, ce rire un peu plus large, débridé, insouciant et fripon, un rien ironique, qui m'a procuré un joli succès à San Remo – comment c'était déjà ? C'est ça, je l'ai ! – mais il n'ira bien qu'avec mon velours gris. Mon nez devra être un peu plus étroit cette année – et le principal, mes lèvres – un peu plus fermées. La robe du soir verte que j'attends ira mieux avec la lèvre inférieure un peu redressée, avec ce sourire bienveillant, méditatif, qui pardonne tout dont Budweisz m'a dit l'autre jour que toute mon âme était dedans, et qu'une femme comme ça à Paris posséderait des palais. À huit heures, quand la soie verte arrivera, je serai de toute façon capricieuse, avec néanmoins un regard chagriné, je regarderai comme ça devant moi – que faire ? Cet imbécile croit dur comme fer que j'ai en moi un peu de tristesse, c'est ça qui me rend mystérieuse – ciel ! Ça me fait penser, où ai-je mis mes pastilles d'assouplissement des ongles ?

Si vous me plaisez ?

Comment pourriez-vous ne pas me plaire alors que vous plaisez à tout le monde, et, le principal, vous plaisez à vous-même, vous qui êtes connaisseur et qui savez ce qui est beau. S'il arrivait que malgré tout vous ne me plussiez pas, ou qu'à cause de mes autres occupations je manquasse d'apercevoir que vous me plaisez, vous seriez là, Madame, pour attirer mon attention, voire, dans un de vos moments de franchise vous m'expliqueriez très clairement que je peux être tout à fait tranquille, vous êtes aussi belle qu'une femme peut l'être conformément au goût du jour et aux exigences du temps – et si je ne peux pas en juger de prime abord c'est parce que je n'y connais rien, je dois consulter les personnes qui s'y connaissent, essentiellement des femmes (hélas ce sont elles les meilleurs experts), qui me diront à quel point vous êtes belle, Madame –

et si je ne vous crois pas, je n'ai qu'à le demander à vos pires rivales, vos amies, même elles sont obligées de le reconnaître.

Je crois que si je vous le demandais gentiment, Madame, vous seriez prête à me donner un prospectus sur votre beauté. Avec une description précise, détaillée et technique, avec toutes les références. En y joignant l'avis écrit (éventuellement des lettres d'amour) d'éminents experts, acteurs, danseurs, séducteurs et producteurs de cinéma de passage. Et vous n'êtes pas seulement belle ainsi, en apparence, à première vue, mais aussi comme ça, à l'usage… Vous possédez certaines qualités cachées – mais oui ! Vous pouvez produire des avis faisant foi, auxquels je peux faire confiance ! – que vous avez aussi une certaine teneur en radium, ce qui est une chose très rare chez les femmes et dans les villégiatures à la mode.

Et si après tout cela je n'ai toujours pas perdu la tête et je ne me suis pas jeté à vos pieds comme un chiffon, voilà ce que vous pensez : « alors vraiment vous ne me comprenez pas, vous n'êtes vraiment qu'un ignorant, un borné, ou simplement vous n'avez aucun goût, vous n'avez pas le talent nécessaire pour apprécier la beauté, ce qui, vu votre métier, est pour le moins inhabituel, vous feriez mieux d'écouter les autres écrivains ou même les journalistes concernant la beauté – ou alors – pouah – il faut croire que vous avez des goûts pervers et que vous préférez les laides. »

Écoutez, Madame, restons-en là.

J'ai des goûts pervers.

Quant à savoir si ce qui me plaît est laid – je l'ignore.

Je ne le crois pas.

J'ai en tout cas déjà remarqué en moi que je ne trouve pas forcément beau ce qui doit plaire parce que les gens ont fait répandre que telle ou telle madame X est belle.

La beauté…

Laissez-moi respirer pour l'amour du ciel ! Attendez… Attendez un instant ! Attendez que ça vienne de moi, pour l'amour du ciel ! Attendez que je le remarque tout seul !

Figurez-vous que j'ai besoin de m'imaginer que c'est moi qui le découvre ! Que je suis le seul connaisseur de ce spécimen unique qui me plaît à moi – à moi seul, figurez-vous – c'est-à-dire quand je lui dis qu'elle est belle – figurez-vous, c'est moi qui le lui dis et ce n'est pas elle qui *me le déclare* ! – alors ça la surprend, ça l'enchante, ça la rend belle – figurez-vous, j'ai besoin de l'illusion que cette femme est devenue belle *parce que* je l'ai vue telle !

Apprenez enfin que – comme toute femme digne de ce nom veut se croire belle – tout homme digne de ce nom veut se croire enchanteur, connaisseur, expert et créateur de beauté féminine !

Enfin – ajoutons que nous avons peut-être aussi une part dans la beauté des femmes – vous êtes non seulement nos maîtresses et nos femmes – vous êtes aussi *nos filles*, vous les femmes !

J'ignore pour le moment, Madame, si vous me plaisez.

Je ne vous ai vue qu'au seul instant où vous m'avez posé cette question. Un instant mal choisi.

Je ne vous ai pas vue flâner seule dans une prairie, vous baisser pour cueillir des fleurs. Je ne vous ai pas vue parler avec des enfants. Je ne vous ai pas vue réfléchir. Pas vue quand vous pensiez à quelqu'un d'autre que vous, à moi par exemple. Je ne vous ai pas vue quand vous ne vous voyiez pas dans un miroir réel ou imaginaire.

Beauté spontanée, beauté pudique, que revienne ton règne ! Beauté qui n'est pas belle parce qu'elle veut être belle…

Ou qui au moins l'ignore, ou qui au moins ne me le fais pas savoir.

28 octobre 1928

ABATTOIRS

Ça aussi il fallait aller le voir.

Et encore parce que je l'ai voulu. Cette splendide journée d'automne ensoleillée, je passe par là à bord de mon taxi – un large portail, avec sur ses deux piliers la statue de garçons bouchers maîtrisant un bœuf. Qu'est-ce que c'est, demandé-je au chauffeur ? Ça, Monsieur, ce sont les abattoirs.

Arrêtez-vous donc.

Je me sens comme contraint d'aller voir comment ça se passe.

C'est la même contrainte qui me fait aborder la foule, me fait frayer un passage jusqu'aux rails où un tram a écrasé un enfant. C'est à elle que je dois que je n'ai pas vu exclusivement de doux couchers de soleil, le rire heureux des patineurs sous les lampions, célébrations et puddings de Noël, mais aussi le visage de mourants recouvert de sueur, de lourdes interventions chirurgicales, des veillées mortuaires et des pendaisons d'hommes.

Mais comment peut-on aller voir cela ?

La nouvelle psychologie est un peu courte là-dessus :

Au fond de mon psychisme je serais habité par un fauve, mon ancêtre sanguinaire. Je trouverais un plaisir pervers dans le bain de sang – j'y éprouverais de la délectation, inconsciemment. Derrière mon visage blême empreint de compassion grognerait en ces instants un animal repu – bref, en un mot : du sadisme dissimulé. Autrement pour quelle autre raison irais-je voir ce genre d'horreur de mon propre chef ?

Hé, pas si vite, nouvelle psychologie !

Ne penses-tu pas que ta sentence qui m'a condamné est un peu trop précipitée, sans même me donner la parole, avec l'ardeur impétueuse des législateurs débutants appliquant les lois sans distinguer, hâtant la généralisation ?

Nouvelle psychologie, ta sentence est cruelle ; je sais qu'elle est cruelle simplement parce qu'elle me fait mal, je ressens comme injuste que tu aies réglé mon cas aussi vite. *C'est toi* qui es sadique, nouvelle psychologie, entends-tu ?

Il n'est pas vrai que j'aime voir le sang et la souffrance et la mort. Je me souviens très bien que j'ai eu un malaise et j'ai failli m'évanouir quand par hasard pour la première fois j'ai dû l'affronter. Je me souviens très bien que j'ai dû me forcer et j'ai dû m'y habituer pour être capable de la regarder jusqu'au bout comme le font d'autres personnes, des gens simples, ordinaires, qui ne sont ni malades, ni pervers, ni neurasthéniques – mais nous y reviendrons.

Alors pourquoi ? Dans quel but ?

Comment dire cela ? J'y ai déjà beaucoup réfléchi. Vous ne l'avez pas encore compris ? Moi oui. J'ai souvent eu ce sentiment diffus, angoissant, qu'un jour quelque part *je passerai un examen*. Que toute ma vie, ma façon de l'avoir traversée, avec tout mon bagage, *moi-même compris*, m'a été attribué à titre d'exercice ou d'étude par un jury inconnu, et que, tout ce que j'ai vu et que j'ai vécu, je devrai un jour en rendre compte, ils me poseront des questions : as-tu vu cela ? Et alors, comment c'était ? Que se passera-t-il si je ne sais pas répondre ? Dans cette école on nous a distribué des pensums et pas uniquement la vie et la joie et les besoins – la mort et la souffrance en font également partie, et ce n'est pas pour rien que des réserves de cette Université Supérieure on m'a distribué d'onéreuses fournitures scolaires : mes yeux, mes oreilles et mes nerfs ; je devrai répondre à quoi je les aurai utilisés. Nouvelle psychologie qui dissèque cruellement, crois-moi – ce sentiment *d'être obligé de voir et d'observer* ne concernait pas uniquement la joie et la souffrance d'autrui – je l'ai souvent constaté avec effarement pendant ma propre joie et ma propre souffrance, et j'ai souvent senti quand j'avais mal aux dents ou j'étais en train de donner un baiser qu'il y a une parenté entre les deux, que ce n'est ni le baiser ni le mal de dents qui importe à ce moment-là, mais le *devoir de découvrir* comment est le baiser et comment est une rage de dents.

Nouvelle psychologie, tu t'intéresses beaucoup au songe – tu interroges les gens avec prédilection sur ce qu'ils ont rêvé. Eh bien moi je m'imagine cette Veille Supérieure dont j'ai déjà souvent parlé – ce Scrutateur d'Âme Supérieur qui m'y attend, qu'en penses-tu, ne voudra-t-il pas savoir si j'ai rêvé l'abattoir ?

Dans l'immense cour, entre des bâtiments propres et bas, je suis guidé par un aimable jeune homme, employé de la ville.

Il m'explique en marchant.

Nous nous trouvons ici *dans l'estomac* de cette métropole – toute la viande que l'on mange à Pest passe par ici. Cinq mille bœufs et autant de porcs par semaine. Des troupeaux entiers sont conduits ici – (n'avez-vous jamais vu dans les nuits silencieuses les paisibles troupeaux de nos prairies arpenter lentement nos rues ?). Là-bas dans ce grand hangar on négocie, et les bêtes sur pied sont vendues aux commerçants. Il y a même des étables, les voici – nous avons notre propre usine de glace, là-bas des entrepôts, des usines de transformation pour la viande, un atelier pour le saucisson – on ira tout visiter dans l'ordre. Aujourd'hui c'est un jour calme - les mardis et vendredis sont infernaux. Aujourd'hui c'est samedi, le travail cesse vers quatorze heures.

En effet, on ne voit guère d'hommes sur le site. Le soleil brille, des mouches tardives dansent dans l'air azuré où il n'y a aucun signe de vie. Tout a été nettoyé, balayé, lavé – je n'ai pas encore vu la moindre goutte de sang.

Je regarde, je murmure des politesses, que je suis surtout intéressé par l'organisation du travail…

Mon guide s'arrête devant une baraque. Il y jette un coup d'œil. Ah oui, ils sont justement en train d'éviscérer – ça vous tente ?

Nous entrons. Deux énormes bœufs ouverts gisent sur le sol – deux gars les tailladent, les vident à une allure de sorciers – la graisse blanche comme la neige, la chair rouge brillent huileusement ; en deux temps trois mouvements la masse énorme pend déjà au crochet.

- Vous avez terminé ?

- Ils en ont abattu un autre. Ils l'apportent déjà.

Je regarde alentour.

Une halle vide et basse. Des crochets tout au long des murs, rien d'autre. Une vingtaine de bœufs éviscérés y pendent. Les carreaux de faïence du sol baignent de sang. Toutes ces vingt bêtes ont été abattues et préparées là, en moins d'un quart d'heure.

C'est donc ça les abattoirs. Je m'étonne. Nul outil, nulle machinerie pour tuer, nulle part.

Les deux gars viennent de terminer le dernier. L'un, un beau Hongrois au visage ouvert, intelligent, saisit un couperet, il en vérifie le fil, tend l'oreille vers la porte. Dehors, dans le couloir, un beuglement sourd. Je me tourne dans cette direction.

Un magnifique bœuf gris s'approche dans le couloir, la tête baissée, rythmiquement, en se dandinant comme pour rentrer dans son étable. Sa bride est bien tenue en main par un boucher en bras de chemise, aux moustaches en crocs.

Le bœuf s'approche. Il ne regarde ni à gauche ni à droite. Il beugle sourdement. Le faisceau du soleil dessine un instant des zigzags sur son dos – sa peau frissonne voluptueusement. Il approche paisiblement.

Et maintenant.

Il atteint l'entrée. Il ne regarde pas devant lui. Il ne voit rien. Pourtant il stoppe. Il rentre la tête. Il beugle.

- Hé, toi !

On le cogne, on le tire, on le pousse en avant. Il reste planté là – il ne veut pas entrer. Il ne montre ni frayeur, ni agressivité – ce n'est pas de la résistance, mais plutôt de l'hésitation. Il doit ressentir quelque chose d'étrange – quelque chose de semblable à l'instant où il a vu le jour.

Car c'est maintenant l'instant.

Et n'oubliez pas – pour son instinct à lui cette mort est *la mort naturelle*. Depuis des millénaires, à travers tant de générations, très peu de bœufs ont péri de vieillesse. Le couperet doit désormais être inscrit dans l'instinct de l'espèce – cette espèce a dû passer un accord là-dessus avec son dieu, l'homme. Toi, tu me donnes gratuitement, sans combat, de la bonne herbe grasse – moi en revanche je renonce aux deux ou trois dernières années de ma vie. L'affaire est claire, nette et simple.

En conséquence la résistance ne dure pas.

Un dernier coup pour pousser – et, la tête baissée, cette fois en silence, mais tremblant de tous ses muscles, la bête franchit le seuil.

Je sens clairement et sûrement *qu'il sait de quoi il s'agit.*

À partir de l'instant où il a passé la porte il tolère sans la moindre résistance qu'on lui serre le train arrière contre le mur. Il est là immobile, silencieux. Dans son regard cloué au sol, de la gêne et de la honte. Ça ne l'empêche pas de voir quand le garçon boucher se plante devant lui, à quelques centimètres, et il lève haut le couperet étincelant. Il le voit bien, pourtant il ne bouge pas. Il ne relève même pas la tête.

Un unique coup, bref mais sûr.

Suivi d'un gros boum.

Tel une baudruche de cuir gigantesque qu'on vient de faire éclater, tel une énorme masse de chiffons, l'animal s'écroule.

Tout se passe sans un mot.

Le garçon se baisse, il enfonce une barre de fer dans la plaie, il touille dans le cerveau de l'animal – à partir de ce moment les pattes aussi cessent de gigoter. On ouvre l'artère enflée du cou – le sang gicle en un flot épais, il clapote et résonne dans le seau tendu en dessous.

C'est destiné à l'usine de peinture. Des milliers de litres par jour.

Pendant ce temps des mains sorcières de chirurgien ont déjà ouvert et découpent la carcasse.

Combien en abattez-vous par jour, jeune homme ?

Il lève ses yeux sur moi. Un regard pur, sain, un peu méditatif. Il sourit. Il répond doucement, respectueusement à mes questions.

Dans le tram, en rentrant chez moi, j'ai rencontré la charmante madame X.

Quand elle a appris d'où je venais elle a eu un mouvement de recul horrifié.

- Pouah ! Comment pouvez-vous regarder des choses pareilles ?

Puis nous avons fait la paix. Elle m'a invité à déjeuner, elle servirait un excellent tournedos.

Je n'y vais pas.

Madame X. me fait peur. Mon pauvre ami Karcsi, c'est elle qui l'avait poussé dans ce grand malheur – madame X. l'a déjà oublié, mais moi j'étais présent quand elle lui a dit cette chose horrible, avec le sourire, presque caressante comme une chatte.

Plus tard elle se défendait en disant qu'elle ne pouvait pas prévoir que ses paroles auraient un tel effet. Ce n'était pas de sa faute si Karcsi est un hypersensible. Au demeurant nous avons appris par la suite que tout cela n'était que stupide commérage.

4 novembre 1928

Frigyes Karinthy

LE MONDE A L'ENVERS

Cette fois ce n'est pas une plaisanterie.

Un astronome allemand publie un livre dans lequel, très gentiment et simplement, il explique qu'il a fait des calculs, des observations et des raisonnements sur la base desquels il a l'honneur de pouvoir annoncer qu'en ce qui concerne le cosmos, l'univers, les jours et les lunes ainsi que la position de notre Terre préférée au milieu de tous ces objets, nous étions jusqu'à présent dans une légère erreur depuis Aristote, en passant par Ptolémée, jusqu'à Laplace dont la conception règne toujours : la chose n'est pas tout à fait telle qu'on nous l'enseigne à l'école de nos jours.

Je n'ai pas lu le livre lui-même, je n'ai lu qu'un compte rendu qui en a été fait. Si je réagis à ce texte aussi vite, c'est que je crains que je n'aie plus rien à dire une fois que je l'aurais lu, à part un revers coléreux de la main par lequel nous écartons les œuvres des dadaïstes. L'idée de la théorie elle-même m'a énormément intrigué – non pas parce qu'elle est vraisemblable. La vérité, pour qui l'aime, est présente *en tout* ce qui se crée et se produit : seulement pas toujours là où on a l'habitude de la chercher. Évidemment pas dans la parole ni dans la pensée de celui qui ment ou qui fait erreur. Il ne faut pourtant pas se sauver tout de suite quand on le prend sur le fait. Une grande erreur, par ailleurs, est parfois plus instructive que beaucoup de petites vérités – elle mène à des sources inconnues, *les sources de l'âme*, d'où – et c'est ce qui est important – elle n'avait *pas jailli par hasard.*

Si quelqu'un affirme que deux fois deux font quatre, il n'a pas beaucoup contribué au progrès des mathématiques. Mais celui qui prétend que deux fois deux font cinq révèle peut-être un monde de nouvelles connaissances en psychologie.

Et maintenant accrochez-vous car je vais vous relater ce que prétend l'astronome allemand en question.

Il prétend qu'en ce qui concerne le Globe terrestre, il est effectivement sphérique puisque nous en avons fait le tour en tous sens d'innombrables fois. Nous en connaissons les dimensions, la superficie, Les divisions, nous en possédons des cartes précises.

Cela est correct.

Notre erreur réside en ce que l'on s'imagine que le monde se situe sur la *superficie extérieure* de cette sphère.

Ce que nous appelons la Terre est en fait une *bille vide à l'intérieur*, elle ressemble à une grosse bulle. Or notre monde, l'Europe, l'Amérique, l'Afrique et les océans et nous-mêmes, se trouvent sur la *superficie sphérique intérieure* de cette bulle vide. Nous n'avons aucune idée de ce qu'il y a *au dehors*, ce pourrait possiblement être une *couche de feu*, parce que si nous bêchons la croûte terrestre *vers le dehors* (jusqu'à présent nous croyions *vers le dedans*), nous approchons ordinairement de la lave et du feu.

Mais alors, nom d'une pipe, qu'en est-il donc du ciel bleu au-dessus de nos têtes et des étoiles et du Soleil et de la galaxie et de tout l'univers – tout cela n'est-il que mirage ?

Mais non.

Toutes ces choses-là sont bien réelles. Sauf qu'elles ne sont pas dehors, mais elles sont dedans, et elles ne sont pas démesurément grandes, mais relativement minuscules.

En gros au milieu de la bulle terrestre vide tourne autour de son centre une sorte de sphère gazeuse de couleur bleue, passablement petite par rapport à la taille de la Terre – elle doit être grande, disons, comme un de nos continents. Sur cette sphère que nous prenons pour la voûte céleste sont disposées les étoiles, - minuscules points ignés, des étincelles scintillantes – oh, ce ne sont pas des mondes "infinis", "des centaines de milliers de fois plus grands que le nôtre" - simplement autant de petites bougies comme nous le savions, le croyions quand nous étions enfants, seulement on nous en a dissuadé. Nos planètes sœurs, Mars, Neptune, Vénus et les autres, tournent entre le Noyau central et l'enveloppe. Le Soleil quant à lui est un poêle électrique à haute tension, il se plante là quelque part, sur un côté du Noyau terrestre bleu, il se range tantôt sur un côté, tantôt sur l'autre, selon qu'il fait jour ou qu'il fait nuit.

Bref, nous qui pendouillons la tête vers le *dedans* dans ce monde, nous voyons *sous* nous-mêmes cette chose que nous prenions jusqu'à maintenant pour l'infini et qui en réalité, tout compris, est un machin beaucoup plus petit que la Terre, ce "grain de poussière" si souvent évoqué sur la voûte étoilée de l'univers. La cause de nos erreurs passées était une explication mal conçue, mal comprise de la nature de la Lumière.

Il en résulte que le "ciel étoilé infini", le royaume divin, n'est autre qu'un musée de cire, un planétarium que l'on aime bien nous montrer pour nous amuser, pauvres troglodytes isolés de tout que nous sommes.

L'Amérique par exemple ne se trouve pas *sous nous*, mais *au-dessus de nous*, au-delà du ciel étoilé, au-delà du soleil et des planètes, au-delà du Noyau de la Terre. Pour y parvenir nous suivons la surface sphérique *concave* (et non convexe) en faisant un détour – mais si un jour on arrive à résoudre le voyage du vaisseau fusée, rien ne sera plus simple que de choisir la ligne droite en suivant le diamètre. Pour aller alors en Amérique par exemple, il faudra partir tout droit vers le ciel, nous toucherons la Lune et les planètes, filerons à côté du Soleil et quelques minutes plus tard nous débarquerons de l'autre côté, à New-York, qui se trouvera ainsi beaucoup plus près de nous qu'en franchissant l'Atlantique.

Voilà pour cette question.

Il va sans dire qu'avec la méthode de Laplace – c'est tout naturel – tout calcul astronomique et météorologique, la trajectoire des planètes, les éclipses de Lune et de soleil seront toujours aussi faciles, sinon plus faciles, à calculer à l'avance et à justifier a posteriori, qu'auparavant dans les systèmes admis jusqu'ici comme erronés ou non erronés, tout comme l'avaient calculé avec précision les astronomes d'Égypte dans le système desquels la Terre était une grande assiette sur le lobe de l'oreille de l'Éléphant universel, ou bien le chapeau de Dieu, ou ce que vous voudrez.

C'est justement là que le bât blesse.

Ou plutôt pas là.

Le hic, je dirai même ce qui est effarant, ce n'est pas tant cette sottise qui pourrait nous faire rire pendant une demi-heure si nous en avions envie, ou que nous pourrions régler d'un sourire bienveillant – ce qui est effarant c'est de voir à quel point cette théorie extravagante trahit sa source – trahit l'âme tourmentée, en gésine du monde et de l'homme de notre temps, la profondeur de son âme, les angoisses et les souffrances qui bouffissent quelque part là dans sa conscience.

Cet astronome allemand donne une image moins crédible et plus inutile de l'univers et de la réalité qui se situe hors de notre portée, avec ses jumelles tenues à l'envers, cette image où tout ce qui naguère était grand devient petit, que celle, probablement fausse, admise de nos jours.

Mais quelle image fidèle il donne involontairement de l'état actuel de *notre monde intérieur,* de notre monde psychique, de l'âme humaine – de cette âme abandonnée qui à tout prix aspire à retourner les jumelles car elle aurait perdu la foi en toutes ces choses superbes et magnifiques et élevées et sublimes que les jumelles grossissantes font apparaître – elle aurait perdu la foi car toutes ces choses merveilleuses et augustes refuseraient obstinément de la secourir !

Traduisons un peu cette nouvelle géométrie étrange en langage de l'âme – prenons ses axiomes pour des *symboles,* pour des *allégories* – ce qui faisait l'effet d'une originalité déraisonnable gagnera tout d'un coup un sens.

Mais oui, l'âme humaine, le désir humain, en révolte contre les souffrances, les absurdités, les injustices, commence à en avoir terriblement assez de la contradiction sans espoir qui bée entre ses espérances et ses désirs d'une part, les dimensions gigantesques d'autre part avec lesquelles le piétisme prêchant "l'infini" et "l'illimité" veut démobiliser ces désirs.

Oh oui, nous en avons assez de cet enseignement monotone, désespérant, selon lequel nous sommes limaces et poussières à l'ombre de quelque sagesse "*infinie*". Cette sagesse "infinie" est à tel point obscure et amorphe que nous percevons son impact sur notre vie comme nul – nous avons perdu l'espoir de nous identifier un jour à elle.

À la place de ce Monde Gigantesque, inutilisable pour notre foi à moitié mûre, à moitié comprise, donnez-nous plutôt un Monde Minuscule dans lequel nous serons chez nous, que nous maîtriserons, qui nous sera familier. Que ce monde soit tout juste assez grand pour nous contenir – pas plus grand qu'une grotte, qu'une tanière, nous ne voudrons plus savoir ce qui se passe au dehors – nous attendrons que Dieu se mette d'accord avec lui-même et qu'il nous appelle de nouveau, signifiant qu'il a un but nous concernant : "Où es-tu, Adam ?"

Nous ne voulons plus entendre cette blague triviale : « Monsieur, qu'est ceci par rapport au miroir infini de la mer ? »

Il n'est même pas infini.

À l'endroit où Dante supposait l'enfer, dans les tréfonds de la Terre, c'est là que désormais devra se trouver notre paradis.

Et nous, telle l'autruche, nous cachons notre tête sous la terre, du Dieu avec qui nous sommes fâchés.

Nous rejetons son "infinitude" dans laquelle Il nous a destiné le rôle de limace. Nous rechercherons pour nous un autre dieu qui reconnaîtra en nous son semblable.

18 novembre 1928

MON OPINION

Un collaborateur de cet excellent hebdomadaire, un jeune homme enthousiaste et ambitieux, est venu me voir ce matin et m'a invité à me déclarer. Quand j'ai demandé à quel sujet me déclarer, il a haussé les épaules, il a paru étonné.

Il a semblé trouver ma question un peu simplette. Il s'est mis à m'expliquer, sur un ton paternel et indulgent :

- Je veux dire, cher Maître, que je vous demande de donner votre opinion, ouvertement et en toute franchise.

- Mais sur quoi, pour l'amour du Ciel ?

Le jeune homme a une nouvelle fois haussé les épaules, esquissé un sourire discret et m'a regardé d'un air apitoyé.

- Cher Maître, vous me faites marcher. On m'a chargé de faire avec vous, Maître, une interview intéressante dans laquelle vous donneriez votre opinion, étant donné que le public s'intéresse aux opinions des écrivains. Je ne suis pas venu pour vous suggérer un sujet, je suis venu pour vous demander de prendre position.

Je me suis fâché et j'ai renvoyé le jeune collaborateur. J'ai décidé d'écrire une lettre au rédacteur de l'hebdomadaire pour le prier de m'épargner de telles farces par la suite – s'ils souhaitent que je prenne leur journal au sérieux, qu'ils fassent un effort et m'envoient un journaliste sensé qui saurait ce qu'il veut.

Puis je me suis mis à réfléchir et j'ai compris que le journaliste avait raison. J'ai feuilleté quelques numéros de sa revue.

J'ai trouvé dedans un article sur les ondes de l'éther ; en plus de nous dévoiler où Ilona Titkos[89] allait passer le réveillon, Bernard Shaw fait une déclaration sur le problème du féminisme, ailleurs on peut apprendre que d'ici trente millions d'années la Terre refroidira, et encore ailleurs que le *Times* paye relativement mal ses collaborateurs. On y découvre aussi qu'il est vrai que ce sont surtout les femmes hystériques qui s'intéressent à Erdélyi, mais qu'en Bolivie on n'hésite pas à équiper de radios les machines à tuer les punaises, sous réserve que Tunney[90] soit toujours le plus grand champion de boxe, et qu'en Italie le port du réticule est de plus en plus remplacé de nos jours par des montres-bracelets, en même temps que le comportement de Mussolini devient passablement menaçant.

---

89 Ilona Titkos (1898-1963). Comédienne.

90 Gene Tunney (1897-1978). Boxeur américain.

Ces sujets-là pris séparément peuvent être relativement intéressants, ou disons plutôt qu'ils ne sont pas forcément inintéressants.

Et l'essentiel c'est que je dois avouer, si je m'efforce de me concentrer sur l'un ou l'autre de ces sujets et si je ne suis pas trop préoccupé par un souci ou un problème du moment – je dois avouer que oui, généralement j'ai une opinion personnelle sur chacun de ces sujets, séparément.

Seulement je ne sais pas à quoi sert le tout, je n'ai pas d'opinion de l'ensemble.

Je suis dans le même cas que la science à propos de l'homme quand elle le dissèque et le décrit : elle constate sur chaque partie le rôle important qu'elle joue dans le grand ensemble. Mais sans arriver à déterminer à quoi sert l'homme tout entier. La religion a déjà, elle, certaines idées sur le sujet – mais elle traite ce tout comme une question technique – sans se préoccuper de la réalité.

Mais alors qu'avons-nous à faire de tout cela, nous, malheureux qui sentons et réfléchissons, sentons et réfléchissons à la place des autres ?

Ce journaliste avait raison. Il faut que l'écrivain – témoin du monde, tel que je l'ai défini l'autre jour – en plus de porter son témoignage sur les choses, porte aussi des jugements à la place d'autrui, à la place des autres, sur ce dont il a été témoin.

Certains pensent que c'est impossible et également superflu.

Dans la littérature, surtout mais pas exclusivement dans la littérature hongroise, les opinions ne sont pas à la mode de nos jours. On les considère comme des sous-titres dérangeants dans le grand drame cinématographique de la vie. C'est avec ironie et un certain orgueil artistique que nous médisons de l'écrivain qui intervient à tout propos, qui s'intéresse à tout, qui pratique de nombreux genres littéraires, qui est ouvert à un grand nombre de phénomènes.

Nous vivons l'ère des spécialistes.

Les esprits dirigeants ont organisé une sorte d'académie divisée en filières, chacune a son plus grand poète désigné, son meilleur auteur dramatique, son premier nouvelliste populaire, son meilleur critique, son styliste le plus remarquable, son humoriste le plus drôle. C'est comme si les différents genres avaient créé les poètes et écrivains et penseurs adéquats – et non, à l'inverse, le poète et le penseur qui auraient créé pour eux leur genre, l'auraient forgé à leur image, pour dire chacun son avis sur soi-même, sur le monde et sur Dieu.

Ce n'est pas un état naturel.

Moi, j'ai toujours été saisi d'une inquiétude, une angoisse, une sorte de vertige, un mauvais sentiment, quand, au cours de mon parcours aventureux d'écrivain, quelqu'un voulait déterminer ma personnalité d'écrivain sur la base d'un de mes poèmes, d'une de mes nouvelles, d'un de mes croquis, de mes romans, de mes pièces de théâtres, de mes saynètes de cabaret, d'un de mes essais, d'une de mes critiques. Si je regarde autour de moi dans le temps et dans l'espace, les représentants de l'esprit ne se mettent pas au service des muses de ces genres définis par des stylistes. Les essais de Goethe sur la philosophie de la nature, les sonnets de Shakespeare, la sagesse de Saint Augustin sur la religion, le rôle politique de Petőfi, l'éthique de Tolstoï, l'avion de Leonardo da Vinci, ne peuvent pas être aisément considérés comme de capricieuses écoles buissonnières du royaume sacré de "l'art", ni comme une expérience implorant une indulgence bienveillante. Je sens derrière tout cela une sorte de droit, voire presque un devoir très naturel du représentant de l'animal humain doué d'une vie spirituelle, pour que, sur ce qu'il a remarqué en tant qu'artiste, il porte aussi un jugement en tant que penseur, au nom de la bonne volonté et du discernement.

Cet humanisme de bon aloi représenté de nos jours surtout par la littérature anglaise doit certainement inspirer de la répugnance à nos "intuitifs" nourris à des seins allemands. Ils le trouvent incompatible avec cette extase sacrée sous l'inspiration de laquelle la vision de la réalité apparaît au poète, dans la lumière active qui émane de l'esprit, au-delà de cette extase, après cette extase. Ils s'imaginent que le talent créateur et la raison critique, l'âme flamboyante et la raison observatrice ne peuvent pas faire bon ménage dans la même tête.

Confusion des notions, idée fausse. Bien sûr qu'elles ne font pas bon ménage, mais en même temps, il ne s'agit pas là de ménage. Le raisonnement, l'intelligence, le discernement, la culture, l'homme superficiel les imagine, sur la base de comparaisons à la légère, comme une sorte de contenu – or cela n'est pas un contenu, n'est pas quantitatif, mais qualitatif – le fonctionnement de quelque chose qui fonctionne toujours, l'esprit, qui fait toujours tout entier ce qu'il fait – quand il se souvient, il ne fait que se souvenir, quand il dissèque et analyse, il ne fait que disséquer et analyser, quand il crée, il ne fait que créer, quand il juge, il ne fait que juger.

Une opinion ?

Je n'ai d'opinion sur rien, mais je peux m'en faire sur tout. Quand je ne pense pas à quelque chose, alors à propos de cette chose je n'ai aucune pensée en tête, aucune image, aucun souvenir, aucun avis, aucun jugement. Mon esprit n'est pas un entrepôt ou un dépôt ou une boîte de rangement. Ce que j'ai appris, su, pensé, jugé jusqu'à présent, servait tout au plus – si cela est vrai – à rendre cet esprit souple et apte – comme les muscles d'un gymnaste – apte à un instant adéquat – hic Rhodus, hic salta[91] – à formuler une opinion sur le sujet dont je m'occupe au moment donné.

Une véritable opinion est une fonction spirituelle. Une véritable opinion est une pensée extraite et une "harmonisation" du savoir et de la logique – une véritable opinion est un fait et un acte, de la chair et de l'os, de la réalité, un événement – et non un fantôme vide d'idées apprises par cœur.

Un véritable homme d'opinion n'est pas un homme "de contenu" – c'est un homme vivant, avec un contenu qui se renouvelle à chaque instant.

Action et événement ne sont pas limités à ce qui arrive à l'extérieur – la pensée aussi est une action et un événement ; les apôtres du nouveau vérisme, du naturalisme et de l'expressionnisme se trompent gravement quand ils tentent d'extirper la pensée, événement et action, du drame et du roman du nouvel art, qualifiée de réflexion superflue : ils tronquent par-là la réalité au nom sacré de laquelle ils exigent, justement eux, les pulsations de l'image cinématographique dans la représentation.

La nouvelle image cinématographique, tâtonnement des "avant-gardistes" français, laisse déjà deviner sa vocation bien conçue, quand elle enrichit les événements extérieurs de la vie humaine de pensées, de sentiments et d'opinions.

C'est cela mon opinion du moment.

16 décembre 1928

---

91 "Voici Rhodes, c'est ici qu'il faut sauter". Proverbe latin signifiant : "Montre ce dont tu es capable".

PEUPLE DE LA RUE

Nos connaissances changent en même temps que nous changeons – autant de signes d'avertissement pour nous rappeler la fuite du temps. S'il n'existait pas des miroirs en ce monde et en ce monde ne se trouvait pas le camarade de classe qui, les cheveux grisonnants, nous arrête dans la rue pour nous parler de son fils bachelier, nous tous oserions peut-être nous avouer ce que seulement certains d'entre nous osons nous avouer, rarement, dans quelques instants particulièrement inspirés, un mirage, une illusion même dans ces moments-là, nous ressentons que cette bizarrerie que l'on appelle "moi", si l'on en ôte tout ce que l'extérieur a déposé par-dessus, pour soi-même on n'y reconnaît pas la loi et la rigueur des âges de la vie.

Néanmoins nous communiquons, conversons, courons de gauche et de droite, il y a toujours des choses à dire et à faire, et, pour des raisons indépendantes de notre volonté, les conditions de ce qui est à dire et à faire changent toutes les minutes et tous les instants – nous n'avons pas le temps de nous arrêter, de regarder en nous-mêmes, quand il faudrait dire quelque chose de nous-mêmes – nous n'avons pas le temps d'hésiter, de peser, quand il faut agir. Que pouvons-nous faire ? Dans le grand magasin des conventions et des conformismes, il est là l'article industriel de foire, bon marché – le chapeau est un peu trop large pour ta tête, les chaussures un peu trop étroites pour tes pieds, tant pis, une courte vie ne suffit pas pour que tu apprennes la chapellerie et la cordonnerie, comme tu le devrais, pour que tu produises seulement et exclusivement l'unique chapeau et l'unique paire de chaussures qui ne s'ajusteraient qu'à ta tête et à tes pieds, que toi seul saurais convenablement tailler pour toi.

Tu réponds faute de mieux « ça va, ça va » ou « comme un pauvre homme dans une ville riche » lorsqu'on te pose la brillante question « comment vas-tu ? », cette question, l'unique occasion qui te permettrait de te déclarer, de rêver le grand aveu du crime de ta vie, pour réclamer une sentence ou un acquittement. Et tu lèves les yeux sur le camarade de classe et tu lui mens « eh oui, on ne rajeunit pas », parce que tu ne veux pas le vexer – tu ne veux vexer ni lui ni les autres, ni personne, la société, le voisinage, femme ou enfant, tout ce grand jeu, cette usine fondée, bâtie, construite pour que tu respectes les règles du jeu, la convention que tu vieillisses et que tu meures. Et tu te fais pousser une fausse barbe et tu t'imagines de faux soucis et de fausses tristesses afin de te grimer de rides, et à la fin, si tu ne te réveilles pas à temps et si tu ne t'arraches pas de l'effet hypnotique des conventions, tu verras, tu joueras même la mort pour leur faire plaisir, étonné même dans ta dernière minute avec l'innocence de ton âme immortelle d'enfant de six ans : à quel point tu joues bien la comédie, on te croit et on te descend dans la tombe.

Mais plus tu es vieux, plus tu es tourmenté par un grand doute : où m'a-t-on amené, demandes-tu, renfrogné comme le troufion dans la tranchée. Quand tu avais six ans, tu t'amusais encore des grandes moustaches que tu te collais sous le menton – à l'âge de quarante ans tu découvres, fâché, que tu as oublié de les arracher et maintenant c'est si bien collé qu'elles ne veulent plus partir – il serait bon d'arrêter ce jeu, les enfants. Mais les enfants ne s'arrêtent pas, et tout à coup tu t'aperçois que tu préférerais filer en douce derrière les coulisses pour laver le maquillage – et si tu rencontres une connaissance, un camarade de classe, tu préférerais faire semblant de ne pas le reconnaître.

Et tu commences à être attiré vers les choses immuables, qui te comprennent mieux, qui te croient quand tu dis que tu n'as accepté de jouer ce jeu stupide que contraint, ce jeu qui prenait au mot les métaphores du temps qui passe, du printemps et de l'hiver, du matin et du soir, ces images écœurantes, pleurnichardes, dignes des rimailleurs de comptoir.

Seule cette chambre meublée à notre usage domestique, le système solaire, parle du matin, du soir, du printemps et de l'été et d'autres bricoles chargées de sensiblerie – seul notre poêle bien chauffé, le Soleil, susurre à notre oreille ce conte de fées. Les astres éternels demeurent en place, impossible de les régir d'une métaphore.

Et parmi les gens aussi, tu commences à bien aimer les *personnages*. Autrefois ils te faisaient rire, tu les sentais un peu inhumains parce qu'ils ne te ressemblaient pas. Désormais c'est justement cela, en eux, qui t'attire. *Les gens qui te ressemblent,* tes connaissances se sont poussées trop près de toi, ils voulaient te faire croire que cette proximité signifie *ressemblance* – mais ils utilisaient cette ressemblance, cette identité, dans un sens qui, plutôt qu'élever, rabaissait. Ils ne disaient pas ce que tu attendais d'eux : « tu es un esprit tout aussi immortel que nous », mais « tu es tout autant que nous un ver de terre ».

Tu ne connais pas ces personnages personnellement. Tu ne les connais que de vue, comme les étoiles et les arbres. Mais un certain respect naît pour eux en toi avec le temps, parce qu'ils ne changent pas autour de toi.

Et tandis que tu détestes les objets inertes, parce que ton regard ne les fait pas bouger, le violon de ton chagrin ne les meut pas – les vivants qui se figent en statue d'eux-mêmes t'émeuvent.

Comme je les ai aimés !

Ce sont eux qui font pour moi la rue budapestoise familière, connue.

Urbain. Il a coutume de traîner autour du Café Simplon, au croisement de la rue Népszínház et du Boulevard. J'ignore qui lui a donné ce nom. Sur sa carcasse immense et desséchée un gilet noir, une chemise à manches évasées, une culotte effilochée – c'est une illustration oubliée ici d'une farce populaire depuis longtemps démodée. Des poèmes de Petőfi décrivent ainsi le paysan. Le malandrin qui rêvasse aux tréfonds de la forêt, pendant que la lumière de la lune baigne l'océan de la nuit. C'est la bonté pudique qui émane de ses yeux bleus et purs. Il tient son dos un peu voûté pour que son inhabituelle haute taille n'offense pas la fierté des hommes. Des dames de profession douteuse glissent auprès de lui, sortant et disparaissant dans les rues latérales. Il leur envoie un clin d'œil complice : Eh toi, brunette, si tu pouvais m'aimer, Dieu sait, tu pourrais même faire un bout de route avec moi.

Monsieur le Professeur. On l'appelle aussi Socrate, en plaçant la lettre grecque du nombre de Ludolph[92] devant ce nom – s'agissant d'un philosophe, il porterait probablement avec fierté l'épithète de mal embouché. Dans sa barbe hirsute quelques brins de paille accrochés trahissent son hébergement nocturne. Cela fait vingt ans qu'il écume le Boulevard, il nous connaît tous. Il se plante devant toi, ne salue pas, il te dévisage. Tu lui donnes quelque chose, il continue son chemin sans un mot. On dit qu'il est titulaire d'un doctorat. Il a aussi sa philosophie à lui. Cela fait vingt ans que j'ai envie de le tirer à part, de parler avec lui. Mais

92 Ludolph van Ceulen (1540-1610). Mathématicien allemand qui le premier a calculé 35 décimales de π.

j'oublie chaque fois que je le rencontre. Probablement c'est de sa personne qu'émane la philosophie qui rend toutes les questions spontanément superflues, dès qu'il apparaît : je ne suis pas plus que cela, il faut faire ce que je fais. C'est un descendant des stoïques.

Le muet hurlant. Il se tient debout devant l'ancien Théâtre National, il vend des journaux. Il ne sort qu'un seul son de sa gorge, un jappement aigu, menaçant. Il reconnaît celui à qui il a déjà vendu une fois un journal, et ne tolère pas que ce client s'adresse à un autre vendeur. Si tu passes distraitement devant lui en oubliant que tu tiens à la main le journal que tu aurais aussi pu acheter chez lui, il te jappe dessus, indigné, révolté, il gesticule, il avance de quelques pas boiteux dans ta direction, fait du scandale, une stupéfaction furieuse dans les yeux ; il court autour de toi, crie la bouche ouverte, il te mordrait il ne comprend pas que toi, homme intelligent comme il le croyait, tu aies pu faire une chose pareille.

Une vieille dame à traîne dans une rue de Buda. Une jupe longue avec une traîne, un petit bibi sur la tête. Un corsage boutonné jusqu'au menton – la dignité personnifiée.

Deux sœurs gigantesques. Peut-être des jumelles. Totalement identiques, hautes de deux mètres, chacune séparément. Elles portent la même robe de deuil noire, simple, près du corps, un chapeau noir, des bas, des chaussures. Elles traversent la rue avec légèreté, sans un mot, seules, toujours ensemble, le dos raide, deux silhouettes invraisemblables ! Elles ne se tournent ni à droite ni à gauche, elles ne parlent pas, même l'une à l'autre – leurs beaux visages identiques sont pâles, silencieux, immobiles. Elles marchent au milieu de la chaussée, elles ne se retournent jamais, comme si elles sentaient le regard bouche bée du peuple des nains dans leur dos. Vivent-elles ? Pas sûr. Elles me font penser au beau poème de Mihály Babits, j'ignore pourquoi : « *Deux sœurs marchent sans cesse, ô âme...* »

Un monsieur hongrois, moustachu. Le maintien décidé, orgueilleux, des sourcils touffus. Sa moustache : deux formations cornes de taureau, noires goudron, sous ses narines, comme insérées dans deux étuis noirs, sculptées pointues aux deux bouts, un vrai travail d'orfèvre. On dirait que lui-même n'est que porteur, présentateur, étagère de cette moustache qu'il trimbale partout dans la ville, tel une relique, témoignage des glorieux temps anciens ; vestige, pièce de musée très estimable.

Et tous les autres.

Le vendeur d'allumettes qui refuse les pourboires. Le docteur nain, avec son porte-documents et ses lunettes sévères. Le missionnaire de l'Armée du Salut, tendant ses mains chargées de pieux imprimés, sous son chapeau florentin, que tu as vu la dernière fois dans les pages d'illustrations de vieux romans anglais.

Cent personnages, cent variantes du merveilleux musée de cire de l'impossible et du non vivant et de l'anachronisme.

Ils portent un trait commun.

Chacun d'eux est imprégné d'une sorte de fierté, d'amour-propre de l'au-delà. D'une certitude posée, inébranlable de dignité humaine. Inutile d'imiter les autres – *ils savent* qu'ils existent, même s'ils ne reconnaissent pas leur reflet dans les gouttes scintillantes du flot humain chaque jour changeant, qui tourbillonne autour d'eux, en toi et en moi, dans les chiffons des apparences.

Je les envie : ils sont les derniers croyants.

23 décembre 1928

Frigyes Karinthy

VIE LONGUE, VIE COURTE

Vie longue, vie courte. Discuter de la valeur "littéraire" du *Mathusalem*[93] de Shaw est tout aussi dérisoire que débattre de la valeur littéraire d'une proposition de loi ou d'une interpellation parlementaire. Le malentendu vient de ce que quelqu'un a eu l'idée de le comparer à la deuxième partie du *Faust* que Goethe a écrite à peu près au même âge que Shaw son *Mathusalem*. Si deux objectifs, intentions, connaissances, inspirations et genres contraires ont jamais existé, ce sont bien ceux-là. Le témoignage du vieux Goethe est une abstraction de toute vie et de toute expérience qui ne parle presque plus de l'homme – il est né en un instant de l'aventure terrestre et corporelle de l'âme où l'âme n'est quasiment plus intéressée par cette aventure, par ce rêve étrange – elle est déjà outre, proche du réveil, elle est saisie d'une curiosité fiévreuse de ce qui l'attend : les images du rêve, le monde, la Terre, la vie, les congénères, disparaissent dans un brouillard, deviennent quasiment inintéressants, tout ce qu'elle souhaite en retenir est ce qu'elle pourra en relater dans l'au-delà si on lui demande : qu'as-tu rêvé ? C'est l'explication simple de la pénombre, de la confusion et de l'incompréhensible qui ont rendu amers et irrité les exégètes du *Faust* : ce poème, Goethe ne l'a plus écrit pour les hommes, pour les "jeunes", pour les enfants, pour qu'ils s'en instruisent – Faust ne se préoccupe plus des hommes ni de ce qui est humain en lui : il tente de dialoguer avec Dieu, directement.

Shaw "par contre" est si clair et si compréhensible que c'en est presque offensant, les yeux sont éblouis par trop de lumière, l'image est surexposée comme certaines photographies. Comme si toute l'œuvre était sa propre critique et son propre commentaire, pas uniquement la préface.

Mais ce n'est pas de cela que je souhaite parler, tout cela n'a rien à voir, je le répète, avec la poésie ni avec d'autres arts, encore moins avec Dieu. Les deux œuvres se sont retrouvées côte à côte dans mon association d'idées strictement dans la mesure où elles représentent l'effort de *deux vieillards* qui, sentant la fin approcher, ont souhaité faire

93 "En remontant à Mathusalem" (1920).

un résumé de tout. Deux vieillards auxquels on a déjà signifié leur sentence.

L'un, Goethe, lance d'un geste dédaigneux de la main : la vie ? Ridicule, ne mérite pas qu'on en parle. Peu importe, jeunesse, vieillesse, seul un enfant croit que ça compte. Voyons ce qui est au-delà.

Shaw ne dédaigne pas la vie, il rougit et sursaute, se met à crier, à gesticuler des pieds et des mains – il fait appel. Il ne se résigne pas à la sentence. Sans chercher s'il est coupable ou non coupable au sens juridique. Il présente une requête en annulation. Le procès était erroné, précipité, rien n'a pu être clarifié – mon coaccusé, Goethe, se trompe quand il se résigne en se disant qu'il ne vaut pas la peine de se défendre pour une broutille ; puisqu'il ne s'est même pas avéré s'il s'agissait d'une broutille, d'un crime capital ou d'un mérite capital, *tout était si bref.*

Reprise des audiences, nouveau procès, révision du dossier, vision plus approfondie, plus enthousiaste, plus vraie – soixante-dix ou quatre-vingts ans ne peuvent pas suffire : il faut au minimum trois cents ans. Arrangez-moi ça d'abord, on parlera du reste après. De ce qu'est la vie, son sens, son but, sa beauté – telles que les choses se présentent à ce jour on n'a guère le temps, même pour poser les questions.

Shaw à l'âge de soixante-dix ans annonce simplement que par rapport à la plénitude de la vie qu'il a perçue et devinée en ouvrant ses yeux de nourrisson soixante-dix ans auparavant, il ne se sent pas âgé de soixante-dix, mais de deux ou trois ans tout au plus. On l'a tout simplement trompé – on lui a fait miroiter une chose, disant que c'était à lui, au moins dans la mesure où il pouvait l'observer, y jeter un coup d'œil, puisqu'on la lui a simplement fait briller un instant – mais quand il a tendu la main pour l'attraper, une sorte de Loi, ou plutôt une Force Violente stupide, ridicule, injuste, insensée, invisible, par conséquent impossible à connaître, la lui a retirée en ricanant.

Shaw s'avoue donc enfant, renonce volontairement au respect auquel les vieillards ont droit. C'est le trait le plus saisissant et le plus sympathique de son aveu. Sa sincérité, sa sincérité artistique, est attestée par cette naïveté enfantine avec laquelle il suppose sérieusement que ce serait y remédier, de pouvoir vivre trois cents ans au lieu de soixante-dix.

C'est une erreur grossière, même selon nos connaissances imparfaites et pleines de lacunes d'aujourd'hui. Elle provient de ce qu'il considère le temps comme quelque chose de mesurable en soi, or il est évident que jamais personne n'a encore mesuré le temps avec le temps – la mesure du temps par l'homme se fait à l'aide d'un appareil très fin, subjectif, intérieur, appelé *l'aperception*. Ses segments peuvent être aussi bien élargis ou rétrécis (agrandis ou rapetissés) dans notre vision que les segments de l'espace.

Donc la question n'est pas de savoir *combien de temps* nous vivons, mais *avec quelle intensité*. Tout comme pour l'espace la question n'est pas *la surface* occupée, mais *ce qu'elle comporte*. Il y a probablement plus de vie dans une image de film représentant une foule que dans le désert du Sahara. Projetez-le sur un écran de la taille du Sahara et vous verrez.

Le *Time Accelerator* de H. G. Wells exprime, lui, plus finement le désir d'une vie complète. Il s'agit d'un produit miracle, si on en absorbe, on perçoit en un éclair autant de phénomènes extérieurs et intérieurs changeants que normalement en une demi-heure. Dès que le produit commence à agir, on s'aperçoit brusquement que le monde s'arrête autour de soi – les choses bougent avec une lenteur inouïe, des bras mettent une demi-heure à se soulever, les objets qui tombent semblent arrêtés en l'air.

Il existe un proverbe ancien.

« La journée d'un ouvrier est courte, sa vie est longue – la journée d'un oisif est longue, sa vie est courte. »

On est dans une logique similaire.

Cela ne dépend pas de la brièveté du temps – ce n'est pas ce contre quoi se révolte, ayant dépassé le midi de la vie, notre vouloir vivre. La source du problème est à chercher en nous-même, dans notre âme, dans nos nerfs. En effet, nous recevons une goutte, chacun – une image de film, dans le temps, c'est tout. Mais tout le firmament étoilé peut se refléter dans cette goutte – sur cette image, si la couche réceptrice est suffisamment sensible, on peut écrire l'histoire même de dix millions d'années.

Le problème est, et c'est pourquoi nous nous mettons tôt ou tard à protester, qu'elle ne s'y inscrit pas, elle ne rentre pas dedans, la scène exiguë de notre vie *ne représente pas* ce qu'elle devrait représenter.

Nos organes de la perception sont rudimentaires, imparfaits, comparés à la fine sensibilité de notre âme. D'où le conflit.

Nous pouvons à la rigueur fermer les yeux – mais il nous est impossible de boucher nos oreilles, et ne pas entendre le constant cliquètement, le chuintement de nos nerfs, provenant de notre corps – nous sommes contraints de les entendre, que nous le voulions ou non – même ce qui ne nous regarde pas.

Notre conscience est chargée pour quatre-vingt-dix-neuf pour cent, d'idées, de souvenirs, de pensées qui n'ont rien à voir avec notre ego, avec la source pure de la vie – nous n'avons guère de pensée pour comprendre, pour vivre notre propre destin.

Notre cervelle est envahie d'une armée fourmillante de parasites – c'est la vie *d'autrui* qui y prend ses aises, et plus nous avons une imagination riche et raffinée, plus c'est complet, tenace, envahissant.

Il ne s'agit pas d'une longue vie ou d'une courte vie. Il s'agit *d'une vie vécue* ou *d'une vie non vécue*. Et si le cri d'alarme de Shaw a une actualité, c'est bien pour cette raison. L'abondance de plus en plus dense du monde extérieur emprunte, occupe, s'approprie de plus en plus avidement à ses fins notre imagination – il ne reste presque plus de place pour nous, nous y avons hébergé des légions bouillonnantes de Slovaques, d'Allemands et de Français ou plus récemment de Noirs et de Chinois.

Il ne serait même pas nécessaire de vivre trois cents ans. Il suffirait de réussir, d'une façon ou d'une autre, à vider, nettoyer de notre âme tous les vingt ans, tous les déchets qui n'ont rien à y faire. Tout se rajeunirait, reprendrait une nouvelle vie.

Ce n'est pas une prolongation mais une renaissance de la vie qu'il faudrait inventer. Hé, vous, savants ! Ne cherchez pas l'élixir de jouvence – trouvez plutôt *le breuvage de l'oubli.*

À la façon de ces malheureux déments des souvenirs sanglants de cette terrible époque qui, ne pouvant plus supporter leur fardeau, essayent plutôt de jeter le bébé aussi, pour se débarrasser de l'eau souillée du bain.

Plutôt mourir que se souvenir.

13 janvier 1929

Frigyes Karinthy

NOUVEAU MARATHON

NURMI[94] : Je sais bien, Socrate, qu'il convient de comprendre symboliquement le mot marathon – l'importance de ce mot n'est nullement épuisée par le fait que voici une trentaine d'années on a ressuscité les anciennes compétitions sportives grecques, en en copiant même les cérémonies ; il ne manque que la mythologie hellénique – (on s'attendrait à ce que les fêtes solennelles se terminent à Paris, Londres ou Amsterdam, comme jadis, par des prières adressées à Pan ou Héraclès). Je sais qu'il ne s'agit pas d'une vraie résurrection d'anciennes coutumes. C'est un courant universel – un nouveau classicisme, semblable à la Renaissance italienne. Comme en ce temps, aujourd'hui aussi on s'adresse aux anciens Grecs, source première de la culture européenne, pour injecter du sang neuf dans les veines avachies. Pour son art, miroir de la vie, la Renaissance a redécouvert, elle a exhumé, rafraîchi ce naturalisme gonflé de santé par lequel le génie grec illustrait la vie ! Le nouveau marathon tente de réanimer la vie elle-même – mais la vie et l'art sont miroirs l'un de l'autre, par conséquent les deux Renaissances sont parentes – toutes deux manifestations de l'esprit fondamentalement anthropocentrique, voire humaniste – des mouvements révolutionnaires.

SOCRATE : Tu parles très bien, mon cher ami – de nos jours il faut apparemment s'adresser aux athlètes si on veut apprendre un peu de philosophie – les philosophes eux préfèrent tourner dans des films. Mais dis-moi, quel sens donnes-tu au mot "révolutionnaire" ?

NURMI : Je pense à tout ce qui caractérise l'époque. Progrès technique, communication, vitesse, la dévoration accélérée de la vie.

SOCRATE : En somme, le goût sportif de l'époque, l'entraînement corporel, la culture physique, tout cet engouement consacré à la vie du corps, cette tendance matérielle "du progrès de la civilisation", tu mets tout cela en rapport avec le Nouveau Marathon.

NURMI : Eh bien, oui. Est-ce une erreur, Socrate ?

---

94 Paavo Nurmi (1897-1973). Coureur finlandais, huit fois médaille d'or aux jeux olympiques en 1920, 1924 et 1928.

SOCRATE : Nous allons voir. Dis-moi un peu, y aura-t-il une compétition d'avions ou une compétition automobile aux prochains jeux olympiques ?

NURMI : Non, Socrate. Nous, sportifs sérieux, considérons ce genre de courses de motards ou de pilotes comme une déviance de la lutte pour "le podium" – une déviance, une excroissance *ad absurdum* du sport sérieux, au même titre que les jeux amusants tels que sauter sur des tonneaux ou avaler des tartines de confitures dans les fêtes populaires.

SOCRATE : Quels sont donc les sports sérieux ?

NURMI : Ce sont toujours les mêmes : natation, course, saut, lutte.

SOCRATE : Comme de mon temps. Mais alors au contraire, ressusciter le sport grec n'a rien d'un mouvement révolutionnaire – c'est plutôt une réaction saine, une résistance saine de l'individu nu, antique, face à la "mécanisation collective" que veut lui imposer le progrès des techniques. Est-ce juste ?

NURMI : On dirait que oui, Socrate.

SOCRATE : Attendons un peu, mon ami, tu me donnes raison trop vite en abandonnant ta position précédente. Donc, tu reconnais qu'un coureur de marathon pratique un art gratuit – chacun de ses gestes est une protestation contre la mesure prosaïque qu'utilise notre temps pour évaluer les grands efforts.

NURMI : C'est exact, Socrate. La performance d'un coureur de marathon est indépendante du résultat pratique, elle a une beauté en soi. Étant donné qu'une auto court de toute façon plus vite et plus efficacement que tout homme vivant, le coureur marathonien a renoncé depuis longtemps à la rattraper – il se tourne plutôt contre elle, comme pour dire : eh, les gars, faisons gaffe, trop de précipitation ne mène à rien de bon, ça dépasse l'objectif, c'est le travail du diable, non une œuvre divine, contentons-nous de ce que notre corps est capable, parce que si nous ne nous en contentons pas, notre corps pour le confort et la joie duquel nous avons inventé l'auto risque de se rabougrir, dégénérer, et s'atrophier – et il ne sera même plus en mesure de tirer plaisir du confort. C'est pourquoi la course de marathon reste un classique.

SOCRATE : Tu parles très bien, mon ami, je crains seulement que le père archaïque de la lignée des coureurs de marathon soit étonné de t'entendre – celui qui a gagné la branche de chêne chevelu en tant que messager d'une bataille perdue, courait bien dans un but pratique, dans l'absence de voiture et de télégraphe.

NURMI : Tu as raison, Socrate, j'avais oublié.

SOCRATE : Tu vois, c'est pour cela que j'ai dit que tu m'avais donné raison trop vite. Essayons de le dire ainsi : le sport d'aujourd'hui est révolutionnaire, car la culture physique à laquelle autrefois nous donnions un but pratique, l'augmentation de l'esprit de combativité et l'aptitude à la guerre, aujourd'hui, à l'époque où l'avion et les mitrailleuses se battent à notre place, s'est anoblie en un art autonome ; son importance réside justement en ce que par lui nous soulignons qu'il ne nous servira pas à la guerre et au combat.

NURMI : Oui, Socrate, il en est bien ainsi.

SOCRATE : Et puisque, comme tu l'as dit toi-même, dans le coureur marathonien nous ne glorifions plus *la célérité* de la course, mais la course elle-même – est-ce que j'argumenterais à la manière de ces propres-à-rien de sophistes si je disais qu'aujourd'hui la performance d'un coureur de marathon ne caractérise plus la vitesse à laquelle on peut parvenir d'un endroit à un autre, mais plutôt *la lenteur* à laquelle ceci peut – et vaut également la peine – d'être réalisé ?

NURMI : Eh bien, Socrate. Ce que tu dis sonne en effet comme un paradoxe, mais ce n'est pas un raisonnement de sophiste, c'est au contraire un jugement clairvoyant.

SOCRATE : Sur ce point nous nous rencontrons. Allons plus loin. Si la modernité du sport d'aujourd'hui réside en ce que, libéré du service de la lutte pour la vie, il a acquis un sens autonome – en quoi vois-tu ce sens ?

NURMI : Dans ce qu'on appelle *eugénisme*, Socrate. Sans aucun doute un des buts du genre humain est de produire des individus beaux et bien portants, sachant jouir de la vie et de la santé, capables de régénérer par la suite l'ensemble de la société. Un des moyens et des ferments de cette production est le culte du corps. Un corps sain, sportif et souple est attiré par les autres corps sains, sportifs et souples. Air frais, jeux, mouvements, soleil, longue jeunesse – sont autant de facteurs qui, compte tenu des lois éternelles de l'amour, permettent d'espérer une génération plus saine et plus vigoureuse que la précédente. Si nous feuilletons l'histoire séculaire de l'art graphique, on constate que des époques non préoccupées de sports et de joies du corps, se querellant pour l'argent et les biens, cherchant l'intérêt, même dans l'amour, ont généré une descendance chétive et abâtardie – pense aux caricatures de Daumier et de Hogarth, au monde répugnant, vil, repoussant de ces spécimens humains. Que les caricatures vivent aujourd'hui leur décadence est peut-être regrettable du point de vue de l'art, mais c'est aussi un signe encourageant car cela dénote apparemment une embellie de l'intégrité et de la perfection du corps humain.

SOCRATE : J'écoute avec recueillement tes mots sages, mon ami, et surtout l'exemple que tu as pris pour les illustrer. Il n'y a qu'une chose que je ne comprends pas – comment la perfection du corps peut-elle être contraire *à l'art*, à l'intégrité de l'âme ? Eugénisme, production, sélection – je connais moi aussi ces termes : vous avez vous-même emprunté un mot grec pour couvrir cette notion. Dans notre temps Aristote a utilisé ces termes, mais les a appliqués au monde animal. Ne crains-tu pas de rabaisser par-là l'homme au niveau de l'animal – cet homme dont nous avons exigé la beauté corporelle au nom de l'âme belle et brillante, dans la maison d'Agathon[95], à ces fameuses agapes où Platon a noté notre conversation ?

NURMI : Oh, Socrate, excuse-moi, le monde a changé depuis. Les sciences naturelles sont nées, ce système unique des raisonnements et des mesures, qui ne connaît pas deux échelles. L'homme et l'animal se valent désormais, on ne s'attarde plus sur de telles différences. C'est le monde de la *matière*, Socrate, celui de la *matière* mesurable.

SOCRATE : Du monde mesurable – et visible ? J'ai l'impression, mon ami, que je serai obligé d'éclairer ta lanterne, tu n'as pas l'air de connaître les derniers résultats de vos sciences. Je me suis entretenu, pas plus tard qu'hier, avec un physicien, et je lui ai demandé ce qu'il appelait matière. Il s'est mis à me parler de quelque chose comme les *électrons*, tout en répétant : en réalité la matière n'existe pas. Ce que nous appelions matière, n'est autre qu'illusion et jeu de Forces sans corps. Est-ce l'esprit de notre temps que tu appelles matérialiste ?

NURMI : Je ne sais vraiment plus quoi te répondre.

---

95 Personnage du "Banquet" de Platon. Selon Agathon : « Éros est le plus heureux des dieux, car il est le meilleur et le plus beau. »

SOCRATE : Je vais répondre à ta place, mon ami, comme j'ai aussi répondu à Agathon et à Alcibiade voilà deux mille cinq cents ans. Corps et âme – matière et force – beauté et bonheur – ce ne sont pas des choses qui dépendent de l'esprit du temps. Deux mille cinq cents ans ont passé depuis – mais si je juge de ce qui s'est passé, je dirai que la vie du genre humain a toujours été une histoire de pensées et non de muscles – le monde est pourtant resté un combat de forces, salle de jeu des dieux ; et ne peut comprendre l'essentiel du culte du corps que celui qui peut voir en arrière-plan la garantie d'un ESPRIT à venir. Seul peut offrir un sacrifice sur l'autel de Pan et d'Héraclès celui qui croit en un pays d'une Âme invisible et y aspire : celui qui dans la création visible reconnaît l'œuvre d'un Dieu invisible.

3 mars 1929

L'AMOUR

L'écrivain français est à double titre expert officiel de cette question – en tant qu'écrivain et en tant que français. À un quelconque congrès imaginaire de la science des sentiments il se lève et annonce solennellement les résultats de ses investigations : cet état d'âme, passablement répandu, ou cette maladie que sur les traces de la poésie nous appelons ordinairement "amour" et que nous connaissons généralement comme une pathologie bien définie, cette chose donc est en déclin, en perdition, elle a perdu sa virulence, cette importance, qui pendant des siècles, d'après le témoignage des poètes, a surpassé toutes les autres considérations du contenu de la vie, baisse nettement, elle passe au troisième ordre. Les adolescents et adolescentes de notre temps ne sont plus amoureux, tout au plus s'embrassent-ils, en passant, de même qu'ils mangent et boivent. Ils ne languissent plus et ne souffrent plus, et leur cœur ne palpite plus – d'ailleurs ils n'ont plus de temps à consacrer à l'amour, ils ont autre chose à faire qui les intéresse bien plus que les miaulements et les soupirs.

Eh bien, s'il en est ainsi, ça ne mérite vraiment pas de nous lamenter. Dans la mesure où l'amour est une maladie, un phénomène propre à gâcher ou au minimum à entraver la vie, alors la déclaration du confrère français doit nous faire plaisir, de même que nous nous réjouirions si la science médicale annonçait enfin un déclin de la ravageuse pandémie séculaire de tuberculose ou, pour rester dans la catégorie des maladies psychiques, de la démence précoce. Dieu merci, répondrait l'homme raisonnable bien portant – nous pouvons aussi bien renoncer à ce petit bonheur romantique qui accompagne tout de même parfois l'amour, que nous renonçons à l'agréable frisson de la fièvre qui accompagne les maladies. Notre corps et notre âme pourront utiliser leur énergie dépensée pour l'amour et autres fièvres à une activité plus intelligente, plus épanouissante, plus fertile. Un monde meilleur s'ensuivrait et si la poésie récolte moins d'inspiration et moins de sujets dans ce monde futur, tant pis pour la poésie : pourquoi a-t-elle surestimé l'amour ? Elle n'a qu'à apprendre à vivre autrement, elle doit regarder autour d'elle, chercher ses sujets dans d'autres beautés ou d'autres vilenies.

*

Ce brave optimisme a néanmoins un petit défaut. Il ne tient debout que tant que nous considérons l'amour comme une maladie.

Dès qu'il s'avère que ce n'est pas le cas, tout le raisonnement s'écroule, et ce n'est pas un optimisme, mais c'est un ravin effroyable qui s'ouvre devant nous. Il nous arrive ce qui est arrivé à celui qui a tendu au médecin ses pieds et ses mains douloureux pour qu'il les guérisse, et à la fin de l'opération, en revenant à lui, il s'aperçoit qu'on lui a coupé les pieds et les mains. Comme si on aidait quelqu'un que le bruit dérange en lui coulant du plomb dans les oreilles, ou en lui crevant les yeux pour qu'il ne voie pas ce qu'il n'aime pas voir.

Or en réalité ce n'est pas l'œil ou l'oreille qui étaient fautifs, mais le bruit et le spectacle qui rendaient malade.

*

L'amour !

Avant de nous réunir pour son repas de funérailles ou d'entamer une danse nègre au-dessus de sa tombe…

L'amour, qu'est-ce que c'est ?

On peut répondre en douze volumes. Mais aussi en une phrase. Pourquoi on prenait l'amour pour un sentiment aussi mystérieux, difficilement définissable, c'est tout à fait incompréhensible même pour ceux qui, contrairement aux pédants stupides, arrogants, étaient conscients de ce que la notion d'amour n'est pas épuisée par le désir naturel qu'entretient la nature double des sexes.

Aimer est une chose et désirer en est une autre. Le désir – souhaiter un corps du sexe opposé, cela ne demande pas d'explication. Chacun de nous séparément sait ce que cela signifie. Quant à l'affection, c'est un sentiment complètement inexplicable, évident, c'est comme les postulats dans la géométrie. Ce qui importe c'est qu'ils n'ont rien à voir l'un avec l'autre : les deux ne coïncident *que* dans l'amour, à l'instar de l'oxygène et de l'hydrogène qui ensemble font de l'eau, sans que l'hydrogène et l'oxygène ressemblent l'un à l'autre ni à l'eau qu'ils font ensemble.

Être amoureux signifie que j'aime celui ou celle que je désire. Si j'aime quelqu'un mais je ne le (ou la) désire pas, ce n'est pas de l'amour – tout comme n'est pas de l'amour si je désire quelqu'un sans l'aimer. L'oxygène n'est pas de l'eau, l'hydrogène n'est pas de l'eau non plus.

Les deux ensemble, non en mixture mais en composé chimique – quand il ne s'agit plus ni d'oxygène ni d'hydrogène, mais de l'eau, c'est une chose nouvelle, différente. Et de même qu'il est ridicule, pédant et vaniteux de dire *hache-deux-o* à la place de l'eau, il est tout aussi ridicule de chercher la "substance" de l'amour ou dans le désir ou dans l'affection, étant donné que la "substance" de l'amour n'est pas le désir et n'est pas non plus l'idéalisation, les soupirs languissants, le clair de lune, la cour et la souffrance – la substance de l'amour est que deux personnes s'aiment, se désirent, sont amoureuses l'une de l'autre, ce qui ne demande ni temps, ni disponibilité, ni esprit d'époque, ni conditions favorables, ni même de la poésie, seulement un certain "moment" du cours de la vie, à la température duquel les deux éléments, désir et affection, s'unissent ensemble.

On n'a pas le temps d'être amoureux ? C'est comme dire qu'on n'a pas le temps de naître ou de mourir.

*

Ce qui nécessite "d'avoir du temps", ce qui ne se développe, n'arrive à maturité, que si je m'en occupe, je le fais, je le chauffe, je le "cuisine", je le dope, je le prépare, ce n'est pas de l'amour, c'est comme les composants chimiques préparés artificiellement : on peut s'en servir, mais aucune vie n'en jaillira, cela restera infertile.

Cette préparation, ce culte de l'amour artificiellement forcé, je veux bien croire qu'il est en déclin, de même que sont en déclin certains arts dont la floraison nécessite des conditions.

Mais ceux qui décèlent ce déclin ne doivent pas parler de la mort de l'amour.

L'artiste authentique, quand il rencontre une œuvre médiocre, ne se met pas à douter de la valeur ou de la légitimité de l'art. Je pardonne au commun des mortels d'être superficiel et de déclarer sous l'emprise de quelques œuvres bâclées, mal ficelées, que le genre en question est un genre inintéressant, un genre superflu. Je ne peux pas pardonner au poète si, au vu de mauvais poèmes, des poèmes moins bien réussis, il renie sa foi en la force rédemptrice de la poésie – qui doit y croire, si ce n'est pas lui ? Et comment dois-je prendre au sérieux l'écrivain qui veut à tout prix voir avec les yeux du public, même quand ce public est désenchanté et qu'il arrose le saint des saints, l'idéal, de l'averse glaciale de son indifférence et de son incrédulité ? Un écrivain qui pour flatter le public, le soutient, lui donne raison ; même quand de nécessité il fait vertu, en dissimulant par là son incapacité à des choses belles et authentiques, il renie la beauté et la vérité.

Un poète qui ne croit pas en l'amour !

Alors je préfère l'antisémite de la blague qui sur son lit de mort se convertir à la foi juive, sous prétexte que s'il faut mourir, il vaut mieux que meure un Juif plutôt qu'un chrétien !

Que le poète renie d'abord qu'il est un poète, plutôt que renier l'amour, simplement parce qu'à son avis les temps ne sont pas "aptes" à l'amour.

*

L'amour n'est pas à la mode ?

Ton devoir, poète, n'est nullement de le constater, mais de tout faire pour l'y remettre.

Mais non en démontant la grande émotion en ses éléments, et en présentant chaque élément séparément comme si tu parlais de l'ensemble. Les *pièces détachées* de l'amour, prises séparément, peuvent être des poisons nuisibles. Qui oserait juger l'amour sur leur effet ? Strindberg et Wedekind n'ont montré *que* le composant désir, or le désir en soi brûle et détruit, de même que la rêverie sans désir et sans corps, à la manière de Werther, la "tendresse" sans sel et dépourvue de sang, la seule recherche d'une âme, dégénèrent, affaiblissent et ramollissent.

Il ne suffit pas de parler toujours *que* de langueur, de sacrifice de soi, ou de jalousie. Ces éléments, pris séparément, sont effectivement des symptômes maladifs. Mais qui vous a dit que l'amour est une souffrance pour la raison qu'en disséquant de l'amour mort vous trouvez de la souffrance ?

Vous avez disséqué un cadavre.

Vous devriez enfin montrer l'amour vivant, celui qui ne s'appelle ni souffrance, ni jalousie, ni langueur, ni désir, ni torture, mais pas non plus plaisir et jouissance, soupirs et halètements, mais simplement *le bonheur*. De même que pour un homme sain le breuvage rafraîchissant d'une source ne s'appelle pas hache-deux-o, mais de l'eau fraîche, c'est quelqu'un qui sait par expérience ce qu'est l'amour, et que l'amour, le vrai, la palpitation amoureuse ne peut périr, ne peut mourir, ne peut passer de mode. L'amour sain et authentique n'est pas une nuisance et une entrave, au contraire il est le remède à toutes les nuisances et à toutes les entraves. Il n'est pas le but, mais la condition de la vie, la vie qui ne se termine pas mais qui commence là où deux personnes vraies, un homme et une femme, se retrouvent pour chercher désormais ensemble le sens de la vie. Adam et Ève ne sont pas les figures symboliques d'une "conclusion heureuse", mais celles d'un heureux départ.

14 avril 1929

LE ROMAN DE LA RÉALITÉ

Il arrive tout de même ici ou là qu'on me pose des questions.

Avez-vous lu Dreiser[96] ? Avez-vous lu Remarque ? Et le nouveau livre de Gerhart Hauptmann ? Et Gide ? Et ce nouveau Français, Moréas[97] ? – un styliste excellent, un analyste raffiné. Et le livre de Chesterton sur Dickens ? Et l'essai de Paléologue[98] sur Cavour, et le Christ de Emil Ludwig[99] ?

J'en feuillette un ou deux, je m'en réserve quelques autres, à lire absolument quand j'aurai le temps.

Et le soir – ô, rare, pécheresse heure pastorale volée ! – quand je ferme la porte, j'allume ma lampe de chevet, je m'étire, puis, les paupières baissées, j'attends que les machines trépidantes actionnées par les eaux souillées des dix-huit heures passées, tournent encore un moment, puis s'arrêtent dans mon esprit ; le soir, quand, dans la gelée torturée du récipient osseux, le nœud de la colère et de l'indignation s'engourdit dans le sommeil, je rouvre les yeux et, assoiffé, je tends le bras vers la colonne de livres sur ma table de chevet. Une heure de pureté, de silence au-dedans et au dehors – que vais-je lire ?

Autant de belles choses, de nouveaux romans, travail de nobles cœurs et de nobles esprits – des mondes, des cosmos créés par l'imagination et par le Souvenir – vais-je y trouver ce que j'ai imaginé moi-même, ce que j'ai vu moi-même ; ont-ils parcouru eux aussi, comme cet autre chrétien, les villes symboliques, les champs et les rivières, la source du bonheur, la vallée du désespoir ?

Je jette un coup d'œil dans un premier, dans un second, je déguste, je me prends au jeu.

Et l'aventure – ces temps-ci – se termine toujours par ce que je reste avec un livre soi-disant "scientifique" à la main, qu'ensuite je ne pourrai plus lâcher.

Pourtant je voulais lire un roman.

---

96 Theodore Dreiser (1871-1945). Écrivain américain naturaliste.

97 Jean Moréas (1856-1910). Poète symboliste français d'origine grecque.

98 Maurice Paléologue (1859-1944). Diplomate, historien et essayiste français.

99 Emil Ludwig (1881-1948). Écrivain allemand connu pour ses biographies.

Et à la place d'un roman, voici un chapitre saisi dans un vaste sujet avec lequel en réalité je n'ai aucun rapport, puisqu'il est désormais évident, je commence à le croire moi-même, que je ne deviendrai jamais commandant d'un navire. Je ne serai pas plus astronome, ni médecin, ni mathématicien, ni entomologiste, ni explorateur de terres nouvelles, ce n'est pas moi non plus qui ai inventé l'avion comme je m'y préparais à l'âge de huit ans (il est vrai que l'avion n'est *pas devenu tout à fait* ce que j'imaginais alors), et je vois bien que l'on parviendra sur la Lune et sur Mars sans moi. Je pourrais encore écrire quelques romans, pièces et poèmes, quelques "modestes opinions" sur le monde, mais apparemment je finirai par quitter cette terre dans le même état où je l'ai trouvée, que j'aie eu ou non sur elle une opinion modeste ou immodeste.

Mais alors dans ce cas, pourquoi mon cœur palpite-t-il autant, pourquoi est-ce que je m'abandonne bouche bée à ces "connaissances scientifiques" avec une telle fougue, comme jamais je n'ai lu un ouvrage de mon ressort, roman, poème ou pièce – je mâche et remâche deux ou trois fois une phrase pour colmater les lacunes de mes connaissances. Pourquoi diable ai-je besoin d'apprendre dans les détails où en sont aujourd'hui, à cette heure et à cette minute, la théorie et la pratique de la pathologie des cancers, synthétisant tout ce que l'on sait sur la question – alors que je ne compte pas devenir chirurgien, et pourquoi diable je m'empiffre de cette marmelade : dans quelle direction les chercheurs récents on fait évoluer la théorie des électrons ou la théorie quantique, alors que je n'aurai jamais l'occasion d'intervenir ne serait-ce qu'oralement, dans les débats des mathématiciens et des physiciens – et pourquoi diable la vie amoureuse du bernard-l'hermite m'intéresse davantage que celle de Madame Bovary ou celle de l'héroïne de O'Neill, ou même la mienne ?

Arrêtons-nous un peu sur moi-même.

Ces questions n'auraient eu aucun sens, j'en suis sûr, quand j'avais quatorze ou dix-sept ans. Même si cela sonne bizarrement aujourd'hui (pour moi pas tellement en fait) à cette époque j'étais pareillement intéressé à chacun de ces sujets, comme qui peut avoir ou aura affaire aux électrons de même qu'au martin-pêcheur : je pensais faire leur connaissance, personnellement, et que nous ne serions plus indifférents les uns aux autres. J'avais probablement des notions erronées du temps, de la mesure du temps – je m'étais prévu des programmes pour cinq ou six mille années, il est donc très naturel que ce programme eût permis que je devienne et médecin, et avocat, et premier ministre et astronome, et que de plus je déchiffrasse le mystère du monde au trot du cheval sur l'échiquier.

Un poème de Heine me vient à l'esprit :

Ich hab allein dreihundert Jahre[100]
Tagtäglich drüber nachgedacht,
Wie man am besten Doktores juris
Und gar die kleinen Flöhe macht.

Je me rappelle aussi à quel point j'étais étonné de voir mon père, à l'âge de soixante-dix ans, se replonger dans les livres, recommencer à lire avec voracité, de la science, de la philosophie et des chefs-d'œuvre des belles lettres, mais surtout, je le répète, des sciences. Je me demandais ce qu'il pouvait y chercher, puisque pour lui tout cela n'avait plus *d'utilité*. Pourquoi lisait-il, oubliant tout, Spencer[101] et Auguste Comte, alors que dans le monde que par exemple ce dernier enthousiaste avait rêvé et voulait réaliser, mon père ne pouvait plus être présent, n'avait aucune chance de jouir de sa beauté, de son calme. Et pourquoi s'intéressait-il à Werther, à Adolphe et à Casanova – voulait-il apprendre alors, à soixante-dix ans, à quoi sert la jeunesse ?

Voulait-il chercher la Certitude, au seuil de la porte au-delà de laquelle tout est incertain, la certitude de ce monde que bientôt il serait obligé de quitter à jamais, l'avait-il bien connu ou l'avait-il mal connu ?

C'est maintenant que je commence à le comprendre.

Cette nostalgie n'est pas tout à fait une désaffection de la création artistique, du "jeu de l'imagination", l'écœurement d'un Spengler, pour se tourner vers le royaume des faits connaissables.

Il est certain que dans le monde de la connaissance scientifique on est saisi par la douceur d'un sentiment de sécurité comparable à rien, que,

---

100 Durant trois cents ans/J'ai moi aussi réfléchi jour et nuit/Comment les grands docteurs en droit/Arrivent à pondre de minuscules puces. (Heine : Divers chants de la création)

101 Herbert Spencer (1820-1903). Philosophe et sociologue anglais.

ni l'art, ni la sociologie, ni la philosophie, ni l'histoire, ni la théologie ne peuvent offrir. Comme si, après un long voyage en mer source de vertiges, la tête découvrait enfin la côte : on ignore où l'on se trouve, mais il est certain que c'est une terre ferme, semblable à soi, du solide. Au dehors, dans le monde créé *par l'homme*, il y a des paysages merveilleux et d'encore plus belles perspectives et des horizons – mais tout cela a un grave inconvénient dû au fait que cela a été créé par l'homme, que cela est issu de son imagination, de la force créatrice de ses désirs et de sa volonté. Comment m'exprimer ?

Je vais essayer de me résumer en une loi mathématique unique, improvisée, quelque chose comme : *au même moment, une même action ne peut se dérouler que d'une seule manière*.

En revanche au fond de toute action humaine couve le problème *du bien* et *du mal*, autrement dit elle est toujours soumise aux conditions de la morale et de l'éthique. Comment faire coïncider cette condition avec la loi qui précède ?

Pour constater si une action humaine (soit imaginaire, soit volontaire) est juste et correcte, il n'existe qu'un seul moyen convaincant, c'est de la soumettre à une contre-épreuve, de façon à examiner si, en agissant autrement, on arrive à un résultat néfaste et incorrect. Mais hélas c'est impossible, car on ne peut à la fois agir que d'une unique manière – par conséquent, toute morale restera à jamais problématique et non fiable. J'ai sauvé la vie d'un tel et détruit celle d'un autre – quelle que soit la conséquence de mon action, je ne pourrai jamais savoir si agir inversement aurait été meilleur ou pire – il n'y a aucun moyen de me procurer une certitude, je dois à jamais renoncer à y voir clair *au préalable*, je dois me contenter du rayonnement de mon instinct, ce qui, justement parce que je suis un humain, fonctionne plus faiblement, de façon moins crédible et plus embrouillée en moi qu'en mes frères et sœurs animaux ou végétaux.

Pourtant pendant la lecture de livres scientifiques où je ne suis pas hanté par cet éternel doute faustien, je n'ai pas l'impression d'avoir tourné le dos à l'art.

Il existe toutes sortes de mondes, et il n'existe ni raison ni contrainte de percevoir n'importe lequel d'entre eux *plus vrai*, plus juste, plus existant que les autres.

Dieu a créé un monde, et le génie humain aussi a créé un monde. Lequel des deux est plus parfait que l'autre, où réside le paradis, qui le sait ?

Tout ce que je sais est que ce qui se passe par exemple dans le monde des atomes et des forces, tel que la recherche contemporaine le révèle progressivement de nos jours – est plus excitant, plus aventureux, plus effarant et plus atterrant que le plus fantastique roman d'aventures – et que ce qui se déroule devant nos yeux jour après jour dans le monde des insectes et des végétaux par exemple, dépasse de loin dans sa diversité, son ingéniosité, son horreur et sa beauté, la sensation qu'offre, disons, l'histoire de l'humanité, avec ses guerres, ses paix, ses révolutions, ses contre-révolutions.

Et moi je suis incapable de poser ce roman à sensation, *le roman de la réalité*, ce feuilleton d'un auteur inconnu, que récemment j'ai recommencé à feuilleter.

21 avril 1929

PANORAMA

Ça vient, ça s'approche, aucune digue ne pourrait l'arrêter.

Dans les paroles pressées des hommes d'affaires ou des journalistes au retour de Hollywood ou de Berlin, vibre déjà une inquiétude fébrile. C'est dans l'air, ça s'approche.

Pour le moment il ne s'agit que du film parlant, du chambardement que la nouvelle technique a provoqué dans cette industrie deux fois décennale. Des palais de cinéma s'écroulent en craquant, on reconstruit fiévreusement des usines mondiales. Berlin, Londres, New-York déménagent à la hâte, des câbles vont et viennent, on casse les grands contrats du passé, de nouveaux noms surgissent. Certains ont déjà *entendu* le nouveau film et regardent en face un avenir vertigineux : mon ami, s'en est fini du théâtre, du cinéma, c'en est fini de tout dans sa forme actuelle. S'ouvre une ère nouvelle.

Pourtant derrière le cinéma parlant, qui n'est après tout qu'un simple additif, la fusion de deux opportunités bien connues et exploitées en une troisième – derrière le *talkie*, gazouillis en anglais, se cache, d'après des experts sérieux, un nouveau chambardement bien plus révolutionnaire que la radio.

L'usine radiophonique parfaitement accomplie dans sa gloire, l'Oreille universelle, avait tout de même ôté les frontières dans le temps et dans l'espace d'une certaine catégorie modeste des phénomènes perceptibles, le royaume des Sons.

L'univers sourd et muet n'était pas suffisamment différent du monde réel pour transformer de manière sensible notre perception lorsque des milliards de gorges se sont mises à parler voilà quelques années.

Mais cette fois il s'agit d'éclairer le monde aveugle et obscur.

Après l'Oreille universelle s'ouvre l'Œil universel.

Les experts prétendent que la transmission de l'image mouvante parfaite sur les ondes radio est résolue – ce n'est plus très long, plus qu'une question de temps pour que notre appareil de prise de son, notre lampe magique d'Aladin, soit complétée du miroir magique de Tanagra, une petite plaque de verre. Sur cette plaque, si je donne deux tours, apparaît Eastern-Square, sous le soleil de midi, avec mon beau-frère au milieu en train de traverser la chaussée – si je donne trois tours apparaît à volonté le Pôle Sud, quatre tours c'est le Sahara, des tours supplémentaires, la réception de Lady Windermere ou éventuellement une exécution à la chaise électrique à Sing-Sing.

Le monde existant en tant que panorama accessible à tout instant – c'est le panorama du proche avenir.

Un monde simultané à la fois dans ma perception et ma conscience – un monde dans lequel deviennent inutiles la rêverie et l'imagination, toute conclusion laborieuse et non fiable, déduction du connu vers l'inconnu – c'est la réalité à la place de l'imagination, le résultat final à la place de la déduction, sur place, livré à domicile.

La Tragédie de l'Homme, sans illustrer le destin dans le temps, sur le sablier condensé des millénaires, mais en le présentant dans l'espace. Adam et Ève ne jaillissent pas d'une succession des générations dans une jeunesse éternelle, dans les naissances et les morts éternelles, dans les vagues sans cesse renouvelées d'une espérance éternelle – non dans des époques successives mais dans des scènes placées les unes à côté des autres, comme roi et reine, mendiant et prostituée, chevalier courtois et fière châtelaine, explorateur polaire et jeune Esquimau, être archaïque anthropophage et son esclave en Tasmanie.

Car le monde peut être aussi bien représenté dans l'espace que dans le temps, et une fois que s'ouvrira l'Œil universel, il s'avérera que ce que nous appelions l'Histoire, l'ordre et l'alignement de passés qui s'approchent, dans lesquels nous croyions déceler un *processus évolutif*, était en réalité tout autant une illusion d'optique que ces bizarres et inexplicables images oniriques, quand on rêve *un précédent* à un événement extérieur, un bruit, le choc d'un objet qui tombe, le téléphone qui se met à sonner, rêver une histoire cohérente dont la conclusion serait le bruit extérieur ; en nous réveillant, nous ne comprenons pas comment c'est possible, nous sommes obligés de supposer, si nous ne voulons pas lâcher les béquilles de notre foi investie dans les relations de causalité, supposer donc que ce que nous croyions se dérouler dans le temps, n'était probablement qu'une série d'images projetées côte à côte dans l'espace, et rien d'autre.

À la place du Temps, c'est l'Espace qui occupe désormais le centre de notre vision.

Nietzsche explique dans un de ses beaux essais que les époques vivant, créant et voyant intensément se préoccupent peu de l'histoire (de ce qu'on appelle le passé). Les classes cultivées de Rome savaient moins de leurs prédécesseurs directs que nous d'eux, à la distance de deux mille ans.

Ils en savaient d'autant plus sur eux-mêmes.

Apparemment c'est une époque de ce genre qui commence.

Il ne vaut pas la peine de s'occuper de l'histoire, puisque le monde visible, si l'Œil universel s'ouvre effectivement, servira aussi bien à nous alerter pour remarquer et comprendre son enseignement.

Nous devons nous habituer – et apparemment c'est là-dedans que la littérature, l'art, la science et la philosophie à venir puiseront leur tâche – à ce que nous pourrons aussi bien découvrir les tenants et aboutissants, la signification et le sens des choses dans le caléidoscope des images qui se ressemblent mais qui sont différentes, que nous les reconnaissions auparavant sous les indications de la fiction des causes et des effets, dans l'ordre successif des résultats.

Si le monde entier est en mesure d'entrevoir le monde entier, si nous évoluons sous les yeux les uns des autres, pour nous comprendre nous-mêmes il n'est plus nécessaire de puiser des exemples dans nos souvenirs – c'est le présent lui-même qui présentera des exemples dans une richesse infiniment variée.

Mais pour que tout cela devienne possible, on aura besoin de ressentir l'existence d'une nouvelle et différente façon – ce sentiment n'a émergé que de façon pâle et brumeuse, tantôt apparaissant, tantôt disparaissant dans l'âme six fois millénaire de l'homme civilisé.

Nos fils en sauront peut-être déjà davantage.

Comment vous expliquer ce que j'entends par là ?

Dans ce monde étroit où vit aujourd'hui l'homme civilisé, *le sentiment de l'existence* a été défini par le prétendu *sentiment du moi* – et celui-ci par la cohérence des souvenirs. À tout moment j'appelle *moi* la personne que je peux identifier à mon centre de mémoire d'il y a un instant, une heure, un jour, un an. Depuis l'éveil de ma conscience j'ai existé, je suis allé et venu, j'ai vécu, j'ai senti, j'ai vu, j'ai réfléchi – et j'identifie le héros de ces anciens et toujours renouvelés sentiments vitaux à celui qui ressent la vie à l'instant même : c'est ainsi que se crée le Moi.

Le vivant dans le temps.

Mais on peut aussi imaginer un être différent, qui vit dans l'espace, constitué d'éléments semblables, si l'on projette tout ce qui s'est passé dans le temps sur le plan de l'espace.

J'ai été un nourrisson, j'ai été un petit enfant ? Bien sûr je l'ai été, je m'en souviens. J'ai été ce premier, et si je suis toujours moi, je le sais parce que j'ai été aussi ce dernier.

Mais regarde le monde autour de toi. Tu vois des centaines de milliers de nourrissons et autant de petits enfants. Ils ressemblent plus ou moins à ce que tu as été. Si tu cessais de te rappeler ton enfance, tu pourrais aussi bien te faire une image et une idée sur *l'enfant*, que par la voie du souvenir à toi-même – et alors, de tous ces êtres semblables à toi, enfants et adolescents et adultes vivants qui fourmillent, *si tu arrives à les identifier à toi-même*, tu peux aussi bien te créer un nouveau *sentiment du moi* vaste, englobant tous les humains, que celui que tu t'es forgé à partir de tes souvenirs.

Et plus tu observes le monde, et plus tu en aperçois pour choisir dans ce phénomène ce qui est humain, en le distinguant de tout ce qui ne l'est pas – plus tu commences à sentir comme possible ce dicton hindou archaïque, le paradoxe des paradoxes pour une oreille européenne : *Ta twam assi*, je suis toi.

Et Adam et Ève, dans cette Tragédie spatiale, simultanée, qui, ici où tu es assis, et dans l'Amérique lointaine, et à bord d'un Zeppelin balancé dans le vent, et au fond d'une cave, quelque part, sous cent mille formes, dans un et même moment que tu appelles Maintenant, se joue aussi bien le destin de ces deux Êtres malheureux qui se cherchent, qui se combattent, le destin de ces deux Ego, que s'est joué dans l'ordre des générations successives, ce que tu appelais Histoire.

L'Œil universel qui s'ouvre te le montre peut-être.

Peut-être en les voyant, et en les comprenant à travers toi, tu admettras mieux que la méchanceté leur a fait autant de mal et la bonté et l'affection les a autant sauvés que celui, l'unique, dont la douleur et la félicité te sont connues par tes souvenirs.

Qu'il vienne donc.

19 mai 1929

PENSÉES AU CIMETIÈRE DE KEREPES

Le lecteur allègre ne doit pas être désappointé et hocher la tête : non mais quand même, cet Efka, cet Efka, il se met à philosopher (plutôt que m'écrire une humoresque) – qui plus est, sur la mort, merci bien !

Tout d'abord : je n'ai pas dit mort, j'ai seulement parlé de cimetière. Deuxièmement – en une belle matinée de juin le lecteur n'a qu'à aller se promener dans notre beau et propre cimetière de Kerepes fleuri et ensoleillé – il verra que non seulement il ne sera pas triste mais il reviendra rafraîchi et rasséréné dans la crypte que nous appelons la grande ville et où (permettez-moi de rassurer les âmes romantiques qui, en entendant le mot cimetière, pensent tout de suite à des vers et à des asticots) beaucoup plus de vers et d'asticots asticotent notre âme immortelle bien plus précieuse que le corps, que ceux qui, le moment venu, feront des misères à ce pauvre corps.

Moi en tout cas j'ai été rasséréné par ma promenade.

Pourtant c'est un événement assez horripilant pour une âme sensible qui était à l'origine de mon excursion – il fallait exhumer un cercueil, la stèle de ma morte la plus chère s'était déplacée, et c'était le seul moyen de retrouver sa place précise.

Oui, les larmes ont jailli en effet en apercevant le nom en lettres dorées, grâce à Dieu restées intactes, sur le flanc des planches de chêne – ô combien doux et apaisant était d'apercevoir son nom chéri ; larmes, le plus pur remède de l'âme torturée que le corps impur ait inventé, filtré et étuvé, une essence plus utile que le chloroforme, la novocaïne et la morphine, plus saine, plus endormante, plus rafraîchissante, plus béatifiante ! Qui était le butor qui a fait des larmes le symbole du chagrin et de la tristesse ? Chagrin et tristesse ne sont que le *ferment* des larmes, comme le fumier qui la fait épanouir est ferment de la fleur – les pleurs eux-mêmes sont source de bonheur ou de promesse de bonheur, une fente à travers laquelle le soleil brille et aveugle entre les nuages, saveur et promesse enivrantes, goût de la paix et de l'optimisme, solution et clarté plus gais que toute allégresse, tout ce que nous sentons sous la dénomination collective de ciel, et qui instille l'espérance de nous réveiller un jour, quand, rieurs et heureux, nous aurons compris notre rêve stupide et nous le séparerons, le distinguerons de la réalité.

Donc : que soient bénis les objets simplistes et naïfs, symbole, souvenir, stèle ou croix de bois et cercueil, capable de faire venir *ce* pleur, *ces* larmes.

En nous attardant au bord de la fosse, nous échangeons quelques mots avec le sympathique et compétent directeur du cimetière.

Il parle de cimetières étrangers, de ses projets d'enchanter ce grand parc fleuri et de le rendre encore plus harmonieux, plus beau et plus souriant.

Nous en venons à la question de l'incinération des morts.

Cette idée m'a toujours été fort antipathique.

C'est ici au cimetière que je comprends pourquoi.

Ce ne sont pas les boniments qui relèvent de la piété et de la tradition qui la rendent telle – piété et tradition peuvent n'être que de mauvaises habitudes incrustées, de même qu'une innovation originale, voire révolutionnaire peut n'être qu'absurdité et non-sens inutile.

Néanmoins, l'incinération des morts ressortit bien plus aux innovations, que l'inhumation aux traditions.

Il existe deux exagérations, les deux bouts du bâton qui peut servir à assommer les sentiments raisonnables – l'un est une superstition extravagante, archaïque, l'autre est une pédanterie savante, écervelée, brouillonne.

L'une est une pyramide égyptienne. Embaumer le corps, le figer en pierre, le conserver pour dix mille ans, bâtir dessus un mémorial prétentieux, de mauvais goût, si énorme que toute vie devient naine à ses pieds – à quoi bon, *à qui parle* un tel mémorial qui méprise tant ceux à qui il était destiné ?

L'autre extrême est le testament du banquier américain qui a souhaité qu'on ne mette pas ses cendres dans une urne, mais qu'on les monte dans un avion au-dessus de Wall-Street et qu'on les disperse dans le vent.

La vérité est entre les deux.

Avec ses lèvres apaisées, souriantes, bien dessinées, ses yeux doucement fermés, les contours étalés, allongés, presque agréablement engourdis de son corps appesanti, le mort allongé sur le catafalque signale et montre si simplement, si muet et pourtant compréhensible, ce qu'il souhaite.

Ne me badigeonnez pas de ces baumes, n'injectez pas de formol dans mes veines, ne me figez ni en pierre, ni en parchemin, ni en caoutchouc, ne faites de moi ni un article industriel, ni une préparation, ni un vestige de musée, ni la farce d'un bocal d'esprit-de-vin, ne chargez pas sur moi de ces gros cailloux qui vont m'aplatir comme une crêpe.

Par contre ne me faites pas disparaître non plus comme le camphre, n'essayez pas de faire croire à quelqu'un, à vous-même et au monde existant, que je n'ai pas existé, donc je ne peux exister, ne me faites pas rabougrir en une minute parce que ce n'est pas en une minute que je suis devenu ce que *je suis encore* – quoi que vous puissiez penser de cet objet immobile, vous n'avez pas le droit de me traiter comme un saltimbanque traite son mouchoir ! Mesdames et Messieurs, passez muscade, voyez, il n'en reste rien.

Pour parler clair – ne me touchez pas.

Ne vous mêlez pas de mes affaires.

Car oui, j'ai encore à faire. Faire quoi ? Ça me regarde, faites-moi confiance.

Toute l'aide que je vous demande, c'est de ne plus me garder ici entre vous où on court, on se bouscule et on joue des coudes – bêchez une jolie petite fosse dans la bonne terre humide, grasse et odorante, poussez-moi au bord pour que je puisse y descendre tout seul, puis couvrez-moi comme vous recouvrez la graine semée.

Ne nous trompons pas sur cette métaphore des graines, ce ne sont pas des considérations scientifiques qui me guident. Ou plus exactement *pas seulement*.

La science, quelle que soit notre opinion sur elle, est quelque chose qui change et évolue, même la science la plus exacte (je suis en train de lire le beau livre de Poincaré, *La Valeur de la Science*) ; ne peut avoir une vraie foi dans la science que celui qui n'a pas à cent pour cent la certitude des affirmations du moment, qui arrive à en retrancher ce que les mesures imparfaites et l'opportunisme voulaient faire paraître comme des certitudes.

Donc ma métaphore ne visait pas *l'azote* qui est nécessaire à la vie et qu'exhalent les matières organiques en décomposition.

Je pense au mort lui-même tel qu'il reste allongé dans le cercueil longtemps encore après son inhumation.

Comment savoir ce qui se passe dans les briques de construction de mon corps, les cellules, dans les briques de construction de mes cellules, les atomes, qui, pendant longtemps, après que le cœur ne nourrit plus les cellules, n'ont pas la moindre idée qu'ils ne sont plus les composants d'une vie vivante.

Eux, ils continuent un mouvement mystérieux d'une loi aujourd'hui encore totalement inconnue, une évolution et une activité : ils phosphorent, ils composent et décomposent, ils recherchent de nouvelles positions et de nouvelles formes.

Sur les chaotiques herbes folles cérébrales, cultivées sans méthode, incultes, des spiritistes, je ne peux que sourire des diverses hypothèses, *ectoplasmes* et *matière astrale* qui, se forment d'après eux à partir du corps-mort, afin de s'affiner en un fantôme semblable aux vivants. Mais je souris aussi de ceux qui *stigmatisent à l'avance comme impossible n'importe quoi des domaines dont nous ignorons tout.* Chesterton n'a pas raison quand il prétend qu'il croit davantage cent mille vieilles femmes qui ont vu le fantôme, plutôt que quelques vieillards (les savants), qui ne l'ont pas vu. Mais il aurait raison s'il tournait la chose autrement et s'il disait que celui qui prétend que les vieilles *n'ont rien vu* n'est pas un vrai savant. Un vrai savant peut tout au plus prétendre que ce que les vieilles ont vu, n'était pas un fantôme.

Ce peut être quelque chose d'autre.

Et cette autre chose peut éventuellement se nourrir effectivement d'un cadavre – et pour pouvoir se créer, a manifestement besoin de ce processus naturel, d'un contenu et d'un ordre défini, qu'en terme humain faillible nous appelons décomposition et anéantissement.

Il n'est pas conseillé de s'immiscer dans ce processus avant d'en comprendre la signification complète.

La place du feu est dans les fourneaux, entre les alambics, dans les chalumeaux, il sert à mélanger et à concocter des substances simples, mieux connues que les phénomènes de la vie.

Le cimetière n'est pas encore la mort. Il s'y passe quelque chose, là-bas cet Esprit mystérieux joue encore un rôle, nous ne connaissons pas suffisamment son travail car nous sommes aussi les résultats de son travail.

Le feu ne doit pas briser le doux silence encourageant du cimetière. La larme que ta poussière brûlée, flottante, aurait fait germer dans nos yeux, ô mort, n'est pas la larme dont le vivant a besoin. Pour cela ta stèle et ton cercueil, ta tombe et ton corps doucement putrescent sont nécessaires – comme si elle avait suinté directement *de toi*, elle s'était enracinée, à travers mes jambes, dans les branches de mes bras écartés, dans mes yeux asséchés, assoiffés de larmes, pour retomber dans la terre dont elle avait germé.

9 juin 1929

Du même auteur :

Voyage autour de mon crâne – Éditions Denoël
Reportage céleste – Éditions Cambourakis
Capillaria – Éditions Robert Laffont
Danse sur la corde - Éditions Cambourakis
Farémido - Éditions Cambourakis
Au Tableau - Éditions Cambourakis

Nombreux recueils de nouvelles chez divers éditeurs

Première impression
En octobre 2017
Sur les presses de Lulu.com

Lightning Source UK Ltd.
Milton Keynes UK
UKHW020653190722
406066UK00009B/1033